Le Ramat de la typographie

Aurel Ramat

Le Ramat de la typographie

Édition 2000

ISBN 2-922366-00-6

Dépôt légal : deuxième trimestre 2000
Bibliothèque nationale du Québec
Bibliothèque nationale du Canada
Cinquième édition, imprimée en juin 2000

Couverture : Ashraf Shaker, étudiant en infographie
au Collège Inter-Dec, filiale du groupe Collège LaSalle, à Montréal,
sous la supervision de Pierrette Coiteux, professeure.

Illustrations : Catherine Ramat

Bureau :
Aurel Ramat, éditeur
400, rue De Rigaud, porte 1600
Montréal QC H2L 4S9
Téléphone : (514) 499-1142 ou (450) 672-4651
Télécopie : (514) 499-1142
Courriel : ramat@videotron.ca
Site : http://pages.infinit.net/ramat

Domicile :
Aurel Ramat
224, avenue Macaulay
Saint-Lambert QC J4R 2G9
Téléphone : (450) 672-4651

Diffuseur :
Diffusion Dimédia inc.
539, boulevard Lebeau
Saint-Laurent QC H4N 1S2
Téléphone : (514) 336-3941
Télécopie : (514) 331-3916
Courriel : general@dimedia.qc.ca

En vente dans les librairies seulement.

Introduction

La typographie

Aujourd'hui, le mot « typographie » désigne deux choses :

D'abord, il désigne la présentation visuelle d'un imprimé : on qualifiera de « belle typographie » un imprimé agréable à regarder, où les caractères ont été judicieusement choisis et les espaces blancs harmonieusement répartis. Plaisir des yeux : tel est le but d'une belle typographie.

Le mot « typographie » désigne aussi les règles typographiques, c'est-à-dire celles qui sont présentées dans ce livre. Ces règles, quand elles sont bien appliquées, donnent au texte une évidente distinction et rendent la lecture facile et agréable. De plus, leur bon emploi évite souvent des ambiguïtés et des contresens.

Les coquilles

Sur demande unanime, j'ai augmenté le nombre de coquilles humoristiques. Certaines coquilles sont authentiques, certaines proviennent des ouvrages cités dans la bibliographie, d'autres sont de mon invention.

J'ai ainsi relevé le défi de susciter un petit sourire chez quiconque ouvrira ce livre à n'importe quelle page. On peut apprendre dans la bonne humeur.

Cette cinquième édition

- Trente-deux pages ont été ajoutées.
- La consultation a été encore améliorée en facilité et en rapidité.
- Les chapitres, dans les titres courants, sont par ordre alphabétique.
- L'ordre alphabétique s'applique aussi à l'intérieur des chapitres.
- L'index est sur deux colonnes, sans abréviations, ce qui facilite la lecture.
- La table des matières de quatre pages peut servir d'un plan de cours.
- La mise à jour du livre a été réalisée, comme à chaque édition depuis plus de dix-huit ans maintenant.
- *L'Année francophone internationale* a choisi le présent livre :
  « Nos règles se basent sur *Le Ramat de la typographie,* guide qui nous semble le plus efficace à l'échelle de la francophonie internationale. »

Les chapitres de ce livre

Abc de typographie
Abréviations
Capitales
Coupures
Italique
Nombres
Orthographe
Ponctuation
Typographie anglaise

Table des matières détaillée page 208.

Mon père est maire et mon frère est masseur.

Bibliographie

Abrégé du Code typographique à l'usage de la presse, 2e édition, Paris, CFPJ, 1989.

ARCHAMBAULT, Ariane, et Jean-Claude CORBEIL. *La cuisine au fil des mots,* Montréal, Québec Amérique.

AYCARD, Albert, et Jacqueline FRANCK. *La réalité dépasse la fiction,* 2 volumes, Paris, Gallimard, 1957.

BRODEUR, France. *Vocabulaire du prépresse,* Montréal, Institut des communications graphiques du Québec, 1993.

CLAS, André, et Paul A. HORGUELIN. *Le français, langue des affaires,* 2e édition, McGraw-Hill éditeurs, 1979.

Code typographique, 16e édition, Paris, Fédération CGC de la communication, 1989.

DAC, Pierre. *L'os à moelle*, Paris, René Julliard, 1983.

De l'emploi de la majuscule, 2e édition, Fichier français de Berne, 1973.

DOPPAGNE, Albert. *Majuscules, abréviations, symboles et sigles,* Duculot, 1991.

DREYFUS, John, et François RICHAUDEAU. *La chose imprimée,* Paris, CEPL, 1977.

DUMAIS, Christian. *Les perles de l'assurance,* Montréal, Dale-Parizeau.

GAGNIÈRE, Claude. *Au plaisir des mots,* Paris, Robert Laffont, 1989.

Guide du typographe romand, 5e édition, Lausanne, Héliographia, 1993.

GUILLOTON, Noëlle, et Hélène CAJOLET-LAGANIÈRE. *Le français au bureau,* 5e édition, Montréal, Les Publications du Québec, 2000.

JEAN-CHARLES. *Les nouveaux cancres,* Paris, Presses de la Cité, 1988.

Le guide du rédacteur, Ottawa, Bureau de la traduction, 1996.

LEJEUNE, Paule. *Les reines de France,* Éditions Vernal/Philippe Lebaud, 1989.

Lexique des règles typographiques en usage à l'Imprimerie nationale, 3e édition, Paris.

MALO, Marie. *Guide de la communication écrite,* Montréal, Québec Amérique, 1996.

MULLER HEHN, Anita. *Les menus : orthographe – dénominations – rédaction,* Montréal, Institut de tourisme et d'hôtellerie du Québec, 1984.

Petit Larousse illustré (Le), Librairie Larousse, 2000.

Répertoire des avis linguistiques et terminologiques (mai 1979 à septembre 1989), Office de la langue française, Les Publications du Québec.

Répertoire toponymique du Québec, Commission de toponymie, 1978.

Système international d'unités (SI), Bureau de normalisation du Québec, norme NQ 9990-901, 92-10-10.

TANGUAY, Bernard. *L'art de ponctuer,* 2e édition, Montréal, Québec Amérique, 2000.

VILLERS, Marie-Éva de. *Multidictionnaire,* 3e édition, Montréal, Québec Amérique, 1997.

Dans le catalogue : *Don Juan, le grand séducteur* (épuisé).

Remerciements

Je remercie le Centre Calixa-Lavallée, qui m'a fourni gratuitement les films et l'épreuve couleur de la couverture, sous la supervision technique de **Jean Laferrière,** enseignant.

Je remercie aussi les personnes et les organismes suivants, qui m'ont prodigué leurs précieux conseils lors de la rédaction de cette édition :
Anne-Marie Benoit, Jacques Blier, Guy Connolly, François Hubert, Alain Joly, Annik Jutras, Alain Lafon, Yves Lanthier, Marie Laporte, Nicole Légaré, Paul Morisset, Guy Robert, Bernard Tanguay et l'Association des enseignants en imprimerie du Québec.

Aurel Ramat

Quelques lettres reçues

Geneviève Duquet, *L'Année francophone internationale,* Université Laval :
Bonjour, monsieur Ramat!
Il m'a fait grand plaisir de vous rencontrer et de discuter avec vous; le mélange de modestie et de passion qui vous caractérise dans votre métier est rare de nos jours, et cela fait de vous quelqu'un d'exceptionnel.

Annik Jutras, rédactrice, Victoriaville :
Monsieur Ramat,
Le Ramat de la typographie est l'ouvrage vers lequel mes mains se dirigent spontanément lorsque je travaille. J'aime beaucoup les références historiques et les mots d'esprit dont vous parsemez votre livre. En plus d'apprendre la typographie, on élargit sa culture.

Micheline Sommant, rédactrice de la dictée de Bernard Pivot :
Aurel,
Je vous remercie de tout cœur de m'avoir envoyé *Le Ramat de la typographie.* Il est clair, précis, bien organisé et donne des règles et des conseils utiles et essentiels pour savoir écrire, mettre en page et correspondre... Catherine a bien du talent et de l'humour.

Bernard Tanguay, Saint-Jérôme, vice-champion du monde d'orthographe :
Très cher Aurel,
J'aimerais, une fois de plus, te dire toute l'admiration que j'éprouve à ton égard. Lire *Le Ramat de la typographie,* c'est comme gravir, heureux, les trois cents derniers mètres d'un sommet himalayen.

Annick Valade, responsable du département lecture-correction chez Larousse :
Cher ami,
... Clarté des explications, textes bien aérés, précision, note d'humour..., tout contribue à faire de cet ouvrage un outil indispensable à tous ceux qui ont pour métier d'écrire. Quant à la couverture, son élégante sobriété attire le regard, c'est une réussite, la cerise sur le gâteau! Encore merci et bravo. Je vous adresse mon meilleur souvenir et d'amicales pensées.

Non seulement la typographie
ne disparaît pas,
mais tout le monde
maintenant
peut et doit
devenir
typographe !

Alain Lafon

Abc de typographie

Abrégé historique

La langue française

- LE ROMAN. En 58 avant Jésus-Christ, Jules César envahit la Gaule. Vaincus, les Gaulois adoptent la langue des Romains, le latin. Après 400 ans de paix, les Francs, les Huns et les Arabes envahissent tour à tour la Gaule et apportent avec eux des mots nouveaux. Ainsi naît une nouvelle langue : le *roman.*
- TRAITÉ DE VERDUN. Après la mort de Charlemagne, roi des Francs, son petit-fils Charles le Chauve reçoit la partie occidentale de l'empire au traité de Verdun en 843. C'est la première fois que le mot *France* est prononcé.
- SERMENT DE STRASBOURG. En 842, Charles le Chauve avait signé avec son frère Louis le Germanique un pacte d'assistance, le serment de Strasbourg. C'est le premier texte historique écrit en langue romane, qui deviendra le français.

Le livre manuscrit

- PÉRIODE MONASTIQUE (842-1257). Ce sont les moines qui possèdent le monopole du livre. Dans chaque monastère existe un *scriptorium,* c'est-à-dire un atelier dans lequel les *scribes* écrivent sous la dictée d'un des leurs. Leur écriture est gothique. Les *enlumineurs* décorent les livres. On écrit sur du parchemin. L'orthographe des moines est phonétique : ils écrivent *doi, lou, ier.*
- PÉRIODE LAÏQUE (1257-1440). La Sorbonne est créée en 1257. Les praticiens (fonctionnaires, greffiers et écrivains publics) vont remplacer les moines dans le domaine de l'écriture. Ils utilisent alors le papier, apparu en France vers 1250. Les lunettes sont inventées en 1280, facilitant ainsi la lecture. Les scribes sont maintenant payés à la lettre. Pour augmenter leur salaire, ils ajoutent de nombreuses lettres inutiles et ils écrivent *avecques, deffense, chappelle.* Enfin, pour montrer leur connaissance du latin, ils écrivent *doigt* (digitus), *loup* (lupus), *hier* (heri).

Le quinzième siècle

- GUTENBERG. Né à Mayence (Allemagne), Gutenberg s'installe à Strasbourg où, en 1440, il invente la typographie, c'est-à-dire l'impression par caractères mobiles en plomb. De retour à Mayence, il y imprime la Bible en gothique.
- INCUNABLES. Les livres imprimés entre 1440 et 1500 sont appelés « incunables » (latin *incunabulum,* berceau), donc imprimés au berceau de l'imprimerie. Premier livre imprimé : la Bible, à Mayence, par Gutenberg en 1455. Premier livre imprimé en Italie : *De Oratore,* de Cicéron, à Subiaco en 1465 (c'est la première utilisation du caractère romain, qui remplacera le gothique). Premier livre imprimé en France : *Epistolarum libri,* de Gasparin de Bergame, à la Sorbonne en 1470.
- ALDE MANUCE, typographe à Venise, invente en 1500 les premiers caractères penchés, appelés d'abord *lettres vénitiennes,* ou *aldines,* puis *italiques.*

Le seizième siècle

- GEOFROY TORY, typographe, écrit en 1529 le premier code typographique français, le *Champ fleury,* dans lequel il dessine des caractères basés sur le visage humain. Il suggère les accents, la cédille et le *point crochu,* qui deviendra l'apostrophe.
- JACQUES DUBOIS, grammairien, propose en 1531 qu'on distingue *i* et *j,* ainsi que *u* et *v.* À cette époque, les sons *u* et *v* s'écrivent *u* et on prononce selon la position de la lettre dans le mot (subjet, scauoir). En capitales, U et V s'écrivent V. Dubois invente l'accent circonflexe pour remplacer un *s* non prononcé (teste = tête).

Le génie de la Renaissance : Mickey l'Ange.

- ROBERT ESTIENNE est le plus renommé d'une famille de typographes. Il épouse Perrette Bade, correctrice, dont il aime la ligne, la taille et le caractère. En 1539, il publie un dictionnaire français-latin contenant pour la première fois tous les mots de la langue française. Il est le premier lexicographe français.
- ÉTIENNE DOLET, typographe, écrit *La punctuation de la langue francoyse* en 1540. Il y propose la ponctuation moderne et les accents diacritiques : a/à, la/là, du/dû.
- LE LIVRE. Jusqu'à 1529, le livre n'a pas de titre. Il est désigné par les premiers mots du texte (*incipit*). Le texte est dense, on va rarement à la ligne. Les pages ne sont pas numérotées, seule la feuille porte l'indication : FEUIL. L (feuille 50 recto). Les auteurs ne sont pas payés : ils écrivent pour la gloire.
- LE TYPOGRAPHE ne doit pas se marier pendant son apprentissage. Ensuite, il doit faire son tour de France dans différentes imprimeries. Il a le droit de porter l'épée et il a la réputation d'être un coureur de jupons.
- FRANÇOIS Ier, par l'ordonnance de Villers-Cotterêts en 1539, ordonne : « Tous les actes de justice doivent être rédigés en français et non en latin. » Le seizième siècle est considéré comme l'âge d'or de l'imprimerie.

Le dix-septième siècle

- LITTÉRATURE. C'est *le Grand Siècle*, le siècle de la langue classique. On admire les anciens et on met l'accent sur la pureté et la clarté du style.
- PREMIER JOURNAL. Le 30 mai 1631, Théophraste Renaudot crée le premier hebdomadaire : *La Gazette de France* (de l'italien *gazzetta*, monnaie vénitienne qui représente le prix au numéro du premier journal paru à Venise).
- ORTHOGRAPHE. L'Académie française est créée en 1635 par Richelieu. Elle sera l'organisme officiel de l'orthographe et fera paraître un dictionnaire tous les cinquante ans environ. La première édition du dictionnaire paraît en 1694.
- GUILLAUME, typographe, invente en 1670 les « crochets courbes », qu'on appellera plus tard « guillemets ».

Le dix-huitième siècle

- LITTÉRATURE. C'est le siècle des philosophes ou *Siècle des lumières.* On écrit sur les fondements du droit, sur la morale et sur le gouvernement des États.
- QUATRIÈME ÉDITION. En 1762, l'Académie fait entrer les lettres *j* et *v* dans son dictionnaire. Jacques Dubois avait proposé cela il y a 231 ans.
- FRANÇOIS-AMBROISE DIDOT invente le point typographique en 1775. Puis il crée le caractère Didot qui est à la base de la typographie française. En 1777 paraît le premier quotidien français : *Le Journal de Paris.*
- FLEURY MESPLET, typographe à Lyon, arrive à Montréal en 1776. En 1778, il lance *La Gazette du commerce et littéraire,* le premier journal imprimé à Montréal.

Le dix-neuvième siècle

- LITTÉRATURE. Le romantisme triomphe. C'est la victoire du sentiment sur la raison. C'est l'expression de la sensibilité, l'évasion dans le rêve, l'exotisme et l'amour.
- KOENIG, lui, invente l'encrage par rouleaux et le cylindre en 1810. La fonderie William Caslon crée le premier caractère sansérif en 1816.
- ORTHOGRAPHE. À partir de 1830, sous Louis-Philippe, l'orthographe devient alors obligatoire pour accéder aux fonctions publiques.
- SIXIÈME ÉDITION. En 1835 paraît la sixième édition du dictionnaire de l'Académie. On remplace la graphie *oi* par *ai* partout où elle est prononcée *è* (*avoit* = *avait*). En 1856, Pierre Larousse écrit son premier dictionnaire, l'ancêtre du *Petit Larousse.*

Liste alphabétique

Ansi

- Acronyme de **A**merican **N**ational **S**tandards **I**nstitute. Chaque caractère possède son propre numéro. Sur un PC, pour appeler sur l'écran un caractère qui n'est pas sur le clavier, il suffit de taper ALT 0 et le numéro du code Ansi au clavier numérique, en précisant la police désirée.
- On peut aussi appeler ces caractères en faisant INSÉRER+CARACTÈRES SPÉCIAUX et on obtiendra un tableau quadrillé sur lequel on choisira le caractère désiré.
- Mais quand on sera en train de taper un message dans le courriel, on n'aura pas la possibilité d'appeler le tableau des caractères spéciaux.
- De même quand on aura à rechercher et remplacer un caractère spécial et qu'on aura devant soi la boîte de dialogue, cela demandera du temps pour retourner au tableau des caractères spéciaux et revenir à la boîte de dialogue.
- C'est alors que la table Ansi sera très utile. Cette table se trouve aux pages 12 et 13 de ce livre. On peut la photocopier et l'afficher près de son ordinateur.
- De cette façon, dans un courriel, on pourra placer une espace insécable (ALT 0160) devant un deux-points (**:**) pour éviter que ce deux-points ne se trouve au début de la ligne suivante.
- Le code Ascii comporte les 128 premiers caractères du code Ansi.

Comment se faire une liste Ansi

1. Allumer le clavier numérique ;
2. Faire un tableau de plusieurs colonnes (avec des tabulations ou des cellules) ;
3. Dans la première colonne, inscrire le numéro, par exemple 33 pour le premier ;
4. Faire la même commande pour chaque colonne, par exemple ALT 033 ;
5. Ensuite, on sélectionnera chaque colonne séparément, et on lui choisira la police ;
6. On pourra ainsi comparer les différents signes dans les différentes polices.

	Times	Garamond	Omega	Arial	Verdana	Symbol	Wingdings	
33	!	!	!	!	!	!	✎	
34	"	"	"	"	"	∀	✂	
35	#	#	#	#	#	#	✁	
36	$	$	$	$	$	∃	👓	
37	%	%	%	%	%	%	🔔	
38	&	&	&	&	&	&	📖	
39	'	'	'	'	'		❼	
40	(	(	(	(	(	(	☎	
41	)	)	)	)	)	)	✆	
42	*	*	*	*	*	*	🖂	
43	+	+	+	+	+	+	🖃	
44	,	,	,	,	,	,	📪	
45	-	-	-	-	-	–	📫	
46	.	.	.	.	.	.	📬	
47	/	/	/	/	/	/	📭	
48	0	0	0	0	0	0	🗀	etc.

Chérie, que préfères-tu, un homme beau ou intelligent? — Aucun, c'est toi que j'aime.

Ansi : signification des signes

Ce tableau facilitera la compréhension entre les différents intervenants d'un travail.

Signe	Signification
@	*a* commercial et arobas
🖃	adresse aller
🖂	adresse retour
↲	alinéa
∠	angle
≈	approximativement égal à
#	carré (touche de téléphone)
■	carré plein
□	carré vide
¢	cent (monnaie)
✂	ciseaux
✓	coche
☑	coche encadrée
≡	congru à
∧	conjonction
⊃	contient
©	copyright, droit d'auteur
[	crochet ouvrant
]	crochet fermant
☒	croix encadrée
°	degré (cercle supérieur)
∅	diamètre
≠	différent de
∨	disjonction
/	divisé par
÷	divisé par
=	égal à
⇔	équivaut à
&	esperluette ou perluète
⊂	est inclus dans
★	étoile pleine
☆	étoile vide
«	guillemet ou chevron ouvrant
»	guillemet ou chevron fermant
“	guillemet anglais ouvrant
”	guillemet anglais fermant
"	petits guillemets
⇒	implique
∞	infini
∩	intersection
✍	lettre manuscrite
º	lettre **o** supérieure
æ	ligature ae bas-de-casse
Æ	ligature ae capitale
œ	ligature oe bas-de-casse
Œ	ligature oe capitale
🕮	livre ouvert
♦	losange étroit
◆	losange large
®	marque déposée, ou MD
′	minute d'angle
-	moins
×	multiplié par (chiffres)
•	multiplié par (lettres)
⊄	n'est pas inclus dans
¬	négation
†	obèle, pour marquer un décès
‡	obèle double
⊙	option
✈	par avion
∴	par conséquent
§	paragraphe
π	pi (3,1416)
+	plus
±	plus ou moins
%	pour cent
‰	pour mille
⊗	produit tensoriel
∃	quantificateur existentiel
∀	quantificateur universel
√	racine ou radical
…	remplace « etc. »
∪	réunion
●	rond plein (gros)
•	rond plein (petit)
○	rond vide
″	seconde d'angle
⊕	somme directe
<	strictement inférieur à
>	strictement supérieur à
→	tend vers la droite
←	tend vers la gauche
↓	tend vers la limite du bas
↑	tend vers la limite du haut
—	tiret long
–	tiret court

Table Ansi

ALT 0 (zéro) plus le nombre à gauche. Utilisez le clavier numérique, à droite.
Les têtes des colonnes : (**T**) Times New Roman — (**S**) Symbol — (**W**) Wingdings.
La colonne Times New Roman est la même pour presque toutes les polices de texte.

	T	S	W		T	S	W		T	S	W
33	!	!	✏	68	D	Δ	👎	103	g	γ	♑
34	"	∀	✂	69	E	Ε	☜	104	h	η	♒
35	#	#	✁	70	F	Φ	☞	105	i	ι	♓
36	$	∃	👓	71	G	Γ	☝	106	j	φ	🙰
37	%	%	🕭	72	H	Η	☟	107	k	κ	🙵
38	&	&	🕮	73	I	Ι	✋	108	l	λ	●
39	'	∋	🕯	74	J	ϑ	☺	109	m	μ	❍
40	(	(	🕿	75	K	Κ	😐	110	n	ν	■
41	)	)	✆	76	L	Λ	☹	111	o	ο	□
42	*	*	🖂	77	M	Μ	💣	112	p	π	🞐
43	+	+	🖃	78	N	Ν	☠	113	q	θ	❑
44	,	,	📪	79	O	Ο	🏳	114	r	ρ	❒
45	-	−	📫	80	P	Π	🏱	115	s	σ	⬧
46	.	.	📬	81	Q	Θ	✈	116	t	τ	⧫
47	/	/	📭	82	R	Ρ	☼	117	u	υ	◆
48	0	0	📁	83	S	Σ	💧	118	v	ϖ	❖
49	1	1	📂	84	T	Τ	❄	119	w	ω	⬥
50	2	2	📄	85	U	Υ	🕆	120	x	ξ	⌧
51	3	3	🗏	86	V	ς	✞	121	y	ψ	⍓
52	4	4	🗐	87	W	Ω	🕈	122	z	ζ	⌘
53	5	5	🗄	88	X	Ξ	✠	123	{	{	❀
54	6	6	⌛	89	Y	Ψ	✡	124	|	|	✿
55	7	7	🖮	90	Z	Ζ	☪	125	}	}	❝
56	8	8	🖰	91	[	[	☯	126	~	~	❞
57	9	9	🖲	92	\	∴	ॐ	127	▒		
58	:	:	🖳	93	]	]	☸	128			⓪
59	;	;	🖴	94	^	⊥	♈	129			①
60	<	<	🖫	95	_	_	♉	130	‚		②
61	=	=	🖬	96	`		♊	131	ƒ		③
62	>	>	✇	97	a	α	♋	132	„		④
63	?	?	✍	98	b	β	♌	133	…		⑤
64	@	≅	🖎	99	c	χ	♍	134	†		⑥
65	A	Α	✌	100	d	δ	♎	135	‡		⑦
66	B	Β	👌	101	e	ε	♏	136	ˆ		⑧
67	C	Χ	👍	102	f	ϕ	♐	137	‰		⑨

	T	S	W
138	Š		⑩
139	‹		⓿
140	Œ		❶
141			❷
142			❸
143			❹
144			❺
145	‘		❻
146	’		❼
147	“		❽
148	”		❾
149	•		❿
150	–		🙢
151	—		🙠
152	˜		🙡
153	™		🙣
154	š		🙞
155	›		🙜
156	œ		🙝
157			🙟
158			·
159	Ÿ		•
160	espace insécable		
161	¡	ϒ	○
162	¢	′	⭕
163	£	≤	🞅
164	¤	⁄	🞆
165	¥	∞	◎
166	¦	ƒ	❍
167	§	♣	▪
168	¨	♦	□
169	©	♥	🟂
170	ª	♠	✦
171	«	↔	★
172	¬	←	✶
173	-	↑	✴
174	®	→	✹
175	¯	↓	✵
176	°	°	⯐
177	±	±	⌖

	T	S	W
178	²	″	⟡
179	³	≥	⌑
180	´	×	⯑
181	µ	∝	✪
182	¶	∂	✰
183	·	•	🕐
184	¸	÷	🕑
185	¹	≠	🕒
186	º	≡	🕓
187	»	≈	🕔
188	¼	…	🕕
189	½	⏐	🕖
190	¾	⎯	🕗
191	¿	↵	🕘
192	À	ℵ	🕙
193	Á	ℑ	🕚
194	Â	ℜ	🕛
195	Ã	℘	⮰
196	Ä	⊗	⮱
197	Å	⊕	⮲
198	Æ	∅	⮳
199	Ç	∩	⮴
200	È	∪	⮵
201	É	⊃	⮶
202	Ê	⊇	⮷
203	Ë	⊄	🙠
204	Ì	⊂	🙡
205	Í	⊆	🙖
206	Î	∈	🙔
207	Ï	∉	🙗
208	Ð	∠	🙕
209	Ñ	∇	🙐
210	Ò	®	🙑
211	Ó	©	🙒
212	Ô	™	🙓
213	Õ	∏	⌫
214	Ö	√	⌦
215	×	⋅	⮘
216	Ø	¬	⮚
217	Ù	∧	⮙

	T	S	W
218	Ú	∨	⮛
219	Û	⇔	⮈
220	Ü	⇐	⮊
221	Ý	⇑	⮉
222	Þ	⇒	⮋
223	ß	⇓	🡨
224	à	◊	🡪
225	á	〈	🡩
226	â	®	🡫
227	ã	©	🡬
228	ä	™	🡭
229	å	∑	🡯
230	æ	⎛	🡮
231	ç	⎜	🡸
232	è	⎝	🡺
233	é	⎡	🡹
234	ê	⎢	🡻
235	ë	⎣	🡼
236	ì	⎧	🡽
237	í	⎨	🡿
238	î	⎩	🡾
239	ï	⎪	⇦
240	ð		⇨
241	ñ	〉	⇧
242	ò	∫	⇩
243	ó	⌠	⬄
244	ô	⎮	⇳
245	õ	⌡	⬁
246	ö	⎞	⬀
247	÷	⎟	⬃
248	ø	⎠	⬂
249	ù	⎤	▫
250	ú	⎥	▫
251	û	⎦	✗
252	ü	⎫	✓
253	ý	⎬	☒
254	þ	⎭	☑
255	ÿ		⊞

À la fin, les soldats en avaient assez d'être tués.

Alignements de paragraphes

en alinéa

Alinéa..
....
....
Alinéa..
....
....
Alinéa..
....
....

en sommaire simple

Alinéa..
....
....
Alinéa..
....
....
Alinéa..
....
....

au carré

Alinéa ....
....
....
Alinéa ....
....
....
Alinéa ....
....
....

au carré avec rentrée

Alinéa ....
....
....
Alinéa ....
....
....
Alinéa ....
....
....

en drapeau à gauche

Alinéa ....
....
....
Alinéa ....
....
....
Alinéa ....
....
....

en drapeau à droite

Alinéa ....
....
....
Alinéa ....
....
....
Alinéa ....
....
....

centré

Alinéa ....
....
....
Alinéa ....
....
....
Alinéa...
....
....

en pavé

Alinéa..
....
....
Alinéa..
....
....
Alinéa..
....
....

Dans toutes ces compositions, on peut utiliser les divisions de mots (césures) ou non.
On appelle ici « alinéa » le fait de retourner à la ligne (touche ENTRÉE ↵).

Approche ou crénage

L'approche est l'espace entre les lettres d'un mot. Je conseille de ne pas trop modifier l'approche originale. Un texte comprenant des mots dont les lettres ont été écartées ou rapprochées est désagréable à lire. En cas de manque de place, il vaut mieux changer la **chasse** quand le logiciel le permet. L'approche peut se changer pour une lettre seulement ; on l'appelle alors **approche de paire,** souvent automatique.

Cadratin et demi-cadratin

Le cadratin est un carré imaginaire de surface non imprimée. Son côté est égal au corps employé. Par exemple, dans un texte composé en 9 points, le cadratin est un carré blanc de 9 points. Le demi-cadratin vaut la moitié du cadratin en largeur. Ces espaces ne varient pas en largeur, même si la composition est justifiée. Voici un cadratin de 10 points entre ces mots de 10 points.

cadratin cadratin

Cadre

Un cadre est le **filet** (bordure) que l'on met autour d'un texte sélectionné ou d'un dessin. Le cadre, même si l'on en cache les bordures, permet aussi de déplacer ce texte ou ce dessin à l'aide de la souris ou du clavier et de le positionner dans la page à l'endroit de son choix.

Cédérom

Sigle CD-ROM de **C**ompact **D**isk **R**ead **O**nly **M**emory. C'est un *disque optique compact* (DOC) à mémoire fixe pouvant être lue seulement. L'information est stockée sous forme numérique et elle est enregistrée par un rayon laser. Il existe aussi un CD-R (compact disk recordable) sur lequel on peut enregistrer 650 Mo.

Champ

Un champ est un ensemble de codes permettant d'insérer dans un document certains éléments qui seront automatiquement mis à jour. Ainsi, le champ PAGE donnera à chaque page son numéro (folio). C'est aussi un ensemble de caractères « vides » destiné à recevoir des informations permettant de constituer une base de données.

Chasse ou échelle

La chasse est la largeur totale d'un caractère. Par exemple, la lettre **i** a une chasse plus petite que la lettre **m.** La chasse peut être condensée ou élargie par déformation horizontale de la lettre. Elle se définit en pourcentage. On l'appelle parfois **échelle.**

Corps ou taille

Le corps est déterminé en points et en fractions de point. C'est l'espace entre la partie la plus haute et la plus basse des lettres. Dans l'exemple ci-dessous, le corps est la distance entre le sommet du **T** majuscule et le bas du **g** minuscule, plus un léger espace appelé **talus** qui empêchera que ces lettres ne se touchent si elles se trouvent l'une au-dessous de l'autre.

Typographie

Correction d'épreuves

Corrections à l'encre noire ou à l'encre rouge

Il faut marquer à l'encre noire les fautes commises par rapport à la copie originale. Ces corrections ne sont pas facturées au client. Puis on marque à l'encre rouge les changements que l'auteur effectue par rapport au texte original. Ces corrections sont facturées au client.

Corrections au crayon

Quand un correcteur a un doute sur l'orthographe d'un mot ou sur la construction d'une phrase, il attire l'attention de l'auteur en marquant au crayon le mot ou le passage en question et en inscrivant dans la marge un point d'interrogation **encerclé.** Si l'auteur considère que la correction se justifie, il la marque à l'encre rouge ; sinon, il efface l'annotation du correcteur.

Place des signes de correction

Les signes de correction se mettent dans la marge, du côté le plus rapproché de la faute. Quand il y a plusieurs fautes dans la même ligne, on marque les signes successivement, en s'éloignant du texte. Cette méthode est la méthode internationale.
• Mais, si les textes à corriger sont généralement peu chargés de fautes, on peut utiliser la méthode suivante. Par exemple, si l'on veut un **o** à la place d'un **a,** on barre le **a** et, sans lever le crayon, on marque un **o** dans la marge, sans autre signe.

Soulignement

On souligne de un trait les mots que l'on veut en italique, de deux traits ceux que l'on veut en petites capitales, et de trois traits ceux que l'on veut en capitales.

Nombre de lectures en correction

Il faut faire deux lectures : la première consiste à découvrir les fautes d'orthographe et de typographie. Il faut lire les numéros de téléphone en les prononçant à voix basse. La seconde lecture consiste à relire le texte sans s'occuper des fautes qu'on a déjà mentionnées. Cette seconde lecture permet de s'attacher au fond et non plus à la forme, et elle dure environ le quart du temps de la première. Il ne faut pas se contenter de la lecture sur l'écran, il faut lire sur les épreuves.

Relecture des passages corrigés

Quand la correction d'un mot n'a pas fait changer la fin de la ligne, le **corrigeur** (la personne qui exécute les corrections) ne marque aucune indication. Mais si la correction a fait changer la fin de la ligne, il doit marquer d'une accolade le pavé de texte jusqu'à la fin du paragraphe. Cela signifiera au correcteur qu'il doit relire les nouvelles lignes pour en vérifier les coupures.

Indications à l'auteur

Quand le correcteur veut transmettre une indication à l'auteur ou à l'opérateur, il doit s'assurer que cette indication ne sera pas interprétée comme un texte à composer. Toutes ces indications sont donc encerclées. Par exemple, quand il veut que l'opérateur compose le signe ? dans le texte, il marque le signe ? non encerclé dans la marge. S'il veut attirer l'attention de l'auteur, il écrit le signe ? **encerclé.**

Vérification des pages et des notes

Il faut vérifier si la pagination est correcte, si l'index et la table des matières renvoient aux bonnes pages, et si les notes correspondent bien aux appels de notes.

Vérification des dates

Le correcteur doit prendre garde aux transpositions dans les dates (1897 au lieu de 1987). Il doit aussi vérifier si la date est correcte. Par exemple, dans la date *mardi 28 décembre 1994,* il y a une erreur. Si le mot *mardi* est correct, il faudra mettre *27 décembre.* Mais si c'est *28 décembre* qui est correct, il faudra mettre *mercredi.* Cette vérification n'est pas toujours possible, surtout si la date est très éloignée.

Vérification des énumérations

Dans les énumérations horizontales ou verticales, le correcteur doit vérifier si les chiffres ou les lettres d'énumération se suivent correctement. Dans les énumérations 1. 2. 4. ou *a*) *b*) *d*), il y a des erreurs, car 3. et *c*) ont été sautés. Il doit aussi vérifier la ponctuation, ainsi que la syntaxe de l'énumération.

Vérification des clichés

On doit vérifier si tous les hors-texte (photos, dessins, etc.) sont bien marqués de leur lettre d'identification et si cette dernière correspond à celle de la maquette.

Uniformité des abréviations

Si les abréviations reviennent très souvent, le correcteur doit s'assurer que le même mot est abrégé de la même façon tout au long de l'ouvrage. Il doit, évidemment, appliquer les règles concernant les abréviations.

Les noms propres

Puisqu'il n'y a pas de règle d'orthographe qui s'applique aux noms propres, il faut que ces derniers soient bien transcrits la première fois qu'ils figurent dans le texte. Le correcteur surveillera leur uniformité.

Les capitales

Le correcteur doit s'assurer qu'un style d'emploi des capitales est suivi tout le long de l'ouvrage. Les capitales sont une source d'ennuis pour un opérateur, car leur emploi dépend souvent des circonstances.

Éviter de deviner le texte

Souvent, nous parcourons un texte en ne lisant qu'une partie du mot et en devinant le reste. C'est le défaut qu'un correcteur doit éviter : il doit lire toutes les lettres. Il ne doit jamais changer la copie s'il n'est pas absolument sûr de son initiative. Il doit faire approuver par l'auteur tout changement proposé.

Doute et humilité

Ce sont les deux qualités que doit posséder un bon correcteur (ou correctrice, évidemment). Il doit constamment mettre en doute ses connaissances afin de toujours s'améliorer. Il ne doit surtout pas se vanter de ne jamais faire de fautes.

Correction d'épreuves : signes

cadratin	demi-cadratin	espace fine	espace justifiante
□	⧄	⊠	#
espace insécable	trait d'union	trait d'union insécable	trait d'union conditionnel
⊞#	⊂=⊃	[=]	(=)
changer une lettre	changer un mot	insérer une lettre	insérer un mot
é/	/deux/	⋏u	⋏une
enlever une lettre	enlever un mot	enlever et joindre	enlever et espacer
ɣa	ɣ |—|	ɣ ⊃	ɣ #
point	virgule	apostrophe	indice
⊙	^,	∨'	^2
joindre	rapprocher sans joindre	transposer	exposant
⊃	⌒	⊔⊓	∨2
tiret long	tiret court	faire suivre	faire un alinéa
|1|	|½|	⊃	L
réduire le blanc de 3 pt	annuler le blanc	augmenter le blanc de 6 pt	nettoyer
3 pt ←—	←—	6 pt #—	⊗

Mon fils va prendre un cours de pilotage d'avion. Est-il couvert contre le vol?

Correction d'épreuves : signes

pousser à droite	pousser à gauche	centrer	justifier
]	[	] [	[ ]
renfoncer à gauche	renfoncer à droite	renfoncer des deux côtés	supprimer les renfoncements
18 pt]	[18 pt	18 pt] [18 pt	| |
sur ligne précédente	sur ligne suivante	sur page précédente	sur page suivante
le]	[et		
aligner verticalement	aligner horizontalement	aligner sur la gauche	aligner sur la droite
||	=		
voir copie	ne rien changer	questionner l'auteur	signature du correcteur
V. copie x	bon	?	O.K. Untel
capitales	bas-de-casse	petites capitales	capitales et bas-de-casse
cap.	bdc.	p.c.	cap. / bdc.
romain	italique	maigre	gras
rom.	ital.	m.	gr.
cap. maigre romain	bdc. maigre italique	cap. gras romain	bdc. gras italique
cap. m. rom.	bdc. m. ital.	cap. gr. rom.	bdc. gr. ital.

Depuis que mon mari est parti, je n'ai plus de cochon à la ferme.

Correction : texte à corriger

RECETTES DE CUISINE

Choux d'Espagne à la sauce Picador

Achetez un kil ogramme de choux d'Espagne en vous les faisant envoyer franco. Arrosez-les de rhum en « céro » après les avoir coupés en quatre dans un bolaro. Faites chauffer sur flamenco quelques pesetas bien mûres que vous aurez réduites en poudre à l'aide de ~~trois~~ bonnes et solides casse-tagnettes.

Lorsque la cuisson des choux vous siéra mélangez le tout, passez à travers une mantille et arrosez d'une sauce PICADOR. Vous pouvez accompagner d'un nid d'hirondelle d'Halgo.

Recette féminine

Il s'agit là d'une recette venant de Virginie Préparez avec clémence une julienne bien claire dans une sauce blanche, avant dy faire fondre une rose.

Laissez bien chauffer au bainmarie en y ajoutant des pétales de marguerite, des crêpes Suzette, madeleine et une clémentine. Tournez avec constance.

MENUISERIE

Si vous avez une com mode avec quatre tiroirs, voici une méthode pour ~~pour~~ en obtenir de multiples avantages.

1. Enlevez les tiroirs ;
2. Placez-les à côté de la commode;
3. Superposez les tiroirs les uns sur les autres ;
4. Mettez une cale de bois de 10 cm entre eux.

Vous avez ainsi la disponibilité de vos tiroirs et aussi de la commode dont vous povez faire un très beau coffre en défonçant le dessus, ou un meuble à étagères, celles-ci se trouvant aux endroits des tiroirs.

Correction : texte corrigé

RECETTES DE CUISINE

Choux d'Espagne à la sauce Picador

Achetez un kilogramme de choux d'Espagne en vous les faisant envoyer franco. Arrosez-les de rhum en « céro » après les avoir coupés en quatre dans un boléro. Faites chauffer sur flamenco quelques pesetas bien mûres que vous aurez réduites en poudre à l'aide de deux bonnes et solides castagnettes.

Lorsque la cuisson des choux vous siéra, mélangez le tout, passez à travers une mantille et arrosez d'une sauce Picador. Vous pouvez accompagner d'un nid d'hirondelle ou d'un nid d'Halgo.

Recette féminine

Il s'agit là d'une recette venant de Virginie. Préparez avec clémence une julienne bien claire dans une sauce blanche, avant d'y faire fondre une rose.

Laissez bien chauffer au bain-marie en y ajoutant des pétales de marguerite, des crêpes Suzette, une madeleine et une clémentine.

Tournez avec constance.

MENUISERIE

Si vous avez une commode avec quatre tiroirs, voici une méthode pour en obtenir de multiples avantages :

1. Enlevez les tiroirs ;
2. Placez-les à côté de la commode ;
3. Superposez les tiroirs les uns sur les autres ;
4. Mettez une cale de bois de 10 cm entre eux.

Vous avez ainsi la disponibilité de vos tiroirs et aussi de la commode dont vous pouvez faire un très beau coffre en défonçant le dessus, ou un meuble à étagères, celles-ci se trouvant aux endroits des tiroirs.

Énumérations verticales

Ponctuation des énumérations

1. Capitale initiale aux parties

Si l'on considère que la phrase est interrompue entre la proposition d'introduction et le début de l'énumération, on met une capitale à chaque partie. On utilise de préférence les signes comportant un point (**I. A. 1.**). On met un point-virgule à la fin de chaque partie, quelle que soit la ponctuation interne, et un point final à la fin. Les subdivisions d'une partie prennent un bas-de-casse initial et une virgule à la fin de chacune d'elles.

> *Instructions aux élèves le jour de l'examen :*
> 1. Présentez votre lettre de convocation ;
> 2. Préparez le matériel nécessaire :
>   — papier,
>   — crayon,
>   — gomme à effacer ;
> 3. Rassemblez-vous dans la cour. Les numéros des classes vous seront donnés sur place ;
> 4. Ne fumez pas.

2. Bas-de-casse initial aux parties

Si l'on considère que la phrase n'est pas interrompue entre la proposition d'introduction et le début de l'énumération, on met un bas-de-casse au début de chaque partie. On utilise surtout les signes sans point : ***a*) 1° —**. Seule la lettre est en italique, la parenthèse est en romain. On peut supprimer le deux-points du titre.

> *Le jour de l'examen, les élèves devront*
> *a*) présenter leur lettre de convocation ;
> *b*) préparer le matériel nécessaire :
>   — papier,
>   — crayon,
>   — gomme à effacer ;
> *c*) se rassembler dans la cour. Les numéros des classes seront donnés sur place ;
> *d*) ne pas fumer.

Syntaxe des énumérations

Toutes les parties doivent rester dans la même catégorie grammaticale.

Impératifs	**Infinitifs**	**Noms**
Présentez la lettre	Présenter la lettre	Présentation de la lettre
Rassemblez-vous	Se rassembler	Rassemblement
Ne fumez pas	Ne pas fumer	Interdiction de fumer

Commentaires

L'idée de l'emploi du point-virgule est de montrer que, quand l'énumération s'étale sur plusieurs pages, elle n'est pas finie tant que l'on ne rencontre pas le point final. Mais si l'énumération s'étale sur une seule page, on peut utiliser un point à la fin de chaque partie. Dans un travail artistique, on peut ne rien mettre du tout.

Adriano était à moitié napolitain, moitié grec, moitié libanais.

Espaces sécables et insécables

En typographie, le mot « espace » est féminin quand il désigne ces deux espaces. Il est masculin quand on l'emploie pour désigner un espace non imprimé. Par exemple, il y a une espace sécable entre les mots de cette ligne, et il y a un espace (ou un **blanc**) de 15 points après ce paragraphe.

Espace sécable

On obtient l'espace sécable (ou justifiante) en frappant sur la barre d'espacement. Comme ce paragraphe est justifié, les espaces entre les mots n'ont pas toutes la même largeur. L'ordinateur **justifie** les lignes à une espace sécable ou à un trait d'union pour les rendre pleines, excepté celle-ci, qui est creuse.

Espace insécable

Cette espace est appelée ainsi parce qu'elle ne peut pas être coupée en fin de ligne. Par exemple, on utilise une espace insécable entre un nombre et le symbole qui le suit pour éviter que ces deux éléments ne se trouvent sur deux lignes. Exemple : 25 mm (ce qui n'est pas permis). Dans la plupart des logiciels, l'espace insécable garde la même largeur, même dans une ligne justifiée. Sur un PC, on l'obtient en tapant CTRL+MAJ+BARRE D'ESPACEMENT. Sur Macintosh : OPTION+BARRE D'ESPACEMENT.

• Dans un courriel, pour ne pas avoir de séparations en fin de ligne, par exemple pour que le chevron fermant (») ne se trouve pas au début d'une ligne, il faut mettre devant lui une espace insécable. On l'obtient par Ansi : ALT 0160.

Espace fine

L'espace fine (insécable) est égale au quart du cadratin, mais cela dépend des polices. Elle n'existe pas dans les logiciels de traitement de texte. Une solution, c'est de mettre un signe (qui n'est pas utilisé ailleurs dans le travail) là où l'on veut une espace fine. Puis on recherche le signe et on le remplace par une espace insécable, condensée par l'approche ou par la chasse. L'espace fine doit se placer devant les signes **; ? !** et les appels de note, quand il s'agit de typographie de qualité. Dans les nombres exprimant une **quantité,** on peut utiliser l'espace fine ou l'espace insécable entre les tranches de trois chiffres.

Face ou graisse

Une même police, le Verdana par exemple, possède plusieurs faces. Le caractère peut être droit (romain), penché (italique), plus maigre ou plus gras. Voici les différentes faces de la police Verdana :

MAIGRE ROMAIN *MAIGRE ITALIQUE* **GRAS ROMAIN** ***GRAS ITALIQUE***

Famille de caractères

Les caractères typographiques sont classés en plusieurs familles, selon la forme des lettres. Certaines familles ont des lettres qui se terminent par une patte au bout de leur jambage et les autres ont des jambages qui ressemblent à des bâtons. Il est inutile de connaître tous les noms des familles. Il suffira d'en distinguer deux sortes :

— Caractères avec empattements, appelés caractères **sérifs.**
— Caractères sans empattements, appelés caractères **sansérifs** ou **bâtons.**

Hiérarchie des titres

Corps

En général, il faut utiliser des corps différents par ordre décroissant pour établir la hiérarchie dans les niveaux de titres. Il ne faut pas exagérer le nombre de niveaux et se limiter à six niveaux au maximum pour un livre de taille moyenne. Ce livre comporte quatre niveaux, qui sont : titre 1 Garamond italique 60 pt; titre 2 Garamond italique 18 pt; titre 3 Garamond italique 12 pt; titre 4 Verdana gras 8 pt.

Faces

En général, on utilise le gras pour les titres; le romain maigre y est rarement utilisé. Le gras italique sert à mettre une partie en évidence dans un titre en gras. L'italique gras ou maigre peut aussi être utilisé comme subdivision d'un titre en gras.

Casse

On peut composer les titres de chapitres (à condition qu'ils soient très courts) tout en capitales. Mais il vaut mieux utiliser les bas-de-casse avec une capitale initiale. En effet, maintenant que les sigles en général se composent en capitales sans points abréviatifs, on risquerait de ne pas les reconnaître dans un titre tout en capitales.

Alignements

L'ordre décroissant est le suivant : centré, à gauche, en alinéa renfoncé.

Insertion automatique

Quand on a un texte (ou un dessin) que l'on utilise souvent, on peut l'enregistrer dans une *insertion automatique* à laquelle on donne un nom très court ou une seule lettre. Il suffit alors de rappeler l'insertion automatique à l'aide de son nom ou de sa lettre pour ne pas avoir à recomposer le texte.

Interligne et ligne de base

La ligne de base est le trait imaginaire qui suit la partie inférieure des lettres sans hampe descendante. Dans l'exemple ci-dessous, les lignes de base suivent le bas de toutes les lettres excepté celles comportant une hampe descendante, appelée aussi une **queue** (**y, p, g, q**). Tous les caractères, dans n'importe quel corps, s'alignent toujours sur la ligne de base.

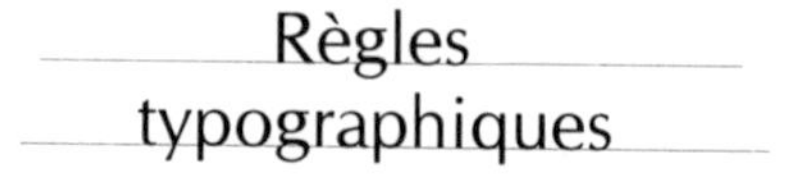

L'interligne est la distance verticale entre les deux lignes de base. Il est déterminé en points et en fractions de point, comme le corps. Quand l'interligne est le même que le corps, on dit que la composition est **solide.** L'écriture 10/12,3 signifie un corps de 10 pt interligné 12,3 pt.

• Le mot « interligne » est du genre masculin quand il désigne le blanc entre deux lignes écrites ou imprimées. Il est féminin quand il désigne la lame de métal dont on se servait en composition typographique au plomb pour espacer les lignes. Le mot « interlignage » est masculin.

Internet

Domaine (*domain*)

C'est ce qui est écrit après l'arobas dans une adresse de courriel. Par exemple dans ramat@videotron.ca, c'est *videotron.ca* qui est le domaine.

Favori ou **signet** (*bookmark*)

Quand on a découvert un site intéressant, on fait FAVORIS+AJOUTER UN FAVORI. On peut en passant changer son nom, afin de le retrouver plus facilement dans notre liste.

Fournisseur d'accès à Internet (*Internet service provider*)

Entreprise reliée en permanence au réseau Internet et qui, moyennant une mensualité, nous permet de nous servir d'Internet. Exemples : Vidéotron et Sympatico.

Lien hypertexte (*hypertext link*)

Dans un site, texte souligné qui permet, en cliquant dessus, d'aller dans un autre site ou dans un nouveau message de courriel.

Moteur de recherche ou **chercheur** (*search engine*)

Programme qui permet à l'internaute de rechercher un site en se servant de mots clés. Exemples de moteurs de recherche : Alta Vista, Copernic, Excite, Infoseek, Google, InfiniT, Yahoo.

Navigateur ou **fureteur** (*browser*)

Les navigateurs Web qui sont les plus connus à ce jour sont : Internet Explorer, Netscape Communicator et Mosaic.

Justification

Ce terme a deux significations. On dit que les lignes sont justifiées quand elles sont pleines. On appelle aussi **justification** (ou **mesure**) la longueur des lignes d'un paragraphe, y compris les renfoncements. Par exemple, ce paragraphe-ci est justifié et la « justif » est de 26 picas avec un renfoncement à gauche de 12 points (un pica).

Ligne de rappel

La ligne de rappel est une ligne que l'on place dans l'en-tête ou le pied de page pour identifier le fichier. Elle est composée au minimum des éléments suivants (qui sont des champs) :

> Nom du fichier – Numéro de révision – Date du dernier enregistrement – Numéro de page – Nombre de pages

Avant le Numéro de page, on pourra taper le mot **Page** ; avant le Nombre de pages, on pourra taper le mot **de.** De cette façon, au moment de la correction d'épreuves, on pourra être certain (en vérifiant le numéro de révision) que l'épreuve qu'on lit est bien celle qui est dans l'ordinateur. On peut mettre également dans la ligne de rappel d'autres éléments, comme le nombre de mots, le nombre de lettres, la date de l'impression, etc.

Livre

Ordre classique de subdivisions

Voici l'ordre classique pour un livre comportant six subdivisions. Toutes ces subdivisions portent un nom qui est donné en face du signe d'énumération. Bien noter le point après les trois premiers signes.

I. Chapitre
  A. Section
    1. Article
      a) Paragraphe
        1° Alinéa
          — Sous-alinéa

Ordre numérique international

1.	Chapitre
1.1.	Section
1.1.1.	Article
1.1.1.1.	Paragraphe
1.1.1.1.1.	Alinéa
1.1.1.1.1.1.	Sous-alinéa

Papiers

Formats internationaux des papiers

Largeur sur longueur :

A1	594 × 841 mm	A3	297 × 420 mm	A5	148 × 210 mm
A2	420 × 594 mm	A4	210 × 297 mm	A6	105 × 148 mm

Qualités des papiers d'impression

Bouffant	Papier sans apprêt, granuleux. Augmente le volume du livre.
Couché	Très lisse et destiné aux impressions fines.
Offset	Destiné à l'impression offset. Il est lisse, mais non brillant.
Frictionné	Comme l'offset, mais lisse sur une seule face, pour affiches.
Satiné	Papier demi-brillant, doux et lisse sur les deux faces.

Cahiers

Un cahier est une grande feuille qui est imprimée, pliée, découpée au format et assemblée, constituant une partie d'un livre.

Plis	Feuillets	Pages	Désignation	Dimensions
1	2	4	in-folio	de 355 à 500 mm de haut
2	4	8	in-quarto	de 255 à 350 mm de haut
3	6	12	in-six	de 230 à 250 mm de haut
3	8	16	in-octavo	de 200 à 225 mm de haut
4	12	24	in-douze	de 120 à 195 mm de haut
4	16	32	in-seize	moins de 100 mm de haut

Livre : terminologie

Blanc de grand fond ou **marge extérieure**

On appelle ainsi la marge qui se trouve du côté opposé à la reliure du livre.

Blanc de petit fond ou **marge intérieure**

On appelle ainsi la marge qui se trouve du côté de la reliure.

Blanc de pied

C'est la marge du bas, c'est-à-dire la distance entre le bord du papier et la matière imprimée quand la page est pleine, incluant éventuellement le folio.

Blanc de tête

C'est la marge du haut, soit la distance entre le bord du papier et la matière imprimée quand la page est pleine, y compris le folio et le titre courant.

Hauteur de page

La hauteur de page est la distance entre la première et la dernière ligne d'une page pleine (excluant le folio et le titre courant).

Hauteur du rectangle d'empagement

La hauteur du rectangle d'empagement est la distance entre la première et la dernière ligne d'une page pleine (incluant le folio et le titre courant).

Titres courants (en-têtes)

Texte qui est répété au haut des pages, sur la même ligne que le folio. Il peut comporter le titre du livre sur toutes les pages. Il peut aussi comporter le titre du livre sur les pages paires et celui du chapitre sur les pages impaires. En général, on ne met pas de titre courant ni de folio sur la première page du chapitre.

Couverture

Une couverture comporte quatre pages qu'on nomme : « page 1 de couverture », « page 2 de couverture », etc. La plupart du temps, les pages 2 et 3 ne sont pas imprimées. La partie qui contient la ligne verticale quand le livre est debout et sur chant se nomme l'« épine » au Québec, et le « dos » en France.

Folios

On appelle ainsi les numéros de pages du livre. Les pages de droite portent des numéros impairs et se nomment « belles pages ». Les pages de gauche portent des numéros pairs et se nomment « fausses pages ».

Gloses

Les gloses sont des notes qu'on imprime dans la marge intérieure ou la marge extérieure, en petits caractères, afin de commenter ou d'expliquer le texte vis-à-vis.

Macro ou script

Quand il faut exécuter une série de commandes pour arriver à un résultat, il est utile de mettre toutes ces opérations en mémoire. On déclenche alors l'enregistrement de toutes ces opérations. L'enregistrement ainsi réalisé se nomme une **macro** à laquelle on donne un nom. Il suffit alors de la rappeler pour que toutes les commandes enregistrées s'effectuent automatiquement.

Mémoire vive, mémoire morte

La mémoire vive est une mémoire dans laquelle on peut écrire. Elle est volatile, c'est-à-dire qu'elle s'efface quand on coupe le courant. En abrégé, on l'appelle RAM (Random Access Memory). Par contre, on ne peut pas écrire dans la mémoire morte et celle-ci n'est pas effacée par une coupure de courant. En abrégé, on l'appelle ROM (Read Only Memory).

Mesures typographiques

Le **pica** (abréviation **p** invariable) est l'unité de mesure typographique utilisée en Amérique, et le **cicéro** est utilisé en Europe. Il y a 12 **points** (abréviation **pt** invariable) dans un pica et 12 points Didot dans un cicéro. On utilise le pica ou le cicéro pour désigner la longueur des lignes, ainsi que la hauteur des pages et des cellules d'un tableau. Le point est utilisé pour désigner le corps et l'interligne. L'unité du système international d'unités pour les mesures typographiques est le **millimètre.** Dans ce livre, j'ai choisi d'utiliser le pica parce qu'il se divise en 12 pt, ce qui est divisible par deux ou par trois.

• Dans un logiciel de traitement de texte, il est possible d'utiliser le pica et le point en système décimal, avec la virgule décimale. Par exemple, un corps de 10,4 signifie 10 points et 4 dixièmes de point. Un blanc de 4 picas et 6 points devant un paragraphe s'écrit 4,5 picas, car il y a 12 points dans un pica.

Mise en forme de caractères

Mettre en forme les caractères signifie leur affecter :

La police (fonte)	Arial, Omega, Verdana, Times, etc.
Le corps (taille)	en points et fractions de points
La face	romain, italique, gras, gras italique
La casse	capitales, petites capitales, bas-de-casse
Les attributs	barré, exposant, indice, masqué
La couleur	automatique, noir, blanc, etc.
L'espacement	la chasse, la position sur la ligne, l'approche

Mise en forme de paragraphes

Un paragraphe est le texte qui est compris entre deux frappes de la touche ENTRÉE ↵. Cette touche est montrée sur l'écran par le signe ¶ dans l'affichage des caractères masqués. Mettre en forme les paragraphes signifie leur affecter :

L'alignement	à gauche, à droite, centré, justifié
Le renfoncement (retrait)	à gauche, à droite, de première ligne
Le blanc (espacement)	en picas ou en points, avant et après le paragraphe
L'interligne	en points et fractions de points

Mise en page

La maquette de l'imprimé

Le maquettiste fait d'abord un croquis pour indiquer la position des titres, des textes et des photos. Pour cela, il met un chiffre arabe encerclé sur le croquis afin d'indiquer la position d'un texte, et il met le même chiffre arabe encerclé sur l'épreuve du texte en question. Puis il met une lettre capitale encerclée sur le croquis, et il met la même lettre capitale encerclée à l'arrière de la photo.

Choix de la famille de caractères

Il existe des caractères avec empattements et des caractères sans empattements. On pourra mélanger les deux familles dans une page, mais on doit éviter de les mélanger dans la même ligne. Les caractères sans empattements servent surtout à des textes administratifs et ils sont à l'abri des modes changeantes. Les caractères avec empattements sont plus variés.

Choix de la police

Il y a peu de différence entre les polices de caractères sans empattements. Parmi les polices avec empattements, le choix est une question de goût personnel. En général (mais ce n'est pas une règle obligatoire), on utilise un caractère sansérif pour les titres et un sérif pour le texte.

Choix de l'œil de la police

Même si elles sont composées dans le même corps, certaines polices paraissent plus grosses que d'autres. Une police d'un œil plus petit n'aura pas besoin d'un interlignage plus grand que le corps, alors qu'une police d'un œil plus gros aura besoin d'un supplément d'interlignage pour faciliter la lecture. Ce paragraphe est composé en Verdana 7 points, mais comme l'œil du Verdana est très gros, j'ai dû adopter un interligne de 9,8 points pour rendre le texte très lisible.

Choix du corps dans la mise en page

Le corps minimal doit être de 10 points pour un livre et de 8 points pour un journal. Plus les lignes sont longues, plus on augmente l'interligne.

Titres dans la mise en page

Dans un journal ou un magazine, il faut éviter de placer des titres de la même police, de la même grosseur et de la même face à côté l'un de l'autre, surtout s'il n'y a pas de filet vertical qui les sépare. Dans un titre centré, la longueur des lignes doit aller en diminuant. Les prépositions **de, sur, avec** se placent si possible au début d'une ligne plutôt qu'à la fin de la ligne précédente. Un sous-titre doit être plus près du texte qui le suit que de celui qui le précède.

Texte dans la mise en page

Ne pas accepter à la fin des lignes trop de lettres semblables, de mots semblables ou de traits d'union à la suite. Le renfoncement des alinéas doit être proportionnel à la justification (longueur des lignes). Il sera de 10 % environ de la justification (soit un renfoncement de 2 picas pour des lignes de 20 picas.

Auteur dramatique échangerait 1 pièce en 4 actes contre 2 pièces cuisine.

Annonces encadrées dans la mise en page

Les annonces encadrées se placent de préférence dans le bas des pages. Les filets (bordures) encadrant une annonce doivent être gras si les caractères à l'intérieur du cadre sont gras.

Alignement des sous-titres

Si l'on choisit un alignement justifié pour le texte, les sous-titres pourront être soit centrés, soit à gauche. Si l'on choisit un alignement du texte en drapeau à gauche, les sous-titres devront être à gauche. En général, l'alignement du texte que l'on aura choisi devra rester le même tout le long de l'imprimé ou du livre.

Alignements des tabulations

Quand il y a plusieurs tableaux dans la même page, il faut essayer d'aligner verticalement les taquets de tabulations. C'est le cas dans ce livre, et je m'y suis efforcé. Voir par exemple la page 68 et suivantes.

Colonnes dans un magazine

Quand une colonne sort de la surface qui est couverte par le titre, elle ne doit pas commencer à une place plus haute que le titre. Ne pas accepter une ligne creuse en tête d'une colonne. Ne pas accepter un début de paragraphe sur la dernière ligne d'une colonne ni d'une page. Il faut éviter de terminer une colonne par une ligne creuse, car le lecteur pensera que l'article est fini. Si l'espace entre les colonnes (qu'on appelle « la gouttière ») est petit, on peut mettre un filet maigre vertical entre les colonnes. On appelle **filet** un trait d'une épaisseur variable.

Répartition des blancs

Il est très important d'aérer les différents pavés de textes en prévoyant des espaces blancs entre eux. En fait, il vaut mieux réduire au besoin le corps du caractère afin d'augmenter les blancs. Un texte en petits caractères au milieu d'un grand espace blanc attirera davantage l'attention.

Graphiques et photos

Utiliser de préférence un format rectangulaire pour les photos. Les visages doivent être dirigés vers l'intérieur des pages. Un graphique doit être placé le plus près possible du texte auquel il se rapporte.

Aspect visuel des pages

Comparer deux pages qui se font face afin d'en vérifier l'aspect visuel. Vérifier les lézardes, les rues, les cheminées : ce sont des lignes blanches (causées par les espaces intermots) qui semblent séparer une portion de texte en deux ou plusieurs morceaux. Les **lézardes** sont zigzaguantes, les **rues** sont obliques et les **cheminées** sont verticales.

Sous-titres sur une seule ligne

Dans un texte composé 10/10 (2 lignes = 20), le sous-titre sera composé en 12/12 avec 5 points dessus et 3 points dessous (12 + 5 + 3 = 20). Cette méthode facilitera l'alignement horizontal des lignes des différentes colonnes.

Blanc entre les paragraphes

Quand le texte est composé en alinéas renfoncés, c'est-à-dire que la première ligne est renfoncée de un ou plusieurs picas, comme dans un roman, il est inutile d'ajouter du blanc entre les paragraphes. Mais si la première ligne n'est pas renfoncée, il faudra mettre du blanc avant ou après le paragraphe, afin d'en reconnaître le début.

Alignements des nombres

Quand on a une énumération verticale de nombres, ceux-ci doivent s'aligner sur la droite. Il faut alors mettre une tabulation droite et appuyer sur la touche TAB avant le nombre. (Voir par exemple la page 135.)

Désactivation des champs

Après avoir réalisé un index ou une table des matières, il est difficile de travailler à l'intérieur de ce champ. Il faut alors le désactiver (rompre la liaison) en positionnant le curseur n'importe où à l'intérieur du texte et en faisant CTRL+F9.

Centrage vertical

Il est possible de centrer verticalement un pavé de texte au milieu d'une page. Pour cela, il faut insérer un saut de section au début et un à la fin de la page. On place le curseur à l'intérieur de la section, on fait FORMAT+SECTION et on choisit CENTRÉ.

Colonnes renfoncées

Quand on a réalisé plusieurs colonnes, on peut vouloir renfoncer un peu ce tableau. On insère alors un saut de section avant et après ce tableau, puis on place le curseur à l'intérieur de cette section, et on augmente la marge de gauche de la MISE EN PAGE de 1 pica ou plus.

Exemples de tris

- Les premiers nombres sont la naissance et le décès; quatre chiffres chacun.
- Il y a une tabulation entre les quatre éléments des lignes en gras.
- On met un saut de ligne (MAJ+ENTRÉE) à la fin des lignes en gras.
- On met un saut de paragraphe à la fin du texte en maigre.
- On pourra ainsi trier le premier champ pour la date, le deuxième champ pour la personne, le troisième pour l'endroit de sa naissance, et le quatrième pour celui de sa mort.

0480-0547 BENOÎT, Saint Nursie Mont-Cassin
Père et législateur du monachisme chrétien d'Occident. Élevé dans une famille noble romaine, il se retire dans la solitude de Subiaco puis fonde, vers 529, le monastère du Mont-Cassin, berceau de l'ordre des Bénédictins.

1365-1430 PISAN, Christine de Venise Paris
Mariée en France à 15 ans, elle se trouve veuve 10 ans plus tard avec trois enfants. Retirée dans un couvent en 1418, elle écrit un éloge de Jeanne d'Arc après la délivrance d'Orléans. Ses poésies glorifient la défense des femmes.

1553-1615 VALOIS, Marguerite de Saint-Germain Paris
Fille de Catherine de Médicis, elle est mariée au futur roi Henri IV. Cultivée et spirituelle, elle est victime de sa nymphomanie. Elle consent à l'annulation de son mariage avec Henri IV, qui épouse Marie de Médicis en 1600.

Notes et appels de note

Définitions

On appelle **note** la partie qui se met au bas de la page pour expliquer un mot ou une phrase du texte. Elle se compose dans un corps plus petit et elle est généralement séparée du texte par un petit trait, à gauche, d'une longueur d'environ un sixième de la justification. Les notes peuvent aussi se placer en fin de chapitre ou à la fin de l'ouvrage. On désigne par **appel de note** le signe, la lettre ou le chiffre qui se place dans le texte après la partie à expliquer.

Formes de l'appel de note

L'appel de note pourra être : un astérisque, un chiffre supérieur sans parenthèses, un chiffre supérieur entre parenthèses supérieures, un chiffre normal entre parenthèses ou une lettre en italique entre parenthèses en romain.

texte* texte[2] texte[(3)] texte(4) texte(*a*)

Formes de la note

Le signe, le chiffre ou la lettre qui se place au début de la note est suivi d'une espace insécable ou mieux d'un tabulateur, et il doit être le même que celui de l'appel de note correspondant. Toutefois, quand l'appel de note est un chiffre supérieur sans parenthèses, on peut utiliser dans la note un chiffre normal suivi d'un point pour faciliter la lecture.

Choix des appels de note

1. Travaux scientifiques

On utilise les **astérisques** (à raison de trois par page au maximum) dans les travaux scientifiques parce que les chiffres supérieurs risqueraient d'être confondus avec des exposants. Mais il faut alors éviter, dans ce même ouvrage, de donner à l'astérisque la signification de « voir ce mot ».

2. Travaux ordinaires

Dans les travaux ordinaires, on utilisera de préférence les **chiffres supérieurs sans parenthèses.** En effet, une lettre en italique pourrait se confondre avec une lettre d'énumération. Enfin, dans le cas de notes qui sont placées à la fin de l'ouvrage, on ne peut se rendre qu'à 26 avec les lettres de l'alphabet.

Place et face de l'appel de note

L'appel de note se place toujours avant la ponctuation, qu'il se rapporte au mot qui précède ou à la phrase. Le point abréviatif reste toujours collé à l'abréviation (voir le dernier exemple). L'appel de note est détaché du mot qui le précède par une espace fine si le logiciel le permet, sinon il est collé au mot. Il reste toujours en romain maigre, alors que la face de la ponctuation qui suit dépend s'il s'agit d'une ponctuation haute ou basse (voir page 170).

exemple[2]. exemple[2] : exemple[2]? exemple[2])
exemple*, exemple[2]; exemple[2] » exemple[2]/
exemple[2]... exemple[2]! exemple[2] — exemple, etc.[2].

Mes ennuis ont commencé quand j'ai planté ma tante au bord de la rivière.

Octet

L'octet est l'unité de base en informatique. Il équivaut environ à une lettre, un chiffre ou une frappe du clavier. Son symbole est la lettre **o** minuscule, sans point abréviatif et invariable. Le préfixe **k** (kilo) signifie 1000. Le préfixe **M** (méga) signifie 1 000 000. Ainsi : 380 ko (kilooctets) = 380 000 octets, et 40 Mo (mégaoctets) = 40 000 000 d'octets. On parle maintenant de Go (gigaoctets), le **G** signifiant *milliards.*

Œil

L'œil (pluriel : œils) est le dessin de la lettre qui apparaît à l'impression. En typographie, l'œil reçoit l'encre, c'est l'élément imprimant. Les noms des deux polices des exemples au bas de cette page sont composés dans le même corps (taille), c'est-à-dire en 10 pt. Mais l'Arial paraît plus gros que le Times New Roman. C'est que leur œil est différent.

Pagination

La pagination est le fait de donner un numéro (folio) à chaque page. Généralement, on ne met pas de folio au début des **chapitres** ni aux pages **liminaires,** mais cela n'est pas une obligation absolue. La **repagination** consiste à remettre en ordre la mise en page après que l'on a réalisé des changements. Par exemple, si l'on ajoute du texte au milieu du document, la machine pousse le texte suivant, c'est-à-dire qu'elle change les **sauts de page** automatiques et réordonne les numéros de pages. Les sauts de page automatiques sont ceux qui sont insérés automatiquement quand la page est pleine. Les sauts de page manuels sont ceux qui sont insérés par la personne au clavier à l'endroit de son choix.

Paragraphe

En typographie, un paragraphe est le texte compris entre deux frappes de la touche ENTRÉE ↵. Par exemple, on peut avoir un retour à la ligne (alinéa) à l'intérieur d'un paragraphe. Cela se nomme un *saut de ligne* (MAJ+ENTRÉE). On s'en sert notamment à l'intérieur d'un style, quand on veut aller à la ligne sans sortir du style.

Police ou fonte

Une police est déterminée par le nom du caractère, la plupart du temps par le nom de son inventeur. Une police peut être composée dans tous les corps et fractions de corps. Le Times New Roman, avec ses lettres comportant des empattements, est une police **sérif.** L'Arial, avec ses lettres sans empattements, est une police **sansérif.**

Le Times New Roman et l'Arial

Prépresse

Ensemble des opérations nécessaires pour la préparation et la fabrication des formes imprimantes, comportant la saisie, le traitement de texte et la mise en page.

À découvert (*hanging*)

Dans l'exemple de gauche, le *a*) est à découvert; à droite il est en alinéa.

a) Guuio uyu yiyy opo op oppp
uiop uiopuo pop gh ipoouyp
op opio i ip pu uop op uio

a) Guopu uio u uiop uu uio uiuu
uio io uo uouioui u uio uu uiop ioio
uiououo. Ouio uio uio uio uio uio

Angle de trame (*screen angle*)

Orientation de la ligne de points de trame. Une orientation correcte permet d'éviter le moirage lorsque deux demi-tons sont superposés.

Antémémoire ou **mémoire cache** (*cache memory*)

Mémoire tampon de faible quantité qui sert à réduire le temps de traitement.

Assombrissement ou **surexposition** (*burning in*)

Durée d'exposition supérieure à celle requise par la sensibilité du support. Peut être voulue pour faire ressortir des détails dans les zones foncées.

Bleus ou **tierce** (*final proof*)

On appelle ainsi un jeu d'épreuves que l'imprimeur envoie au client pour que celui-ci en fasse la dernière lecture, vérifie l'ordre des pages et la mise en page. Si le client est satisfait, il signe les bleus en y indiquant le tirage désiré.

Bourdon (*omission*)

Un bourdon est l'omission d'un mot ou d'un passage entier. Sur l'épreuve, le correcteur marque par **voir copie ×** (encerclé) l'endroit où l'omission s'est produite. Sur la copie, il entoure le texte omis en le désignant d'une croix encerclée. Si une deuxième omission se produit, il utilise deux croix, etc.

Chapeau (*introductory paragraph*)

Courte introduction en tête d'un article de journal ou de revue.

Code-barres (*bar code*)

Code utilisant des barres verticales, imprimé sur l'emballage d'un article et qui permet l'identification de l'article, l'affichage de son prix et la gestion du stock.

Contraste (*contrast*)

Évaluation de la différence de tons des images (lumineux, moyens, ombrés).

Dégradé (*graduated surface*)

Surface dont la densité des couleurs s'estompe ou se renforce progressivement.

Demi-ton ou **simili** (*halftone*)

Image composée de points de dimensions très variées créant l'illusion d'une variation de tonalité.

Dessin au trait (*line work*)

Document prêt à reproduire sans devoir être tramé.

Détourage (*outlining*)

Délimitation du contour d'un objet ou d'un sujet par élimination du fond.

Doublon (*text set twice*)

Un doublon désigne un texte qui a été, par erreur, composé deux fois. Le correcteur entoure la seconde partie en la marquant du signe *deleatur* (₰).

Exergue (*emphasizing*)

Texte que l'on met en évidence au début d'un ouvrage pour expliquer ce qui suit. Ce texte peut être renfoncé, ou en italique, afin de le faire ressortir.

Fond perdu ou **marge perdue** (*bleed*)

Illustration ou matière imprimée qui excède les repères de coupe du papier.

Gouttière (*gutter*)

Espace blanc entre deux colonnes.

Habillage (*wrap around*)

Habiller un hors-texte, c'est permettre au texte de l'entourer. S'il s'agit d'un petit texte qui est habillé, ce dernier s'appelle une *mortaise.*

Image vectorielle (*vector graphics*)

Traitement graphique de l'image par segments de lignes ou de courbes par opposition aux points (droites, cercles, rectangles ou courbes).

Imposition (*imposition*)

L'imposition consiste à disposer les pages d'un livre ou d'un imprimé selon un ordre qui permettra d'imprimer les différents cahiers.

Ligne creuse, ligne pleine (*widow, full line*)

Une ligne creuse est plus courte que la justification. Une ligne pleine est justifiée.

Moirage (*moire*)

Surimpression incorrecte des angles de trames des demi-tons.

Numérisation (*scanning*)

Balayage d'un document en deux dimensions et conversion en image par points afin de permettre la manipulation électronique.

Pages de garde (*blank pages*)

Feuilles non imprimées qu'on peut placer au début et à la fin d'un livre.

Pantone ou **PMS** (*Pantone matching system*)

Marque déposée d'un échantillon de couleurs étalonnées couramment utilisé.

Quadrichromie (*four color process*)

Pour imprimer des images en quatre couleurs, il faut préparer quatre plaques (cyan, magenta, jaune et noir) qui sont ensuite imprimées en surimpression.

Recouvrement (*trapping*)

Technique pour prévoir le chevauchement des couleurs contiguës, les plus claires et les plus foncées, pour compenser les variations de repérage.

Repérage (*register*)

Superposition parfaite des différents films ou plaques d'impression monochromes pour la reproduction d'une image couleur.

Scanner (*scanner*)

Appareil servant à numériser un document (texte ou image).

Sélection des couleurs (*color separation*)

Division des couleurs d'une image en cyan, magenta, jaune et noir pour son impression. Chacun des films correspondant à une seule couleur d'impression.

Souligné (*underlining*)

Le soulignement servait en dactylographie pour remplacer l'italique. En typographie, on a recours aux différentes faces pour faire ressortir des mots, et aux corps plus gros pour les titres. On utilise donc très rarement le soulignement, surtout parce que l'on ne peut généralement pas éloigner le trait de la ligne de base, et que ce trait coupe les queues (ou jambes) des lettres.

Trame (*screen*)

Structure de points de taille variable utilisée pour simuler une photographie à tons continus, en couleur ou en noir et blanc.

Renfoncement ou retrait

Un renfoncement est un espace blanc qu'on laisse à gauche, à droite ou des deux côtés pour détacher une certaine partie du texte par rapport à la justification. Ce paragraphe est renfoncé de 12 points à gauche (1 pica).

Saisie

De plus en plus, les auteurs qui ne connaissent pas la typographie[1] composent leur texte sur une disquette qu'ils donnent à l'imprimeur pour que ce dernier en fasse la mise en page. Cette disquette se nomme la **saisie** ou la **copie.** On dénomme aussi cette étape la *frappe au kilomètre*.

Barre d'espacement en saisie

Ne jamais utiliser la barre d'espacement pour déplacer le point d'insertion. Pour cela, il faut utiliser les touches de direction ou cliquer dans le texte. En dactylographie, la barre d'espacement donnait un espace blanc fixe ; en traitement de texte, elle donne un blanc qui peut varier de largeur quand on compose en texte justifié. Il ne faut donc jamais essayer d'aligner du texte en utilisant la barre d'espacement ; il faut utiliser une tabulation.

Clavier et accents en saisie

Fournir à l'imprimeur une épreuve du clavier au complet afin qu'il localise les accents. Taper en majuscules, en gras ou en italique tout ce qui doit être imprimé ainsi. Ne pas utiliser la lettre **l** pour le chiffre **1.** Utiliser les *ligatures* **œ** et **æ.** Les lettres **o** et **e** s'écrivent **œ,** sauf dans les mots suivants et leur famille : coefficient, coercition, coexistence, groenlandais, moelle et moellon. Pour les lettres **a** et **e,** l'usage est très flottant : curriculum vitae *ou* vitæ, etc. Les ligatures *fi, fl, ffi, ffl* n'existent pas dans toutes les polices en traitement de texte.

Fins de lignes en saisie

Composer le texte en drapeau à gauche (non justifié). Ne pas appuyer sur la touche ENTRÉE à la fin de chaque ligne, car c'est la machine qui s'en charge. N'appuyer sur la touche ENTRÉE que pour commencer un nouveau paragraphe. Ne pas couper les mots en fin de ligne par un trait d'union.

Insertion de texte dans une saisie

Pour insérer du nouveau texte, mettre le point d'insertion (curseur) à l'endroit désiré pour l'insertion et taper le nouveau texte en s'assurant que la touche INS est active.

Notes en saisie

Composer toutes les notes en fin de volume. Elles seront placées correctement et au bon endroit par l'imprimeur.

Ponctuation en saisie

Ne pas utiliser la barre d'espacement avant **? ! ;** sinon chacun de ces signes risque de se trouver au début de la ligne suivante. Il faut coller ces signes au mot qui les précède. Devant **»** et **:** on met une espace insécable. Les règles d'espacement de la ponctuation en typographie se trouvent à la page 169.

---

[1] Je souligne que cette page ne concerne que les personnes qui désirent ne pas s'occuper de typographie et qui comptent sur leur imprimeur pour le faire.

Styles

Quand on a fait la mise en forme d'un paragraphe et la mise en forme des caractères, on peut souhaiter mettre en mémoire toutes ces composantes. On enregistre alors tout cela sous un **style** auquel on donne un nom. Pour une composition identique, il suffira de rappeler ce style par son nom. Un style ne peut s'appliquer qu'à un seul paragraphe, c'est-à-dire le texte compris entre deux frappes de la touche ENTRÉE. La **feuille de styles** est l'ensemble des styles d'un travail.

Tri

Un tri est un classement de paragraphes selon un ordre numérique, alphanumérique ou chronologique. On peut appliquer le tri à partir du premier mot d'un paragraphe ou du premier mot d'une colonne. Par exemple, si l'on désire trier la quatrième colonne d'un tableau, on signalera le champ 4. La machine mettra cette colonne dans l'ordre demandé et classera aussi toute la ligne en même temps. Il est possible également de classer seulement cette colonne, sans affecter les autres.

Abréviations

Généralités

Emplois

On peut employer les abréviations courantes dans les petites annonces, les notes, les adresses et les dictionnaires, c'est-à-dire partout où la place est très limitée. Dans un texte courant, il faut garder en mémoire qu'un mot abrégé est en quelque sorte une impolitesse (minime, je l'avoue) envers le lecteur. Les chiffres eux-mêmes sont des abréviations de mots, mais ils sont acceptés la plupart du temps.

Casse des abréviations

La casse des abréviations suit la même règle que celle des capitales

Antiq. (Antiquité, l'époque) antiq. (antiquité, un objet)

Espacements

Les abréviations dont les éléments n'ont qu'une lettre n'ont pas d'espace entre les éléments (colonne de gauche). Les autres ont une espace insécable entre les éléments (colonne de droite), afin d'éviter une séparation sur deux lignes.

nom masculin .... n.m.
complément d'objet direct ... c.o.d.

par exemple .... p. ex.
droit pénal .... dr. pén.

Formation

Par la lettre initiale seule

On garde la première lettre seulement. L'abréviation prend un point abréviatif quand elle n'est pas un symbole du système international d'unités. Elle s'écrit parfois en capitale, parfois en bas-de-casse.

M. (monsieur) v. (voir) t. (tome)

Par suppression des lettres finales

On utilise un point abréviatif, car la dernière lettre de l'abréviation n'est pas celle du mot entier. On place ce point abréviatif avant une voyelle, le plus souvent la première voyelle rencontrée. Il faut éviter si possible d'avoir dans le même ouvrage deux abréviations identiques pour deux mots différents.

hab. (habitant) ord. (ordinaire) ordonn. (ordonnance)

Par suppression des lettres intérieures

On supprime des lettres à l'intérieur du mot, surtout des voyelles. Il n'y a pas de point abréviatif si la dernière lettre de l'abréviation est celle du mot entier. Sinon, il faut un point abréviatif.

tjs (toujours) qqn (quelqu'un) qqch. (quelque chose)

Pluriel et féminin des abréviations

Généralement, les abréviations sont invariables.

bull. (bulletins)	mod. (modernes)	art. (articles)	lat. (latin, latine)

Certaines abréviations prennent la marque du pluriel. Les abréviations de fonctions au pluriel (Drs, Dres, Prs, Pres, Mes) sont peu utilisées. Il est préférable d'écrire le mot au long, avec un bas-de-casse initial : *J'ai rencontré les docteurs Dubé et Duc.*

1er	1ers	1re	1res	2^{e}	2^{es}	n^{o}	n^{os}
Dr	Drs	Dre	Dres	Pr	Prs	Pre	Pres
Me	Mes	Cde	Cdes	Ms	Mss		

Les parties ci-dessus qui sont en bas-de-casse, supérieures ou non, restent toujours en bas-de-casse, même dans un texte tout en capitales.

LE 1er COUREUR	LE Dr DUPONT	LES BILLETS N°s 7 ET 8

Points abréviatifs

Dans le tableau de la page suivante, les sigles (en capitales) sont donnés sans points abréviatifs, selon la tendance actuelle, mais ce n'est pas une faute si on les écrit avec des points. Quand l'abréviation est écrite en bas-de-casse, elle garde ses traits d'union et ses points abréviatifs.

en ville .... EV *ou* E.V.   c'est-à-dire .... c.-à-d.

Ponctuation des abréviations

Le point abréviatif disparaît devant le point final et les points de suspension, mais il reste devant les autres ponctuations. On n'a jamais deux ni quatre points de suite.

Nous notons le lieu, la date, etc.
Voulez-vous noter le lieu, la date, etc. ?
L'abréviation *hab...* (cas rare).

Troncations

Les troncations, ou apocopes (du grec *apokoptein,* retrancher), sont des mots dont la fin a été supprimée. Elles prennent le pluriel et gardent le même genre que le mot entier. Quand le nom comporte un féminin, je donne ici le genre non marqué. Les adjectifs s'accordent en nombre avec le nom.

accrochés à qqch.	des accros	microphones	des micros
adolescents	des ados	motocyclettes	des motos
agglomérés	des agglos	négociations	des négos
amplificateurs	des amplis	photographies	des photos
cinématographes	des cinémas	pneumatiques	des pneus
colocataires	des colocs	pornographiques	des films pornos
expositions	des expos	professeurs	des profs
informations	des infos	radiographies	des radios
justifications	des justifs	stylographes	des stylos
kinésithérapeutes	des kinés	sympathiques	des filles sympas
manifestations	des manifs	synthétiseurs	des synthés
mémorandums	des mémos	taximètres	des taxis

Il ne faut pas utiliser la même troncation pour deux noms différents. Par exemple, la troncation « info » signifie *information,* et non pas *informatique.*

Watt est l'inventeur du coton hydrophile.

Liste alphabétique

Ce n'est pas une faute que d'écrire les sigles avec des points et des traits d'union.

à l'attention de .... a/s
à PerCeVoir................................ PCV
à reporter .... à/r.
à vue .... à/v.
accusé de réception...................... A/R
acompte, acomptes .... ac.
adjectif, adjectifs .... adj.
adresse, adresses .... adr.
adverbe, adverbes .... adv.
ancien, ancienne........................... anc.
anglais, anglaise .... angl.
annexe, annexes .... ann.
annuel, annuelle .... ann.
appartement, appartements .... app.
après Jésus-Christ................ apr. J.-C.
archives..................................... arch.
article, articles.............................. art.
association, associations .... assoc.
assurance .... ass.
aujourd'hui .... auj.
auteur, auteure, auteurs................ aut.
aux soins de, au soin de................ a/s
avant Jésus-Christ .... av. J.-C.
avenue .... av.
avis d'inscription .... AI
avis de paiement .... AP
bande dessinée............................. BD
billet de banque .... B/B
bon chic bon genre..................... BCBG
bon pour francs .... BPF
boulevard .... boul. *ou* bd
bulletin, bulletins .... bull.
canton .... cant.
caractère, caractères..................... car.
ce qu'il fallait démontrer .... CQFD
c'est-à-dire .... c.-à-d.
chapitre, chapitres .... chap.
chef-lieu, chefs-lieux .... ch.-l.
chemin .... ch.
circulaire, circulaires..................... circ.
Code civil .... C. civ.
Code pénal............................. C. pén.
collection, collections..................... coll.
colonne, colonnes .... col.
commande, commandes .... Cde, Cdes
compagnie .... Cie
comptabilité .... compt.
comptable agréé, agréée .... CA, c.a.
compte courant .... c/c
compte nouveau .... c/n
compte ouvert.............................. c/o
contre (*et non :* versus) .... c.
contre remboursement.................. CR
copie conforme .... c.c.
coût et assurance .... C&A
coût, assurance, fret..................... CAF
date .... d.
densité .... dens.
département, départements .... dép.
deuxième, deuxièmes 2e, 2es
diplômé par le gouvernement....... DPLG
directeur, direction .... dir.
dito .... do
divers .... div.
document, documents.................. doc.
douzaine, douzaines .... dz.
droit pénal .... dr. pén.
édifice, édifices .... édif.
éditeur, éditrice........................... édit.
édition, éditions .... éd.
en ville... EV
entièrement................................. ent.
environ .... env.
équivalent .... équiv.
espèce, espèces .... esp.
établissements............................. Éts
étage, étages .... ét.
exception, exceptions .... exc.
exclusif, exclusifs........................ excl.
exemple, exemples........................ ex.
expéditeur, expéditeurs .... exp.
facture, factures.......................... fact.
faire suivre .... FS
fascicule, fascicules..................... fasc.
fax .... fax
figure, figures .... fig.
finance.. fin.
folio, folios.................................. fol.
frais généraux.............................. FG
français (adjectif) .... fr.
franco .... fco
franco à bord .... FAB
général, généraux .... gén.
géographie .... géogr.
gouvernement .... gouv.
habitant, habitants .... h. *ou* hab.
histoire littéraire.................... hist. litt.
hors commerce .... h.c.
hors service................................. HS
hors texte .... h.t.
hors-texte (nom invariable) .... h.-t.
immeuble, immeubles................. imm.

inclusivement	incl.
indirect, indirects	ind.
individuel, individuels	indiv.
information	inf. *ou* info
informatique	inform.
intérêt, intérêts	int.
international, internationaux	intern.
introduction, introductions	introd.
invariable, invariables	inv.
italique	ital.
judiciaire, judiciaires	jud.
juridique, juridiques	jur.
largeur, largeurs	larg.
latin, latine	lat.
lettre de crédit	LC
lettre de transport aérien	LTA
lettre de voiture	LV
linguistique	ling.
livraison, livraisons	livr.
livre, livres (poids)	lb
locution, locutions	loc.
longueur	long.
manquant	mq.
manuscrit, manuscrits	ms, mss
mathématiques	maths
maximal, maximum	max.
mémoire	mém.
mensuel, mensuelle	mens.
message, messages	mess.
métrique, métrique	métr.
mille, milles (longueur)	mi
minimal, minimum	min.
mois	m.
nom féminin	n.f.
non déterminé	n.d.
nota bene	NB
note de l'auteure, auteur	NDA
note de la rédaction	NDLR
notre référence	N/Réf.
nouveau, nouvelle	nouv.
once, onces	oz
ordonnance	ordonn.
page, pages	p.
par exemple	p. ex.
par extension	p. ext.
par intérim	p.i.
par ordre	p.o.
par procuration	p.p.
paragraphe, paragraphes	paragr., §
parce que	p.c.q.
pièce jointe, pièces jointes	p.j.
pied, pieds (longueur)	pi
place (toponyme)	pl.
port dû	PD
port payé	PP
possible, possibles	poss.
post-scriptum	P.-S. *ou* PS
poste restante	PR
pouce, pouces (longueur)	po
premier, premiers	1er, 1ers
première, premières	1re, 1res
président-dir. général	p.d.g. *ou* PDG
prix fixe	PF
procès-verbal (amende)	PV
programme	progr.
quelqu'un	qqn
quelque chose	qqch.
quelquefois	qqf.
quelques	qq.
question	Q.
quotient intellectuel	QI
recommandé, recommandée	R/
référence, références	réf.
répondez, s'il vous plaît	RSVP
réponse	R.
résumé, résumés	rés.
rez-de-chaussée	RC
route	rte
route nationale	RN
sans date	s.d.
sans lieu ni date	s.l.n.d.
sans nom	s.n.
sans objet	s.o.
sans valeur	s.v.
sauf erreur ou omission	s.e.o.
second, seconde	2^{d}, 2^{de}
seconds, secondes	2^{ds}, 2des
section, sections	sect.
semaine, semaines	sem.
semestre, semestres	sem.
siècle, siècles	s.
s'il vous plaît	s.v.p. *ou* SVP
société (raison sociale)	Sté
succursale	succ.
suivant, suivante	suiv.
tarif spécial	TS
taxe de vente du Québec	TVQ
taxe sur les produits et services	TPS
télécopie, télécopieur	téléc.
téléphone	tél.
téléphone cellulaire	tél. cell.
tome, tomes	t.
tournez, s'il vous plaît	TSVP
toutes taxes comprises	TTC
train à grande vitesse	TGV
trimestre, trimestres	trim.
version originale	VO
verso	v^{o}
voir	v. *ou* V.
voir aussi	v.a.
volume, volumes	vol.
votre ordre	V/O

Un débauché est quelqu'un qui a perdu son emploi.

Bible et livres bibliques

Livres bibliques (Ancien et Nouveau Testament)

Les noms de livres bibliques se composent en romain, avec capitale initiale : « Il a lu la Bible. » Les symboles ne prennent pas de point abréviatif. Le mot *bible* peut être un nom commun : « Ce livre est la bible des typographes. »

nom	*symbole*
Abdias	Ab
Actes des Apôtres	Ac
Aggée	Ag
Amos	Am
Apocalypse	Ap
Baruch	Ba
Cantique des Cantiques	Ct
Chroniques (1er livre)	1 Ch
Chroniques (2e livre)	2 Ch
Colossiens (épître aux)	Col
Corinthiens (1re épître aux)	1 Co
Corinthiens (2e épître aux)	2 Co
Daniel	Dn
Deutéronome	Dt
Ecclésiastique (ou Siracide)	Si
Éphésiens (épître aux)	Ép
Esther	Est
Exode	Ex
Ezéchiel	Ez
Galates (épître aux)	Ga
Genèse	Gn
Habaquq	Ha
Hébreux (épître aux)	He
Isaïe	Is
Jacques (épître de)	Jc
Jean (1re épître de)	1 Jn
Jean (2e épître de)	2 Jn
Jean (3e épître de)	3 Jn
Jean (évangile selon)	Jn
Jérémie	Jr
Job	Jb
Joël	Jl
Jonas	Jon
Josué	Jos
Jude (épître de)	Jude
Judith	Jdt
Juges	Jg
Lamentations	Lm
Lévitique	Lv
Luc (évangile selon)	Lc
Maccabées (1er livre des)	1 M
Maccabées (2e livre des)	2 M
Malachie	Ml
Marc (évangile selon)	Mc
Matthieu (évangile selon)	Mt
Michée	Mi
Naboum	Na
Néhémie	Ne
Nombres	Nb
Osée	Os
Philémon (épître à)	Phm
Philippiens (épître aux)	Ph
Pierre (1re épître de)	1 P
Pierre (2e épître de)	2 P
Proverbes	Pr
Psaumes	Ps
Qohéleth	Qo
Rois (1er livre des)	1 R
Rois (2e livre des)	2 R
Romains (épître aux)	Rm
Ruth	Rt
Sagesse	Sg
Samuel (1er livre de)	1 S
Samuel (2e livre de)	2 S
Sophonie	So
Thessaloniciens (1re épître)	1 Th
Thessaloniciens (2e épître)	2 Th
Timothée (1re épître à)	1 Tm
Timothée (2e épître à)	2 Tm
Tite (épître à)	Tt
Tobie	Tb
Zacharie	Za

Manière de citer les livres bibliques

La virgule (,) sépare les chapitres et versets. Le trait d'union (-) réunit des versets. Le tiret long (—) réunit des chapitres. Le point (.) sépare des versets.

Gn 24,25	renvoie à Genèse, chapitre 24, verset 25.
Gn 24,28-32	renvoie à Genèse, chapitre 24, versets 28 à 32.
Gn 24,25.32	renvoie à Genèse, chapitre 24, versets 25 et 32.
Gn 29—32	renvoie aux chapitres 29, 30, 31 et 32 de la Genèse.
Is 8,23—9,6	renvoie à Isaïe du verset 23 (chap. 8) au verset 6 (chap. 9).
Ex 19	renvoie à tout le chapitre 19 de l'Exode.

Quelle est la sainte qui ne portait pas de jarretelles? — Sainte Sébastienne.

Chimie

Les symboles ont une capitale initiale, n'ont pas de points abréviatifs et sont invariables. L'abréviation *n*^o^ est le numéro atomique; *atomique* est la masse atomique.

	symbole	*n*^o^	*atomique*
actinium	Ac	89	—
aluminium	Al	13	26,98
américium	Am	95	—
antimoine	Sb	51	121,75
argent	Ag	47	107,86
argon	Ar	18	39,94
arsenic	As	33	74,92
astate	At	85	—
azote	N	7	14,006
baryum	Ba	56	137,34
berkélium	Bk	97	—
béryllium	Be	4	9,012
bismuth	Bi	83	208,98
bore	B	5	10,81
brome	Br	35	79,90
cadmium	Cd	48	112,40
calcium	Ca	20	40,08
californium	Cf	98	—
carbone	C	6	12,01
cérium	Ce	58	140,12
césium	Cs	55	132,90
chlore	Cl	17	35,453
chrome	Cr	24	52,01
cobalt	Co	27	58,93
cuivre	Cu	29	63,54
curium	Cm	96	—
dysprosium	Dy	66	162,50
einsteinium	Es	99	—
erbium	Er	68	167,26
étain	Sn	50	118,69
europium	Eu	63	151,96
fer	Fe	26	55,847
fermium	Fm	100	—
fluor	F	9	18,99
francium	Fr	87	—
gadolinium	Gd	64	157,25
gallium	Ga	31	69,72
germanium	Ge	32	72,59
hafnium	Hf	72	178,49
hélium	He	2	4,002 6
holmium	Ho	67	164,93
hydrogène	H	1	1,008
indium	In	49	114,82
iode	I	53	126,90
iridium	Ir	77	192,22
krypton	Kr	36	83,80
lanthane	La	57	138,90
lawrencium	Lr	103	—
lithium	Li	3	6,94
lutécium	Lu	71	174,97
magnésium	Mg	12	24,30
manganèse	Mn	25	54,93
mendélévium	Md	101	256
mercure	Hg	80	200,59
molybdène	Mo	42	95,94
néodyme	Nd	60	144,24
néon	Ne	10	20,179
neptunium	Np	93	237,05
nickel	Ni	28	58,71
niobium	Nb	41	92,90
nobélium	No	102	—
or	Au	79	196,97
osmium	Os	76	190,2
oxygène	O	8	16
palladium	Pd	46	106,4
phosphore	P	15	30,97
platine	Pt	78	195,09
plomb	Pb	82	207,21
plutonium	Pu	94	—
polonium	Po	84	—
potassium	K	19	39,1
praséodyme	Pr	59	140,90
prométhéum	Pm	61	147
protactinium	Pa	91	—
radium	Ra	88	226,025
radon	Rn	86	—
rhénium	Re	75	186,2
rhodium	Rh	45	102,90
rubidium	Rb	37	85,46
ruthénium	Ru	44	101,07
samarium	Sm	62	150,43
scandium	Sc	21	44,956
sélénium	Se	34	78,96
silicium	Si	14	28,086
sodium	Na	11	22,98
soufre	S	16	32,06
strontium	Sr	38	87,62
tantale	Ta	73	180,947
technétium	Tc	43	98,90
tellure	Te	52	127,60
terbium	Tb	65	158,92
thallium	Tl	81	204,37
thorium	Th	90	232,03
thulium	Tm	69	168,93
titane	Ti	22	47,9
tungstène	W	74	183,35
uranium	U	92	238,2
vanadium	V	23	50,94
xénon	Xe	54	131,30
ytterbium	Yb	70	173,04
yttrium	Y	39	88,90
zinc	Zn	30	65,37
zirconium	Zr	40	91,22

Guillaume Apollinaire a été très pané en 1917.

Date écrite en lettres

L'article **le** se place avant le nom du **jour.** Pas de 0 devant un chiffre qui est seul. L'article **le** se place après le nom du **lieu** et il est précédé d'une virgule.

La réunion aura lieu le lundi 7 avril 2003 à Magog (*non pas : lundi 07 avril*).
La réunion aura lieu à Beauceville, le lundi 7 avril 2003.

Date écrite en chiffres

Domaine d'application

En principe, une date écrite en chiffres est réservée aux tableaux. Un moment précis à une seconde près est constitué des éléments suivants, dans cet ordre :

année, mois, jour, heure, minute, seconde

Nombre de chiffres

Au tournant du troisième millénaire, les logiciels ont été mis à jour. Maintenant, le champ **00** pour l'année 2000 est postérieur à **99** dans l'ordre chronologique. Mais pour les dates qui ne sont pas des champs automatiques, il est préférable d'utiliser quatre chiffres, pour que 2000 soit postérieur à 1999 dans un tri croissant. Si le fichier complet ne concerne qu'un siècle, on peut utiliser la date à deux chiffres.

Numérotage des heures

Les heures sont numérotées de 00 à 23. Celles de 00 à 11 désignent le matin et celles de 12 à 23 désignent l'après-midi et la soirée. La journée débute à 00:00 (minuit). L'écriture 24:00 n'existe pas, car c'est 00:00 du jour suivant.

Secondes décimales

Après les secondes, on doit utiliser les dixièmes, les centièmes ou les millièmes de seconde. Après la virgule, les dixièmes sont désignés par un seul chiffre, les centièmes par deux chiffres, les millièmes par trois chiffres.

Séparateurs

Entre les éléments des années, mois, jours et heures, on peut mettre soit un trait d'union, soit une espace insécable, soit ne pas mettre d'espace. Entre les heures et les minutes, et entre les minutes et les secondes, on peut mettre un deux-points ou ne pas mettre d'espace du tout. Après les secondes, on utilise les dixièmes, les centièmes, etc., précédés de la virgule décimale.

Le 31 mars 1999	1999-03-31	*ou*	1999 03 31	*ou*	19990331
Le 2 décembre 2000	2000-12-02	*ou*	2000 12 02	*ou*	20001202

31 mars 2000 à quinze heures deux minutes dix secondes trois centièmes :
2000-03-31-15:02:10,03 *ou* 2000 03 31 15:02:10,03 *ou* 20000331150210,03

Ainsi, toute date postérieure (ne serait-ce que de **un** jour ou de **une** seconde) est représentée par un nombre plus grand, et toute date antérieure est représentée par un nombre plus petit (ce qui ne serait pas le cas si l'on mettait l'année à la fin : 31-03-1999 et 02-12-2000). Cette méthode facilite ainsi le classement chronologique dans les tris et normalise l'écriture des dates pour la plupart des pays du monde.

Hydro-Québec fournira des compteurs au club de hockey Canadien.

Heure pour un moment précis

On utilise le symbole **h** dans un texte courant, c'est-à-dire chaque fois que la date est écrite en lettres. On applique le système des 24 heures, avec un zéro devant les minutes quand le chiffre est inférieur à 10. Si l'heure ne comporte pas de minutes, on peut écrire le mot *heures* en toutes lettres.

La réunion a eu lieu le jeudi 2 mars 2000 à 18 heures précises.
Les réunions ont eu lieu le jeudi 2 mars 2000 à 9 h et à 16 h précises.
Les réunions ont eu lieu le jeudi 2 mars 2000 à 9 h 05 et à 16 h 05 précises.

On utilise le deux-points (**:**), qui est la marque des **soixantièmes,** quand la date est elle-même écrite en chiffres, et dans les tableaux. On peut aussi ne mettre aucune espace. Les heures et les minutes ont toujours deux chiffres.

Bruxelles	06:00 *ou* 0600	Porte 3
Alger	15:04 *ou* 1504	Porte 5

Heure pour une durée

Si le nombre est entier et entre *un* et *neuf* inclus, on l'écrit en lettres ; on l'écrit en chiffres à partir de 10. Le mot *heures* ne s'abrège pas.

La course a duré six heures en tout. La course a duré 18 heures en tout.

Si le nombre est complexe, on l'écrit tout en chiffres et on utilise les symboles de temps, sans mettre de zéro devant les unités ni de virgules.

La course a duré 6 h 5 min en tout. La course a duré 18 h 4 min en tout.

Il faut reconnaître que la tendance actuelle est d'écrire les durées de la même façon que les moments précis, c'est-à-dire dans les formes avec les deux-points.

Au lieu d'écrire :
1. Canada .... 2 h 3 min 12 s 6/100

on écrit :
1. Canada 02:03:12,06

Heure exprimée avec des mots

Quand l'heure est exprimée avec les mots *demi, quart, trois quarts, midi* et *minuit*, les nombres s'écrivent en lettres. Le mot *heure* ne s'abrège pas.

La réunion a commencé à dix heures moins le quart et s'est terminée vers onze heures et demie. Elle a donc duré une heure trois quarts. La prochaine réunion commencera à midi trente.

Heure décimale

On utilise la virgule dans la division décimale de l'heure dans une durée.

10,25 = 10 heures 25 centièmes (soit une durée de 10 h 15 min)

Pour les calculs de durée, 1/10 d'heure égale 6 minutes.

Le prix d'un travail de 8 h 24 min à 29,95 $/h se calculera en multipliant
29,95 × 8,4 = 251,58 $.

Compagnie

Quand il fait partie de la raison sociale, ce mot s'écrit au long avec une capitale s'il est au début. Il s'abrège en **Cie** ou **Cie** s'il est placé à la fin.

la Compagnie nationale Air France — Dupont & Cie

S'il ne fait pas partie de la raison sociale, il s'écrit tout en bas-de-casse.

la compagnie Radio-Canada (*la raison sociale est : Société Radio-Canada*)

Docteur

On écrit **Docteur - Docteure - Docteurs - Docteures**

dans une adresse	Docteur Jean Guéry, 23, rue de la Santé

On écrit **docteur - docteure - docteurs - docteures**

quand on parle de la personne	J'ai vu le docteur Roy (*travaux soignés*).
quand on s'adresse à la personne	Je vous écoute, docteur.
quand il est en apposition	Claude Durand, docteure.
quand c'est un nom commun	Le docteur est arrivé.

On écrit **Dr - Dre - Drs - Dres**

quand on parle de la personne	J'ai vu le Dr Roy (*travaux ordinaires*).

enr. – inc. – ltée

Ces mots sont en bas-de-casse et ne sont pas précédés d'une virgule.

Plomberie Paul enr.
Coiffures Lafrise inc.
Menuiserie Dubois ltée

et cetera

L'abréviation **etc.** n'est pas suivie de points de suspension; ne doit pas se trouver seule sur une ligne; ne doit pas se répéter à la suite; doit être précédée et suivie d'une virgule (sauf quand elle termine la phrase); n'a jamais de capitale initiale. Elle appartient à la phrase et se met en romain.

Elle a parlé de littérature, de sciences, etc., et nous avons bien écouté.
Certains mots se mettent en italique : *bis, ibid., sic,* etc.

Fuseaux horaires

Ces abréviations s'écrivent en capitales, sans points abréviatifs.

Français		*Anglais*	
Heure de Terre-Neuve	HTN	Newfoundland Time	NT
Heure de l'Atlantique	HA	Atlantic Time	AT
Heure de l'Est	HE	Eastern Time	ET
Heure du Centre	HC	Central Time	MT
Heure des Rocheuses	HR	Moutain Time	MT
Heure du Pacifique	HP	Pacific Time	PT

Hitler était un dictateur parce qu'il dictait beaucoup de lettres.

Jours

Pour les jours et les mois, on se sert des abréviations ou des codes (qu'on nomme aussi *symboles*). Les codes servent surtout pour les dates d'expiration des produits.

	Abréviation	*Code*
lundi	lun.	LUN
mardi	mar.	MAR
mercredi	mer.	MER
jeudi	jeu.	JEU
vendredi	ven.	VEN
samedi	sam.	SAM
dimanche	dim.	DIM

Mois

	Abréviation	*Code à 2 car.*	*Code à 3 car.*
janvier	janv.	JR	JAN
février	févr.	FR	FEV
mars	mars	MS	MAR
avril	avr.	AL	AVR
mai	mai	MI	MAI
juin	juin	JN	JUN
juillet	juill.	JT	JUL
août	août	AT	AOU
septembre	sept.	SE	SEP
octobre	oct.	OE	OCT
novembre	nov.	NE	NOV
décembre	déc.	DE	DEC

Maître

On écrit **Maître - Maîtres**

dans une adresse — Maître Claire Delune, avocate, 23, rue...

On écrit **maître - maîtres**

quand on parle de la personne — J'ai vu maître Dupont (*travaux soignés*).
quand on s'adresse à la personne — Je vous écoute, maître (ou maître Dupont).

On écrit **Me - Mes**

quand on parle de la personne — J'ai vu Me Dupont (*travaux ordinaires*).

Monsieur, madame : abréviations

Les lettres supérieures (Mme, Mlle) sont utilisées dans les travaux de luxe. Dans les travaux ordinaires, on peut utiliser ces formes :

M.	monsieur	Mme	madame	Mlle	mademoiselle
MM.	messieurs	Mmes	mesdames	Mlles	mesdemoiselles

Ces titres s'appellent **titres de civilité**. On utilise le titre de *madame* pour toute femme, mariée ou non. Le titre de *mademoiselle* est réservé aux dames qui le demandent, ainsi qu'aux très jeunes filles. On ne peut utiliser ces abréviations que si elles sont suivies du **nom** ou de la **fonction** de la personne.

Monsieur, madame

1. Méthode Ramat

On écrit	**Madame – Monsieur**
dans une adresse	Monsieur Raoul Beauchamp, 23, rue...
dans un faire-part	Madame et Monsieur Luc Dubé vous...
au début d'un titre d'œuvre	J'ai lu *Madame de Bovary.*

On écrit	**madame – monsieur**
quand on parle de la personne	J'ai vu madame Dupont (*travaux soignés*).
quand on s'adresse à la personne	Je vous prie d'agréer, madame, mes...
dans les constructions de politesse	Non, monsieur, je n'ai pas vu madame.
quand monsieur *est nom commun*	Ce monsieur est mon oncle.

On écrit	**Mme – M.** (suivis du nom ou de la fonction)
quand on parle de la personne	J'ai vu Mme Dupont (*travaux ordinaires*).
à l'intérieur d'un titre d'œuvre	J'ai vu le film *Les palmes de M. Schutz.*

On écrit la fonction toujours avec un bas-de-casse initial

qu'elle soit placée avant le nom	J'ai vu la présidente Annie Gagnon.
qu'elle soit placée après le nom	Paul Simard, vice-président, était présent.
que l'on parle de la personne	J'ai rencontré madame la directrice.
que l'on s'adresse à la personne	Veuillez agréer, madame la directrice, nos...

2. Méthode traditionnelle

Cette méthode fait l'exception suivante : quand il s'agit de **correspondance** et que l'on s'adresse à la personne, on met une capitale au titre de civilité. Quant à la fonction, certains auteurs prônent la capitale, d'autres le bas-de-casse. Cette méthode (qui nous vient de la dactylographie) est encore bien ancrée dans les habitudes.

Je vous prie d'agréer, Madame la Présidente, mes respectueuses salutations.

Pour appliquer cette règle, il faut :

a) déceler s'il s'agit de correspondance, car cette règle ne concerne que ce domaine. Mais tous les codes qui la préconisent disent aussi d'une façon générale que l'on met un bas-de-casse quand on s'adresse à la personne;

b) choisir une des options : capitale ou bas-de-casse à la fonction :
Agréez, Monsieur le Président *ou* Agréez, Monsieur le président...

c) distinguer la place de la fonction :
M. le Président Dubé, *mais* M. Dubé, président

d) considérer le rang social du destinataire :
Monsieur le Directeur, *mais* Monsieur le journaliste

e) décider si l'on désire une faveur :
si oui : Cher Monsieur — sinon : Cher monsieur

À mon avis, ces règles sont trop compliquées. Écrire le titre au long est déjà un signe de politesse; il est inutile d'y ajouter une capitale. De plus, je ne vois pas pourquoi on devrait être poli si l'on s'adresse à la personne, et moins poli si l'on parle d'elle.

C'est la goutte d'eau qui a mis le feu aux poudres.

Avantages de la méthode Ramat

Simplicité et universalité

La méthode Ramat ne fait pas d'exception pour la correspondance. Qu'il s'agisse d'une lettre, d'une télécopie, d'un courriel, d'une note de service, d'un discours, d'un dialogue dans un roman ou dans une pièce de théâtre, la règle est la même partout quand on s'adresse à la personne. Cette méthode évite toute discrimination quant au rang des personnes à qui l'on s'adresse. Elle uniformise aussi l'écriture des fonctions. Enfin, elle est semblable à celle du *Lexique des règles typographiques en usage à l'Imprimerie nationale,* ouvrage qui fait autorité dans tous les pays francophones[1].

Lisibilité

La méthode Ramat rend la lecture plus facile et plus agréable, car l'œil n'a pas à monter et descendre pour lire les trop nombreuses capitales. Un texte comportant seulement les capitales indispensables est plus lisible, plus reposant et aussi plus distingué. En un mot : plus typographique.

Voici un texte écrit selon la méthode traditionnelle

Quand on s'adresse à la personne : au long avec capitale initiale partout.
Quand on parle de la personne : abréviation du titre, et bas-de-casse à la fonction.

> Je vous informe, Monsieur le Premier Ministre du Canada, que j'ai rencontré M. le premier ministre de Belgique.
> Je lui ai dit : « Je vous assure, Monsieur le Premier Ministre de Belgique, que M. le premier ministre du Canada vous estime beaucoup. »
>
> Je vous informe, Monsieur, que madame est sortie.
>
> Veuillez agréer, Monsieur le Directeur, les salutations de Mme la présidente.

Voici le même texte écrit selon la méthode Ramat

Dans un travail soigné, le titre de civilité et la fonction s'écrivent au long, avec des bas-de-casse partout, que l'on s'adresse à la personne ou que l'on parle d'elle.

> Je vous informe, monsieur le premier ministre du Canada, que j'ai rencontré monsieur le premier ministre de Belgique.
> Je lui ai dit : « Je vous assure, monsieur le premier ministre de Belgique, que monsieur le premier ministre du Canada vous estime beaucoup. »
>
> Je vous informe, monsieur, que madame est sortie.
>
> Veuillez agréer, monsieur le directeur, les salutations de madame la présidente.

---

[1] **Imprimerie nationale** (imprimerie officielle du gouvernement français)

Les termes *monsieur, madame, mademoiselle* s'écrivent au long avec une initiale bas-de-casse quand on s'adresse à la personne (dialogues, discours et lettres) :

> Bonjour, monsieur le maire.
> Je vous écoute, madame.
> Qu'en pensez-vous, mesdemoiselles?
> Je voudrais en terminant, mesdames et messieurs, vous dire...
> Veuillez agréer, monsieur, l'expression...

Montants d'argent

Place des symboles dans les montants d'argent

Un montant d'argent suivi de son symbole s'écrit en chiffres. Le symbole se place après le nombre complet (décimales comprises) et il est détaché du nombre par une espace insécable. Les tranches de trois chiffres sont détachées par une espace fine ou une espace insécable. Les nombres comportant quatre chiffres peuvent s'écrire avec ou sans espace.

22 250,50 $ 13 234,75 F 4 450 $ 4450 $

Nombre entier dans les montants d'argent

Si le nombre est entier et qu'il n'y a pas comparaison, pas de virgule ni zéros.

Cet article coûte 15 $ en magasin.

S'il y a comparaison, on peut utiliser la virgule suivie des deux zéros.

Le prix de cet article est passé de 15,00 $ à 15,50 $ récemment.

Montants d'argent en tableaux

On doit aligner les dollars et les cents. On utilise la virgule et les deux zéros. En cas de chiffres inférieurs à l'unité, on met un zéro (0) avant la virgule.

56 320,50
3 528,00
0,57

Préfixes dans les symboles de montants d'argent

k	est le préfixe kilo (mille)	15 k$	quinze kilodollars	15 000 $
M	est le préfixe méga (million)	15 M$	quinze mégadollars	15 000 000 $
G	est le préfixe giga (milliard)	15 G$	quinze gigadollars	15 000 000 000 $

Un préfixe précède un symbole, sans espace. Il ne peut **jamais** être utilisé seul.

On ne peut pas écrire le texte suivant : une invasion de 15 M de sauterelles.

Montants d'argent avec « million » et « milliard »

On ne peut utiliser un symbole que s'il est précédé d'un nombre écrit en chiffres. Les règles sont les mêmes pour *million* et *milliard.* Voici les différentes façons d'écrire un montant d'argent.

trois millions	on supprime *dollars,* si le contexte le permet
trois millions de dollars	en lettres pour les sommes de *un* à *neuf*
17 millions de dollars	en chiffres à partir de 10
3,5 millions de dollars	en chiffres, car le nombre n'est pas entier
17,5 millions de dollars	en chiffres, car le nombre n'est pas entier
3 000 000 $ - 17 500 000 $	$ doit être précédé d'un nombre en chiffres
3 M$ - 17 M$ - 3,5 M$ - 17,5 M$	M$ doit être précédé d'un nombre en chiffres
3 G$ - 17 G$ - 3,5 G$ - 17,5 G$	G$ doit être précédé d'un nombre en chiffres

On ne peut donc jamais écrire :

trois millions $ — $3 000 000 — $3 millions — trois M$ — trois M dollars

---

Si l'un de nous deux venait à mourir, combien serais-je payée en assurance-vie?

Nuages

Bas-de-casse initial. Les abréviations ne prennent pas de point abréviatif.

un altocumulus	Ac	un cumulo-nimbus	Cb
un altrostratus	As	un cumulus	Cu
un cirrocumulus	Cc	un nimbo-stratus	Ns
un cirrostratus	Cs	un strato-cumulus	Sc
un cirrus	Ci	un stratus	S

Numéro

S'il fait partie d'un titre en capitales, il prend aussi la capitale.

n° n^{os} SORTIE N° 6

Précédé du nom qu'il qualifie et suivi d'un nombre en chiffres, il s'abrège.

L'entrée n° 6 est en bon état. Les bulletins n°s 7 et 8 sont ici.

S'il ne remplit qu'une ou aucune de ces conditions, il ne s'abrège pas.

J'habite au numéro 6. Les numéros 7 et 8 du bulletin sont ici.

Professeur

On écrit **Professeur - Professeure - Professeurs - Professeures**

dans une adresse Professeur Jean Seigne, 23, rue du Savoir

On écrit **professeur - professeure - professeurs - professeures**

quand on parle de la personne	J'ai vu le professeur Roy (*travaux soignés*)
quand on s'adresse à la personne	Je vous écoute, professeur.
quand le mot est en apposition	Claude Durand, professeure.
quand c'est un nom commun	Le professeur est arrivé.

On écrit **Pr - Pre - Prs - Pres**

quand on parle de la personne J'ai rencontré le Pr Roy (*travaux ordinaires*)

Provinces canadiennes

2e colonne : têtes de colonne d'un tableau ; on peut utiliser aussi la 3e colonne.
3e colonne : dans une adresse ; ces codes sont les mêmes en français qu'en anglais :
Aurel Ramat, 224, avenue Macaulay, Saint-Lambert QC JR4 2G9

Alberta	Alb.	AB	Alberta
Colombie-Britannique	C.-B.	BC	British Columbia
Île-du-Prince-Édouard	Î.-P.-É.	PE	Prince Edward Island
Manitoba	Man.	MB	Manitoba
Nouveau-Brunswick	N.-B.	NB	New Brunswick
Nouvelle-Écosse	N.-É.	NS	Nova Scotia
Nunavut	—	NT	Nunavut
Ontario	Ont.	ON	Ontario
Québec	Québec	QC	Quebec
Saskatchewan	Sask.	SK	Saskatchewan
Terre-Neuve	T.-N.	NF	Newfoundland
Territoire du Yukon	Yn	YT	Northwest Territories
Territoires du Nord-Ouest	T.N.-O.	NT	Yukon

Sigles et acronymes

Définition

Un sigle est un groupe de lettres initiales de plusieurs mots. On doit prononcer séparément toutes les lettres du sigle. Un acronyme est un sigle qui peut être prononcé comme un mot ordinaire.

Sigles : OLF, BNQ — Acronymes : OPEP, NASA

Les sigles et les acronymes sont utilisés dans les domaines traités dans ce livre sous les entrées Sociétés, Organismes, Sports, Partis politiques et Abréviations courantes.

Écriture des sigles français ou étrangers

Casse	tout en capitales (ou en petites capitales)
Points abréviatifs	non
Espace entre les lettres	non
Traits d'union	non
Accents	non

AFP Agence France-Presse — CEE Communauté économique européenne

Écriture des acronymes français ou étrangers

1. Acronyme tout en capitales

Dans ce cas, les acronymes suivent les mêmes règles que les sigles, règles qui sont données ci-dessus (pas d'accents, pas de traits d'union).

CNES	Centre national d'études spatiales
ACFAS	Association canadienne-française pour l'avancement des sciences
ASSEDIC	Association pour l'emploi dans l'industrie et le commerce

2. Acronyme en bas-de-casse avec capitale initiale

Quand l'acronyme est très connu et qu'il n'apparaît pas dans une liste avec des sigles, on peut l'écrire en bas-de-casse avec une capitale initiale, sans traits d'union. Dans ce cas, on met les accents sur cet acronyme afin qu'il soit prononcé selon les règles d'accentuation françaises, sans tenir compte des accents des mots quand ces derniers sont écrits au long.

Écrire :	*et non :*	
Bénélux	Benelux	Belgique, Nederland, Luxembourg
Cédex	Cedex	Courrier d'entreprise à distribution exceptionnelle
Cégep	Cegep	Collège d'enseignement général et professionnel
Sacem	Sacém	Société des auteurs, compositeurs et éditeurs de musique
Assédic	Assedic	invariable au pluriel : les Assédic

Conseils sur l'emploi des sigles et des acronymes

- Pas de marque du pluriel : les PDG, les REER, les FERR, les PME.
- Même genre que la dénomination : une PME, un REER, le SPCUM, la STCUM.
- La première fois qu'on emploie un sigle, il faut donner sa signification.
- Il est conseillé de faire une entrée du sigle dans l'index de l'ouvrage.
- Si les sigles sont très nombreux, il faut en dresser la liste au début de l'ouvrage.

Mon mari étant chômeur et disposant de temps libre, j'ai huit enfants.

Exemples de sigles

AELE	Association européenne de libre-échange
AIEA	Agence internationale de l'énergie atomique
BNQ	Bureau de normalisation du Québec
CE	Communauté européenne
CLF	Conseil de la langue française
CLSC	Centre local de services communautaires
CRF	Croix-Rouge française
CRTC	Conseil de la radiodiffusion et des télécommunications canadiennes
EEE	Espace économique européen
FAB	franco à bord
FBI	Federal Bureau of Investigation
FMI	Fonds monétaire international
IBM	International Business Machines
MLF	Mouvement de libération des femmes
NAS	numéro d'assurance sociale
OCDE	Organisation de coopération et de développement économique
OEA	Organisation des États américains
OLF	Office de la langue française
PMR	personne à mobilité réduite
RAMQ	Régie de l'assurance-maladie du Québec
SPCUM	Service de police de la communauté urbaine de Montréal

Exemples d'acronymes

ACDI	Agence canadienne de développement international
ACFAS	Association canadienne-française pour l'avancement des sciences
AFEAS	Association féminine d'éducation et d'action sociale
ALENA	Accord de libre-échange nord-américain
ANASE	Association des nations de l'Asie du Sud-Est
CEDEX	Courrier d'entreprise à distribution exceptionnelle
CILF	Conseil international de la langue française
CNES	Centre national d'études spatiales
FERR	Fonds enregistré de revenu de retraite
INSEE	Institut national de la statistique et des études économiques
ISO	International Organization for Standardization
LICRA	Ligue internationale contre le racisme et l'antisémitisme
NIP	numéro d'identification personnel
ONU	Organisation des Nations Unies (*raison sociale exacte*)
REA	Régime enregistré d'épargne-actions
REER	Régime enregistré d'épargne-retraite
UNESCO	United Nations Educational Scientific and Cultural Organization
UNICEF	United Nations International Children's Emergency Fund
UQAM	Université du Québec à Montréal

Acronymes devenus noms communs

cégep	collège d'enseignement général et professionnel	pluriel : cégeps
modem	modulateur démodulateur	pluriel : modems
ovni	objet volant non identifié	pluriel : ovnis
radar	Radio Detecting and Ranging	pluriel : radars
sida	syndrome immunodéficitaire acquis	pluriel : sidas

Système international d'unités

Définition du système

La dénomination **système international d'unités** et son sigle **(SI)** ont été adoptés par la 11e Conférence générale des poids et mesures pour désigner le système d'unités défini et reconnu par ce même organisme. (Bureau de normalisation du Québec, norme NQ 9990-901, 92-10-10.)

Définition des symboles d'unités

On appelle **symboles** les abréviations du système international d'unités (SI) ainsi que les abréviations d'unités hors SI admises (voir la liste page 58).

m (mètre) min (minute) kg (kilogramme)

Noms d'unités écrits au long

Bas-de-casse initial. Le pluriel se forme normalement.

six grammes sept ampères huit litres

Place des symboles

Si l'unité appartient au système décimal, on doit placer le symbole après le nombre complet (exemple de gauche). Si l'unité n'appartient pas au système décimal, on place le symbole à l'intérieur des chiffres (exemple de droite).

2,75 m 3 h 20 min 40 s

Point abréviatif dans les symboles

On ne met pas de point abréviatif à la fin d'un symbole. On met un point final si le symbole est à la fin de la phrase.

Ce tissu mesure 1,75 m en tout. Ce tissu mesure 1,75 m.

Pluriel des symboles

Les symboles ne prennent jamais la marque du pluriel.

17 m 100 kg 350 ml 14 °C

Casse des symboles

Les symboles s'écrivent généralement avec un bas-de-casse initial, sauf si le symbole tire son origine d'un nom propre.

s (seconde) g (gramme) N (newton) A (ampère)

Face des symboles

Certains symboles sont en romain (caractère droit) ; d'autres sont en italique. La face du symbole ne doit pas changer, quelle que soit la face du contexte. (S'il n'y a pas de risque de confusion, on peut ne pas appliquer cette règle.)

m mètre *m* masse (en mécanique)

Mes toilettes ont gelé, cet hiver. J'ai fait réparer, car je ne pouvais plus attendre.

Espacement des symboles

On met une espace insécable entre le nombre et le symbole.

25 cm 10 kg

Emploi des symboles

On ne peut employer un symbole que s'il est précédé d'un nombre écrit en chiffres. Si le nombre est écrit en lettres, on écrit l'unité au long.

10 km (*et non :* dix km) dix kilomètres, une dizaine de kilomètres

Si le nombre est entier, on peut utiliser le symbole ou bien écrire l'unité au long. Si le nombre n'est pas entier, il est préférable d'utiliser le symbole.

20 kg *ou* 20 kilogrammes 20,5 kg

Universalité des symboles

Les symboles des sept unités de base du système international d'unités (mètre, kilogramme, seconde, ampère, kelvin, mole et candela) ainsi que leurs multiples et sous-multiples sont les mêmes dans toutes les langues.

Multiples et sous-multiples décimaux

Le préfixe		*signifie*	*par rapport à l'unité, il est*	
exa	E	trillion	1 000 000 000 000 000 000	de fois plus grand
péta	P	mille billions	1 000 000 000 000 000	de fois plus grand
téra	T	billion	1 000 000 000 000	de fois plus grand
giga	G	milliard	1 000 000 000	de fois plus grand
méga	M	million	1 000 000	de fois plus grand
kilo	k	mille	1 000	fois plus grand
hecto	h	cent	100	fois plus grand
déca	da	dix	10	fois plus grand
			1	unité
déci	d	dixième	10	fois plus petit
centi	c	centième	100	fois plus petit
milli	m	millième	1 000	fois plus petit
micro	µ	millionième	1 000 000	de fois plus petit
nano	n	milliardième	1 000 000 000	de fois plus petit
pico	p	billionième	1 000 000 000 000	de fois plus petit
femto	f	millibillionième	1 000 000 000 000 000	de fois plus petit
atto	a	trillionième	1 000 000 000 000 000 000	de fois plus petit

Préfixes des symboles

Les préfixes sont cités dans le tableau ci-dessus. On les place **devant** les symboles, sans espace, pour former les multiples et les sous-multiples décimaux. On ne peut **jamais** employer un préfixe seul.

da+m	=	dam	=	10 mètres	=	1 décamètre
k+g	=	kg	=	1000 grammes	=	1 kilogramme
c+l	=	cl	=	1/100 de litre	=	1 centilitre
M+o	=	Mo	=	1 000 000 d'octets	=	1 mégaoctet
M+$	=	M$	=	1 000 000 de dollars	=	1 mégadollar
G+o	=	Go	=	1 000 000 000 d'octets	=	1 gigaoctet

Symboles du système international

Tous ces symboles s'écrivent sans point abréviatif et sans marque du pluriel.

ampère .... A
ampère par mètre .... A/m
ampère-heure .... Ah
année .... a
are .... a
bar .... bar
barn .... b
becquerel .... Bq
calorie .... cal
candela .... cd
candela par mètre carré .... cd/m²
cent (monnaie) .... ¢
centigramme .... cg
centilitre cl
centime c
centimètre .... cm
coulomb C
coulomb par kilogramme .... C/kg
décagramme .... dag
décalitre .... dal
décamètre .... dam
décibel .... dB
décigramme .... dg
décilitre .... dl
décimètre .... dm
degré Celsius .... °C
degré d'angle .... °
dollar .... $
électronvolt .... eV
farad .... F
franc .... F
gal .... Gal
gigadollar .... G$
gigaoctet .... Go
grade (*ou* gon) .... gon
gramme .... g
gray .... Gy
hectare .... ha
hectogramme .... hg
hectolitre .... hl
hectomètre .... hm
hectowatt .... hW
henry .... H
hertz .... Hz
heure .... h
joule .... J
joule par kelvin .... J/K
joule par kilogramme-kelvin ... J/(kg·K)
jour .... d *ou* j
kelvin .... K
kiloampère .... kA
kilodollar, kilofranc .... k$, kF
kilogramme .... kg
kilogramme par mètre .... kg/m
kilogramme par mètre carré ..... kg/m²
kilogramme par mètre cube ...... kg/m³

kilohertz .... kHz

kilojoule .... kJ

kilomètre .... km

kilomètre par heure .... km/h

kilooctet .... ko

kilopascal .... kPa

kilovolt .... kV

kilowatt .... kW

kilowattheure .... kWh

litre .... l *ou* L

lux lx

mégahertz .... MHz

mégajoule .... MJ

mégamètre .... Mm

mégaoctet .... Mo

mètre .... m

mètre carré .... m²

mètre carré par seconde .... m²/s

mètre cube .... m³

mètre cube par kilogramme...... m³/kg

mètre par seconde .... m/s

milliampère .... mA

milligramme............................ mg

millilitre .... ml

millimètre .... mm

millivolt .... mV

minute d'angle.............................. ′

minute de temps....................... min

mole .... mol

newton .... N

newton par mètre .... N/m

newton-mètre .... N·m

octet .... o

ohm .... Ω

pascal .... Pa

pascal-seconde .... Pa·s

radian .... rad

radian par seconde .... rad/s

radian par seconde carrée........ rad/s²

seconde d'angle.......................... ″

seconde de temps......................... s

siemens .... S

sievert....................................... Sv

stéradian .... sr

stère .... st

tesla .... T

tex .... tex

tonne .... t

tour .... tr

tour par minute .... tr/min

tour par seconde .... tr/s

unité de masse atomique .... u

volt V

volt par mètre .... V/m

voltampère .... VA

watt .... W

watt par mètre carré .... W/m²

watt par mètre-kelvin........... W/(m·K)

wattheure .... Wh

weber....................................... Wb

Monsieur le curé se plaint que ses enfants de chœur lui cassent les burettes.

Symboles des principales monnaies

Pays	*Unité monétaire*	*Symbole ISO*	*Subdivision*
Afghanistan	afghani	AFA	110 puls
Afrique du Sud	rand	ZAR	100 cents
Algérie	dinar algérien	DZD	100 centimes
Allemagne	mark	DEM	100 pfennige
Arabie saoudite	riyal saoudien	SAR	100 halalas
Argentine	peso argentin	ARS	100 centavos
Australie	dollar australien	AUD	100 cents
Autriche	schilling	ATS	100 groschen
Belgique	franc belge	BEF	100 centimes
Bénin	franc CFA	XOF	100 centimes
Birmanie	kyat	MMK	100 pyas
Brésil	real brésilien	BRL	100 centavos
Bulgarie	lev	BGL	100 stotinki
Canada	dollar canadien	CAD	100 cents
Chili	peso chilien	CLP	100 centavos
Chine	yuan	CNY	100 fen
Colombie	peso colombien	COP	100 centavos
Côte d'Ivoire	franc CFA	XOF	100 centimes
Cuba	peso cubain	CUP	100 centavos
Égypte	livre égyptienne	EGP	100 piastres
Espagne	peseta	ESP	100 céntimos
États-Unis	dollar	USD	100 cents
Europe (UE)	euro	EUR	100 euro-cents
France	franc français	FRF	100 centimes
Ghana	cedi	GHC	100 pesewas
Grande-Bretagne	livre sterling	GBP	100 pence
Inde	roupie indienne	INR	100 paisa
Indonésie	rupiah	IDR	100 sen
Iran	rial iranien	IRR	100 dinars
Iraq	dinar irakien	IQD	5 rials
Israël	shekel	ILS	100 agorot
Italie	lire italienne	ITL	100 centesimi
Japon	yen	JPY	100 sen
Koweit	dinar koweïtien	KWD	10 dirhams
Liban	livre libanaise	LBP	100 piastres
Luxembourg	franc luxembourgeois	LUF	100 centimes
Maroc	dirham	MAD	100 centimes
Mexique	peso mexicain	MXN	100 centavos
Nigeria	naira	NGN	100 kobo
Norvège	couronne norvégienne	NOK	100 øre
Pakistan	roupie pakistanaise	PKR	100 paisa
Pays-Bas	florin	NLG	100 cents
Pérou	nouveau sol	PEN	100 céntimos
Pologne	zloti	PLN	100 groszy
Portugal	escudo	PTE	100 centavos
Roumanie	leu	ROL	100 bani
Russie	rouble	RUR	100 kopecks
Suède	couronne suédoise	SEK	100 öre
Suisse	franc suisse	CHF	100 centimes
Venezuela	bolívar	VEB	100 céntimos

Les deux premières lettres des symboles sont celles du pays (voir page de droite).
La troisième est souvent l'initiale de l'unité monétaire : CA pour *Canada,* D pour *dollar.*

Dans cette statue, on ne sentait pas de vie. On aurait dit qu'elle était morte.

Symboles des pays

Afghanistan	AF
Afrique du S.	ZA
Albanie	AL
Algérie	DZ
Allemagne	DE
Andorre	AD
Angola	AO
Antigua-et-B.	AG
Arabie saoud.	SA
Argentine	AR
Arménie	AM
Australie	AU
Autriche	AT
Azerbaïdjan	AZ
Bahamas	BS
Bahreïn	BH
Bangladesh	BD
Barbade	BB
Belgique	BE
Belize	BZ
Bénin	BJ
Bhoutan	BT
Biélorussie	BY
Birmanie	MM
Bolivie	BO
Bosnie-Herz.	BA
Botswana	BW
Brésil	BR
Brunei	BN
Bulgarie	BG
Burkina	BF
Burundi	BI
Cambodge	KH
Cameroun	CM
Canada	CA
Cap-Vert	CV
Centrafrique	CF
Chili	CL
Chine	CN
Chypre	CY
Colombie	CO
Comores	KM
Congo	CG
Congo (Rép.)	ZR
Corée du N.	KR
Corée du S.	KP
Costa Rica	CR
Côte d'Ivoire	CI
Croatie	HR
Cuba	CU
Danemark	DK
Djibouti	DJ
Dominicaine	DO
Dominique	DM
Égypte	EG
Émirats a.u.	AE
Équateur	EC
Érythrée	ER
Espagne	ES
Estonie	EE
États-Unis	US
Éthiopie	ET
Fidji	FJ
Finlande	FI
France	FR
Gabon	GA
Gambie	GM
Gde-Bretagne	GB
Géorgie	GE
Ghana	GH
Grèce	GR
Grenade	GD
Guatemala	GT
Guinée	GN
Guinée-Biss.	GW
Guinée-Éq.	GQ
Guyana	GY
Haïti	HT
Honduras	HN
Hongrie	HU
Inde	IN
Indonésie	ID
Iran	IR
Iraq ou Irak	IQ
Irlande	IE
Islande	IS
Israël	IL
Italie	IT
Jamaïque	JM
Japon	JP
Jordanie	JO
Kazakhstan	KZ
Kenya	KE
Kirghizistan	KG
Kiribati	KI
Koweït	KW
Laos	LA
Lesotho	LS
Lettonie	LV
Liban	LB
Liberia	LR
Libye	LY
Liechtenstein	LI
Lituanie	LT
Luxembourg	LU
Macédoine	MK
Madagascar	MG
Malaisie	MY
Malawi	MW
Maldives	MV
Mali	ML
Malte	MT
Maroc	MA
Marshall	MH
Maurice	MU
Mauritanie	MR
Mexique	MX
Micronésie	FM
Moldavie	MD
Monaco	MC
Mongolie	MN
Mozambique	MZ
Namibie	NA
Nauru	NR
Népal	NP
Nicaragua	NI
Niger	NE
Nigeria	NG
Nlle-Zélande	NZ
Norvège	NO
Oman	OM
Ouganda	UG
Ouzbékistan	UZ
Pakistan	PK
Panama	PA
Papouasie	PG
Paraguay	PY
Pays-Bas	NL
Pérou	PE
Philippines	PH
Pologne	PL
Portugal	PT
Qatar	QA
Roumanie	RO
Russie	RU
Rwanda	RW
Saint-Kitts	KN
Saint-Marin	SM
Saint-Vincent	VC
Sainte-Lucie	LC
Salomon	SB
Salvador	SV
Samoa	AS
São Tomé	ST
Sénégal	SN
Seychelles	SC
Sierra Leone	SL
Singapour	SG
Slovaquie	SK
Slovénie	SI
Somalie	SO
Soudan	SD
Sri Lanka	LK
Suède	SE
Suisse	CH
Surinam	SR
Swaziland	SZ
Syrie	SY
Tadjikistan	TJ
Taïwan	TW
Tanzanie	TZ
Tchad	TD
Tchèque (R.)	CZ
Thaïlande	TH
Togo	TG
Tonga	TO
Trinité-et-T.	TT
Tunisie	TN
Turkménistan	TM
Turquie	TR
Tuvalu	TV
Ukraine	UA
Uruguay	UY
Vanuatu	VU
Vatican	VA
Venezuela	VE
Vietnam	VN
Yémen	YE
Yougoslavie	YU
Zambie	ZM
Zimbabwe	ZW

Dans l'adresse d'un courriel, ces symboles se mettent en bas-de-casse.

ramat@videotron.ca

Les prêtres n'ont pas besoin d'automobile, car ils ont des habits sacerdotaux.

Symboles du système impérial

Dans le système canadien, les symboles sont en bas-de-casse et sont invariables. Les mesures sont approximatives, car je n'ai retenu que deux décimales.

Mesures de longueur

pouce	po	1 po	=	2,54 cm	1 cm	=	0,39 po
pied	pi	1 pi	=	30,48 cm	1 cm	=	3,28 pi
verge	vg	1 vg	=	0,91 m	1 m	=	1,10 vg
mille	mi	1 mi	=	1,61 km	1 km	=	0,62 mi

Mesures de superficie

pouce carré	po²	1 po²	=	6,45 cm²	1 cm²	=	0,15 po²
pied carré	pi²	1 pi²	=	0,09 m²	1 m²	=	10,76 pi²
verge carrée	vg²	1 vg²	=	0,84 m²	1 m²	=	1,20 vg²

Mesures de volume

pouce cube	po³	1 po³	=	16,39 cm³	1 cm³	=	0,06 po³
pied cube	pi³	1 pi³	=	28,58 cm³	1 dm³	=	0,03 pi³
verge cube	vg³	1 vg³	=	0,77 m³	1 m³	=	1,31 vg³

Mesures de poids

once	oz	1 oz	=	28,35 g	1 g	=	0,04 oz
livre	lb	1 lb	=	0,45 kg	1 kg	=	2,20 lb

Mesures de liquide

once	oz	1 oz	=	28,41 ml	1 ml	=	0,04 oz
pinte	pt	1 pt	=	0,94 l	1 l	=	1,06 pt
gallon	gal	1 gal	=	3,78 l	1 l	=	0,22 gal

Mesures de température

Pour convertir des degrés Fahrenheit en degrés Celsius, on retranche 32, puis on multiplie le résultat par 5 et on divise par 9. Exemple 125 °F :

125 °F - 32 = 93 puis 93 * 5 / 9 = 51,67 °C
32 °F - 32 = 0 °C (l'eau gèle donc à 32 °F, soit 0 °C)

Exemples de conversion

longueur	15 po	=	2,54	multiplié par 15	=	38,10	cm
	15 cm	=	0,39	multiplié par 15	=	5,85	po
superficie	15 po²	=	6,45	multiplié par 15	=	96,75	cm²
	15 cm²	=	0,15	multiplié par 15	=	2,25	po²
volume	15 po³	=	16,39	multiplié par 15	=	245,85	cm³
	15 cm³	=	0,06	multiplié par 15	=	0,90	po³
poids	15 lb	=	0,45	multiplié par 15	=	6,75	kg
	15 kg	=	2,20	multiplié par 15	=	33,00	lb
liquide	15 oz	=	28,41	multiplié par 15	=	426,15	ml
	15 ml	=	0,04	multiplié par 15	=	0,60	oz

Capitales

Introduction

« ... Donner aux mots une importance qu'ils n'ont pas, les monter en épingle
en les affublant avec emphase de lettres capitales imprévues,
c'est ignorer que la majuscule n'a d'effet que si on en
use discrètement; l'employer sans distinction
revient à souligner tous les mots,
c'est-à-dire n'en souligner aucun.

« L'abus des majuscules — dénommé par d'aucuns « majusculite » —
trahit le goût de l'hyperbole prétentieuse, un certain snobisme
de l'effet. Psychologiquement, on peut y voir une marque
d'obséquiosité; le commerçant croit flatter le client
en le décorant d'une capitale, et le subalterne
s'humilie de la même manière
devant son supérieur. »

De l'emploi de la majuscule, Fichier français de Berne (Suisse)

Exposition de tableaux de peintres exécutés au cours des dernières années.

Définitions

Bas-de-casse

Le **bas-de-casse** (abréviation : **bdc.** invariable) désigne la minuscule. Quant au mot « bas de casse » sans traits d'union, il désigne le bas de la casse, sorte de tiroir qui servait à ranger les lettres en plomb. On y plaçait les lettres minuscules dans le bas. On peut donc en déduire qu'un bas-de-casse est une lettre minuscule, et qu'un bas de casse était la partie inférieure d'une casse en bois.

Capitale

En typographie, la **capitale** (abréviation : **cap.** invariable) désigne la majuscule. Je n'ai pas choisi les termes de *majuscule* et *minuscule* pour deux raisons. D'abord, leur prononciation est trop semblable et on risque de les confondre. D'autre part, l'abréviation de *minuscule* par *min.* est déjà prise par *minimum* et *minimal.* Enfin, le symbole *min* pour *minute* augmenterait aussi la confusion.

Casse

Le mot **casse** englobe les deux notions de capitale et de bas-de-casse. On peut dire que, dans l'exemple ci-dessous, la casse du mot *Office* est une capitale initiale. La casse du mot *langue* est en bas-de-casse.

Dénomination

Une dénomination est un groupe de mots qui prend le statut de nom propre. Elle contient toujours au moins une capitale.

l'Office de la langue française — le Bureau des normes du Québec

Générique

Le générique est le nom commun qui se trouve au début de la dénomination.

le ministère de l'Éducation — le mont Tremblant — la mer Rouge

Les noms communs **ministère, mont** et **mer** sont les génériques.

Spécifique

Le spécifique est le mot qui spécifie la dénomination. Il peut être un nom commun, un nom propre ou un adjectif.

le ministère de l'Éducation — le mont Tremblant — la mer Rouge

Les mots **Éducation, Tremblant** et **Rouge** sont les spécifiques.

Spécifique nouveau

Le générique **mont** à gauche est devenu un composant du spécifique à droite, alors que le nom commun **avenue** est le générique.

le mont Royal — l'avenue du Mont-Royal

Généralités

Absence de règles absolues

Sur les 54 cas que j'ai traités concernant l'usage des capitales, je dirais que 48 ne souffrent pas de discussion. Six cas pourtant peuvent subir l'effet d'une différence d'interprétation. Ces six cas concernent les entrées suivantes : Bâtiments, Enseignement, Enseignes, Récompenses, Sociétés et Titres d'œuvres.

Par exemple, au début, j'avais placé le mot « palais » sous l'entrée Bâtiments, en bonne compagnie avec *le palais de Chaillot, le palais de la Découverte, la tour Eiffel, le pont Pierre-Laporte, le palais des Congrès.* D'autres personnes considèrent que le palais des congrès est une société, donc qu'il doit s'écrire *le Palais des congrès.* Dans d'autres pays francophones, on met une capitale à chaque mot important, donc on écrit *le Palais des Congrès*. Enfin, l'Office de la langue française du Québec considère que ce sont là des noms communs, donc il conseille d'écrire *le palais des congrès.*

Ces quatre théories se défendent toutes. Il ne faut donc pas s'étonner de la discordance qui sévit parfois parmi les correcteurs. L'important est de rester cohérent tout le long de l'ouvrage quand on a choisi de mettre une capitale à un certain mot.

C'est aussi l'avis de Charles Gouriou, auteur du *Mémento typographique* :
« Il n'est pas de règle s'appliquant avec rigueur dans tous les cas, et si nulle loi générale ne s'est jamais dégagée, c'est que, hormis pour les noms propres, *le choix des capitales ne relève pas du mot lui-même, mais des conditions de son emploi.* »

Adjectif placé avant

Si l'adjectif est placé avant le nom, il prend une capitale. S'il est placé après, il prend un bas-de-casse.

la Belle Époque les Temps modernes

Capitales accentuées

On doit mettre tous les accents et les signes diacritiques sur les capitales, excepté sur les sigles et les acronymes quand ils sont écrits en capitales.

Enseignes et couvertures de livres

Une enseigne commerciale ou un panneau de signalisation débute toujours par une capitale. Sur les couvertures des livres ou sur les enseignes au-dessus des magasins, le choix des capitales est laissé à la créativité de l'artiste.

Noms propres

Les noms propres prennent une capitale, sauf la particule nobiliaire **de** qui est en bas-de-casse si elle est précédée du prénom ou du titre de la personne. Les noms propres composés ont une capitale à chaque élément.

Ponctuations finales

Dans un texte courant, on met une capitale après toute ponctuation qui termine la phrase. Une phrase est une idée entièrement exprimée.

Il cria « Au feu ! » d'une voix éteinte.

Titres et paragraphes en capitales

Il faut éviter de composer un titre ou un paragraphe entier en capitales, parce qu'il est parfois difficile d'y reconnaître les sigles et les noms propres.

Raison sociale

La raison sociale est le libellé exact de la dénomination d'une entreprise. Si l'on connaît la raison sociale exacte, on écrit la dénomination comme elle a été enregistrée. Sinon, on écrit la dénomination selon les règles suivantes.

Suivi d'un nom propre, le générique (musée) prend un bas-de-casse.

le musée Durand

Suivi d'un nom commun ou d'un adjectif, le générique prend la capitale.

le Musée de la civilisation — le Musée océanique

Dénomination elliptique

Quand la dénomination elliptique (dénomination qui est citée en partie) est précédée du même article défini que la dénomination complète, elle prend la capitale.

La Société des gens de lettres a étudié la question. Ensuite, **la** Société a pris une décision. Cette société est une société très active.

Si le contexte ne laisse aucun doute sur l'identité exacte de la dénomination elliptique, celle-ci prend la capitale (à droite).

le golfe Persique — la guerre du Golfe

Dénominations au pluriel

Une dénomination perd généralement son statut de nom propre, donc sa capitale, si elle est employée au *pluriel* ou *sans l'article défini* devant elle.

J'ai visité **le** Centre sportif de Saint-Yves. Tous les centres sportifs s'occupent des jeunes. **Le** Centre sportif a organisé une fête. **Ce** centre sportif est très actif. Le président est fier de **son** centre sportif. C'est **un** centre sportif accueillant.

Dénomination qui n'en est pas une

Rappelons qu'une dénomination est un groupe de mots qui a pris le statut de nom propre. Pour cela, il faut qu'elle puisse se classer sous l'une des entrées de la liste alphabétique débutant à la page suivante, par exemple sous Organismes.

les Casques bleus	membres de la force militaire internationale de l'ONU
les Chemises brunes	membres du Parti national-socialiste allemand
les Chemises noires	groupements fascistes italiens

Mais on ne peut y classer les mots suivants, qui sont des noms communs :

la salle d'attente — le conseil d'administration

Ni les mots suivants qui ne sont pas des organismes, mais des sobriquets :

les cols bleus — les cols blancs — les bérêts rouges

Liste alphabétique

Allégories

S'il s'agit de l'allégorie, capitale initiale.

Vénus est la déesse de l'Amour.
La Mort est apparue au bûcheron de la fable.
On dit que la Vérité sort du puits.

Quand ils ne sont pas des allégories, ces mots restent en bas-de-casse.

C'est une belle histoire d'amour. Il ne faut pas craindre la mort.

Animaux

Les noms de races d'animaux prennent un bas-de-casse. Dans les ouvrages très spécialisés, on met une capitale au nom ainsi qu'à l'adjectif qui le précède.

Chiens	**Chats**	**Chevaux**	**Oiseaux**
des fox-hounds	des abyssins	des arabes	des geais bleus
des huskies	des angoras	des ardennais	des grands ducs
des labradors	des chartreux	des camargues	des grives fauves
des saint-hubert	des colourpoints	des pur-sang	des grèbes cornus
Reptiles	**Poissons**	**Insectes**	
des caïmans	des barracudas	des ammophiles	
des caouannes	des baudroies	des doryphores	
des cistudes	des congres	des forficules	
des geckos	des exocets	des scarabées	

Antonomases

Noms propres qui sont devenus noms communs. Ils ont donc perdu leur capitale.

ampère	Ampère	physicien français (1775-1856)
barème	Barrême	mathématicien français du XVIIe
béchamel	Béchamel	financier du XVIIe siècle
cabotin	Cabotin	comédien ambulant du XVIIe
calepin	Calepino	lexicographe italien du XVe siècle
dédale	Dédale	architecte du labyrinthe de Crète
gibus	Gibus	fabricant de chapeaux
guillemets	Guillaume	imprimeur, les invente en 1670
harpagon	Harpagon	personnage de *L'avare*
hercule	Hercule	fils de Jupiter
macadam	MacAdam	ingénieur écossais
mansarde	Mansart	architecte français du XVIIe
mégère	Mégère	la plus hideuse des trois Furies
nicotine	Nicot	introduisit le tabac en France en 1590
pantalon	Pantalon	personnage de la comédie italienne
pimbêche	Pimbêche	personnage des *Plaideurs*
polichinelle	Polichinelle	personnage des *Farces napolitaines*
poubelle	Poubelle	préfet de la Seine
sandwich	Sandwich	mets préparé pour Lord Sandwich
silhouette	Silhouette	contrôleur des Finances de Louis XV
tartufe	Tartufe	personnage de *Tartufe,* de Molière

Une jolie fille m'a dit : « J'ai l'habitude de dire la vérité toute nue. »

Astres

S'il s'agit de l'astre lui-même (corps céleste naturel), ces mots prennent une capitale initiale, ainsi que l'adjectif qui les précède.

la Croix du Sud
l'Étoile polaire
la Grande Ourse
la Lune
le Soleil
la Terre
la Voie lactée

S'ils ne désignent pas l'astre lui-même, ces mots restent en bas-de-casse.

Je chante au clair de lune.
Elle adore un coucher de soleil.

Bâtiments et lieux publics

Liste de génériques suivant la même règle :

abbaye
aéroport
arc
aréna
basilique
cathédrale
chapelle
château
cimetière
colonne
église
fontaine
galerie
gare
hippodrome
jardin
monument
mur
observatoire
oratoire
palais
parc
piscine
pont
porte
prison
stade
statue
temple
tour

Bas-de-casse au générique et capitale au spécifique, qui peut être un nom propre ou un nom commun. On met les traits d'union dans le spécifique.

l'abbaye de Saint-Benoît-du-Lac
l'aéroport Charles-de-Gaulle
l'arc de César-Auguste
l'arc de triomphe de l'Étoile
l'aréna Maurice-Richard
la basilique du Sacré-Cœur
la cathédrale de Chartres
la chapelle Sixtine
la colonne Vendôme
l'église Saint-Thomas-d'Aquin
la fontaine des Innocents
la galerie des Glaces à Versailles
la gare du Palais, la gare Centrale
l'hippodrome de Montréal
l'observatoire de Dorval
l'oratoire Saint-Joseph
la piscine municipale de La Prairie
la porte Saint-Martin
la prison de Bordeaux
la statue de la Liberté
la tour de Pise, la tour Eiffel
le château de Versailles
le cimetière de la Côte-des-Neiges
le jardin des Plantes
le jardin des Tuileries
le monument aux Morts
le mur des Lamentations
le palais Bourbon, le palais de l'Élysée
le palais de la Civilisation
le palais de la Découverte
le parc des Champs-de-Bataille
le pont Pierre-Laporte
le stade Roland-Garros
le temple de la Raison

Quand le spécifique est un adjectif, le générique seul prend la capitale.

le Jardin zoologique
le Jardin botanique
le Parc olympique
la Chapelle italienne

Quand la dénomination est elliptique, c'est-à-dire quand le générique est employé seul et que le spécifique sous-entendu est célèbre, le générique prend la capitale.

l'Arc de triomphe
le Château
l'Oratoire
le Palais
la Statue
le Temple
la Tour

J'ai un couteau sous la gorge; c'est pourquoi je vous demande un léger recul.

Citations

Il existe trois façons de présenter une citation : les guillemets, l'italique et les caractères plus petits. Il est donc inutile de mélanger les trois façons.

Citation avec les guillemets

Une personne a dit : « Quand on ne travaillera plus les lendemains des jours de repos, la fatigue sera vaincue. »

Citation avec l'italique

Retenons ce proverbe : *Le tube est au dentifrice ce que la pédale est à la bicyclette; il faut appuyer sur le premier pour faire avancer le second.*

Citation en retrait avec un corps plus petit

L'homme se lança dans une longue tirade philosophique et déclara :

> Il est tout de même curieux de constater que c'est par le travail en ville qu'on a le salaire, et que c'est par le repos à la campagne qu'on a le bon air.

Décorations

Bas-de-casse au générique et capitale au spécifique. Mais capitale au générique si le spécifique est un adjectif.

l'étoile du Courage
l'ordre de la Libération
l'ordre du Mérite militaire
la croix de la Légion d'honneur
ou la Légion d'honneur
la croix de la Libération
la Croix militaire
la médaille de l'Aviation
la médaille de la Bravoure
la médaille des Déportés
la médaille du Service distingué
la Médaille militaire

Dénominations passées à l'histoire

Liste des génériques suivant la même règle :

accords
affaire
cercle
club
colloque
conférence
congrégation
congrès
convention
école
groupe
hôtel
ligue
loi
ordre
pacte
plan
querelle
serment
société

Les dénominations suivantes sont maintenant passées à l'histoire. Bas-de-casse au générique, capitale au spécifique ainsi qu'à l'adjectif qui le précède. L'ordre alphabétique se fait sur la première capitale, dans les noms propres.

les accords de Bretton Woods (1944)
l'affaire des Poisons (1679)
le cercle de Prague (1926)
le club des Jacobins (1789)
le colloque de Poissy (1561)
la conférence de Yalta (1945)
la congrégation du Saint-Office (1542)
le congrès de Laibach (1821)
la convention de Varsovie (1929)
l'école de Barbizon (1830)
le groupe des Six (1918)
l'hôtel de la Monnaie (1777)
la ligue du Bien public (1463)
la loi des Douze Tables (451)
l'ordre de Saint-Michel (1469)
le pacte de Famille (1761)
le plan Barberousse (1940)
la querelle des Indulgences (1517)
le serment du Jeu de paume (1789)
la société des Missions étrang. (1664)

J'ai été mal remboursé pour mes lunettes qui m'ont coûté les yeux de la tête.

Dieu

S'il s'agit du personnage lui-même, ou s'il s'agit d'une expression synonyme, ces noms et les adjectifs qui les précèdent prennent la capitale.

le Bon Dieu	l'Enfant Jésus	le Messie	le Seigneur
le Christ	le Fils	le Prophète	le Tout-Puissant
le Ciel	Jésus-Christ	le Saint-Esprit	le Très-Haut

S'il ne s'agit pas du personnage lui-même, ces noms sont en bas-de-casse.

des christs en ivoire	le format jésus
le dieu de la guerre	un grand seigneur
les dieux du stade	un prophète de malheur

Doctrines et collectivités

Tout en bas-de-casse.

allophones	cubisme	impressionnisme	naturisme
anglicanisme	démocratie	islam	réalisme
anglophones	despotisme	israélites	romantisme
bouddhisme	dilettantisme	jansénisme	stoïcisme
cartésianisme	épicurisme	judaïsme	surréalisme
catholicisme	existentialisme	libéralisme	symbolisme
christianisme	fascisme	marxisme	
classicisme	francophones	matérialisme	
communisme	hindouisme	musulmans	

Capitale à certains noms ainsi qu'à l'adjectif placé avant.

le Cénacle	le Parnasse	la Nouvelle Vague	la Pléiade

Église

Quand il désigne un *pouvoir spirituel,* donc quand il est employé dans un sens abstrait, ce mot s'écrit avec une capitale initiale. Il prend le pluriel.

l'Église catholique romaine	un homme d'Église
les Églises orientales	les États de l'Église
la sainte Église	les Églises uniates

Quand il désigne un *bâtiment,* donc quand il est employé dans un sens concret, ce mot s'écrit avec un bas-de-casse initial.

une église gothique	aller à l'église
un chant d'église	l'église Notre-Dame
une église-halle	le toit de l'église

Le terme religieux ***Notre-Dame***

la basilique Notre-Dame de Montréal	*Montréal est le lieu où elle se trouve*
l'église Notre-Dame-de-Lorette	*Lorette n'est pas le lieu, c'est Paris*
le village de Notre-Dame-des-Monts	*spécifique d'un toponyme administratif*
le roman *Notre-Dame de Paris*	*de V. Hugo, titre d'œuvre en italique*
Nous prions Notre-Dame.	*nom donné à la Vierge Marie*
Elle collectionne les Notre-Dame.	*images de la Vierge, mot invariable*
Céline est notre dame de la chanson.	*il ne s'agit pas d'un terme religieux*

Enseignement

Liste de génériques suivant la même règle :

académie	collège	cours	institut
cégep	commission scolaire	école	lycée
centre	conservatoire	faculté	université

S'il s'agit de la raison sociale : capitale au premier nom.

l'Université de Montréal — la Commission scolaire Taillon

Si l'on ne connaît pas la raison sociale exacte : bas-de-casse au générique s'il est suivi d'un nom propre, capitale s'il est suivi d'un nom commun ou d'un adjectif. Si la dénomination est elliptique, le premier nom prend la capitale, ainsi que l'adjectif qui le précède. Les spécifiques prennent des traits d'union dans les noms propres.

l'Académie des sciences
l'académie Goncourt
le cégep André-Laurendeau
le Centre d'éducation des adultes
le centre Marie-Vincent
le Collège de secrétariat moderne
le collège Stanislas
la commission scolaire Sainte-Croix
le Conservatoire de musique
le conservatoire Lassalle
le Cours de chant populaire
le cours Simon
l'école Brasseur
l'École des hautes études commerciales *ou* les Hautes Études commerciales
l'École polytechnique *ou* Polytechnique
la Faculté des lettres
l'Institut agronomique
l'institut Teccart
le Lycée français
le lycée Louis-le-Grand
l'Université du troisième âge

Diplômes et grades universitaires

Écrits au long, dans un texte courant : tout en bas-de-casse.

Elle a obtenu un diplôme d'études collégiales.

Sigles : en capitales, sans accents, avec points abréviatifs, sans espaces.

B.A.A.	baccalauréat en administration des affaires
C.A.P.E.S.	certificat d'aptitude pédagogique à l'enseignement secondaire
C.E.E.	certificat pour l'enseignement au cours élémentaire
C.E.C.P.	certificat pour l'enseignement collégial professionnel
D.E.C.	diplôme d'études collégiales
D.P.H.	diplôme de pharmacie d'hôpital
D.S.A.	diplôme de sciences administratives
D.M.D.	doctorat en médecine dentaire
M.B.A.	maîtrise en administration des affaires
M.A.	maîtrise ès arts

Abréviations : points abréviatifs, insécable entre les éléments, capitales accentuées.

B. Arch.	baccalauréat en architecture
B. Éd.	baccalauréat en éducation
Ph. D.	doctorat en philosophie
D. Sc.	doctorat ès sciences
L. Ph.	licence en philosophie
L. ès L.	licence ès lettres
LL. M.	maîtrise en droit
M. Sc. A.	maîtrise ès sciences appliquées

Sous prétexte qu'il ne va plus à l'école, on a coupé les bourses à mon fils.

Enseignes

Il faut faire une distinction entre les entrées « Sociétés » et « Enseignes ».

Une **société** s'écrit en romain, avec une capitale au premier nom (voir la page 88). Souvent, le spécifique est constitué d'un nom propre ou d'un complément du nom.

Je suis allé au Restaurant Dupont.
J'ai mangé au Restaurant de la gare.
J'appartiens aux Éditions Durand.
Je suis allé au Café des amis

Une **enseigne,** en typographie, est une appellation originale et amusante qui est donnée à un commerce ou à une société afin d'attirer l'attention. Dans un texte courant, l'enseigne suit les mêmes règles qu'un titre d'œuvre : en italique et avec une capitale au premier mot. La raison sociale est représentée ici par les mots en italique.

L'association *Les amis du vélo*
l'auberge *Aux quatre vents*
le café *La belle et la bête*
le restaurant *Le roi de la patate sautée*
l'hôtel *Le chat qui miaule*

Quand l'article est contracté, le premier mot prend la capitale initiale.
Quand l'enseigne est elliptique, l'article reste en romain et en bas-de-casse.

J'appartiens aux *Amis du vélo.*
Nous sortons des *Quatre vents.*
Nous irons à *La belle et la bête.*
Nous irons au *Roi de la patate sautée.*
J'ai dormi au *Chat qui miaule.*
Nous irons à la *Belle* (titre elliptique).

Époques

Capitale au premier nom ainsi qu'à l'adjectif qui le précède.

les Années folles	le Moyen Âge	le Primaire	le Secondaire
l'Antiquité	l'Occupation	le Quaternaire	le Siècle d'or
la Belle Époque	le Paléolithique	le Quattrocento	le Siècle des lumières
le Grand Siècle	le Précambrien	la Renaissance	les Temps modernes
l'Inquisition	la Préhistoire	la Ruée vers l'or	le Tertiaire

Bas-de-casse partout quand ces époques sont précédées de leur générique.

l'âge d'or
l'âge de la pierre polie
l'âge du bronze
l'âge du fer
l'âge féodal
l'ère atomique
l'ère chrétienne
l'ère quaternaire
l'ère tertiaire
les grandes invasions

État

Ce mot prend une capitale initiale quand il désigne un pays, un gouvernement ou une administration (à gauche). Sinon, il s'écrit avec un bas-de-casse (à droite).

une affaire d'État	un état civil
un chef d'État	un état d'âme
un coup d'État	un état de santé
un État totalitaire	un état de siège
l'État-Major général	un état des lieux
les États-Unis d'Amérique	un état-major
un des États unis d'Amérique	le tiers état
le secrétaire d'État	les états généraux de l'Éducation
un secret d'État	*mais* les États généraux de 1789

Fêtes et pratiques

Bas-de-casse au générique, et capitale au spécifique et à l'adjectif qui le précède. Le spécifique peut être un nom propre ou un nom commun.

le 11 Novembre
le 14 Juillet
l'Action de grâce
le carême
le dimanche de Pâques
la fête des Mères
la fête des Pères
la fête du Travail
les fêtes de fin d'année
le jour de l'An
le jour des Morts
le jour des Rois
le lundi de Pâques
le Mardi gras
le mercredi des Cendres
la Mi-Carême
le Nouvel An
la période des fêtes
le Premier de l'an
le ramadan
la Saint-Jean
la Saint-Jean-Baptiste
le temps des fêtes
le Vendredi saint

Fleur du mois

Bas-de-casse partout.

janvier	l'œillet
février	la violette
mars	la jonquille
avril	le pois de senteur
mai	le muguet
juin	la rose
juillet	le pied-d'alouette
août	le glaïeul
septembre	l'aster
octobre	le souci
novembre	le chrysanthème
décembre	le narcisse

Fonctions et titres divers

Liste de génériques suivant la même règle :

l'abbé
l'académicien
l'ambassadeur
l'archevêque
le cardinal
le censeur
le chancelier
le comte
le consul
le curateur public
le curé
le dauphin
le député
le directeur
le docteur
le doyen
le duc
l'empereur
l'évêque
le frère
le gouverneur
le maire
la mère supérieure
la ministre
le négus
le pape
le père
le premier ministre
le président
le prince
le procureur
le professeur
le protecteur du cit.
le proviseur
le recteur
le régent
le roi
le secrétaire
le sénateur
le vérificateur gén.

Bas-de-casse initial, que l'on parle de la personne ou que l'on s'adresse à elle.

J'ai vu le pape Jean-Paul II.
Ida Durand, directrice.
Le directeur général des élections...
Bonjour, docteure.
J'ai rencontré madame la directrice.
Le vérificateur général a fait un rapport.

Si la personne est bien identifiée par le contexte : capitale initiale.

le Cardinal (Richelieu)
le Caudillo (Franco)
le Duce (Mussolini)
l'Empereur (Napoléon Ier)

Si le titre est honorifique : capitale à tous les mots.

Sa Majesté   Sa Grâce   Son Éminence   Son Altesse Royale

Notre revue ne sera plus hebdomadaire; le mois prochain, elle sera menstruelle.

Grades des armées

En bas-de-casse. Les féminins sont donnés à l'entrée *Féminisation des fonctions.*

l'adjudant-chef	l'élève officier	le premier maître
le brigadier général	le lieutenant de vaisseau	le sergent-chef
le caporal-chef	le lieutenant-colonel	le sous-lieutenant
le contre-amiral	le matelot-chef	le vice-amiral

Guerres

Liste de génériques suivant la même règle :

bataille	croisade	invasion
campagne	défaite	ligne
combat	événements	paix
conseil de guerre	expédition	retraite
crise	guerre	victoire

Bas-de-casse au générique et capitale au nom spécifique ainsi qu'à l'adjectif qui le précède. Tout en bas-de-casse s'il n'y a pas de spécifique.

la bataille de la Marne	la défaite de Waterloo	la guerre sainte
la campagne d'Égypte	les événements de mai 68	l'invasion des Huns
le combat de Camerone	l'expédition des Mille	la ligne Maginot
le conseil de guerre	la guerre de 1914-1918	la paix de Monsieur
la crise du 13 mai 1958	la guerre de Cent Ans	la retraite de Russie
la 8e croisade	la guerre éclair, froide	la victoire de Verdun

Capitale s'ils sont considérés comme des noms propres par l'usage.

la Grande Guerre	la Première Guerre mondiale

Habitants, races et peuples

Capitale initiale. Si l'adjectif est placé avant, il prend une capitale et un trait d'union. S'il est placé après, il s'écrit en bas-de-casse et sans trait d'union.

les Amérindiens	les Européens	les Jaunes
les Nord-Américains	les Suisses	les Noirs
les Anglo-Saxons	les Inuits, Inuites	les Blancs
les Canadiens français	les Israéliens	les Métis

un Juif	personne appartenant à la communauté israélite	un Juif polonais
un juif	personne qui professe la religion judaïque	un juif pratiquant

Les adjectifs d'habitants, de races et de peuples s'écrivent en bas-de-casse.

Il est de race jaune.	J'aime l'art canadien-français.
Je suis Belge (nom), *ou*	Je suis belge (adjectif) : les deux sont corrects.

Les noms et adjectifs de langue s'écrivent avec un bas-de-casse initial.

Elles étudient le français.	Ils étudient la langue française.

Les noms débutant par **néo-** prennent une capitale seulement si le pays existe. Il y a une Nouvelle-Calédonie, il n'y a pas de « Nouveau-Canada ».

les Néo-Calédoniens	les néo-Canadiens

Blessée à la fesse, je ne peux plus exercer mes activités professionnelles.

Histoire

Liste de génériques suivant la même règle :

confédération	journée	querelle	révolution
duché	maison	régime	royaume
empire	monarchie	reich	union
état	principauté	république	

Bas-de-casse au générique s'il est suivi d'un nom propre, capitale s'il est suivi d'un nom commun ou d'un adjectif. Capitale à l'adjectif s'il est placé avant. Capitale au générique s'il est employé seul et qu'il est identifié par le contexte.

la Confédération helvétique	la querelle des Investitures
le duché de Luxembourg	l'Ancien Régime
l'Empire britannique	le Troisième Reich (IIIe)
l'empire des Indes	la République française
le Second Empire	la république de Venise
les États baltes	la Révolution (celle de 1789)
la journée des Dupes	la révolution de 1789
la maison de Savoie	le royaume du Laos
la monarchie de Juillet	l'union de Birmanie
la principauté de Monaco	l'Union sud-africaine

Bas-de-casse si ce ne sont pas des dénominations.

La France est une république.

Journaux et revues

Titre de journal français

Si le titre du journal est cité en entier, il s'écrit en italique et l'article défini prend une capitale, ainsi que l'adjectif qui précède le nom. Quand il y a contraction de l'article, celui-ci s'écrit en bas-de-casse romain.

Les journalistes de *La Presse* et du *Monde,* ainsi que ceux du magazine *Le Nouvel Observateur,* ont assisté à la réunion.

Si le titre est elliptique (cité en partie), l'article se met en bas-de-casse romain.

Nous lisons la *Voix* et aussi le *Dauphiné* tous les jours.

Les articles « la » et « le » sont en bas-de-casse romain, car les titres sont elliptiques. Les titres complets sont les suivants : *La Voix de l'Est* et *Le Dauphiné libéré.*

Titre de journal non français

Si le titre du journal non français est précédé de son générique (journal, quotidien, magazine, etc.), il se met en italique sous sa forme exacte, non traduite.

Les journalistes des journaux *The Gazette, Der Spiegel* et *Il Corriere italiano* étaient présents à la réunion.

Si le titre du journal non français n'est pas précédé de son générique, l'article est traduit en français. Il s'écrit en bas-de-casse romain.

Nous avons lu dans la *Gazette* que les envoyés du *Spiegel* ainsi que ceux du *Corriere italiano* étaient présents à la réunion.

À vendre : trous pour planter des arbres.

Lettre d'affaires

Expéditeur

En l'absence de logo, la mention de l'expéditeur est composée dans un caractère sansérif, alors que le reste de la lettre est composé en sérif.

Lieu et date

Le lieu mentionne le nom de la ville suivi d'une virgule, puis la date avec le mois en lettres minuscules. On ne met pas de point après l'année.

Vedette

On appelle ainsi le destinataire de la lettre. Le titre de civilité (Madame) ne s'abrège pas. On met dans l'ordre, sans ponctuation de fin de ligne :

Titre de civilité, prénom et nom	Madame Geneviève Dupont
Fonction	Directrice
Entreprise	Éditions Durand
Rue	23, rue du Parchemin Est
Ville, province, code postal	Saint-Lambert (Québec) J4R 2G9

Appel

Si l'on connaît le titre de civilité des destinataires, on écrit le titre au long, avec une capitale initiale, et on le fait suivre d'une virgule.

Monsieur,	Madame,	Mademoiselle,
Messieurs,	Mesdames,	Mesdemoiselles,

Si l'on ne connaît pas le titre de civilité, on écrit l'un sous l'autre :

Mesdames,	*ou*	Madame,
Messieurs,		Monsieur,

Si l'on veut utiliser la fonction des destinataires, on écrit la formule avec une seule capitale au début, puisqu'on s'adresse à ces personnes. Cette règle est cohérente avec la règle concernant *monsieur* et *madame*.

Madame la directrice,	Monsieur le maire,
Monsieur le député,	Madame la première ministre,

Certains auteurs préconisent la capitale à la fonction :

Madame la Directrice,	Monsieur le Maire,

Si l'on désire utiliser le titre honorifique, tous les mots ont la capitale.

Altesse,	Excellence,
Altesse Royale,	Majesté,

Si l'on désire utiliser le titre religieux, tous les mots prennent la capitale.

Éminence,	Mon Père,
Monseigneur,	Révérend Père,

Salutation

Dans la salutation, on utilise l'apostrophe rhétorique, c'est-à-dire que la formule de l'appel est reprise mais se place entre deux virgules, avec un bas-de-casse initial puisqu'on s'adresse à la personne. Cette règle est cohérente avec celle concernant *monsieur* et *madame.*

> Veuillez accepter, madame, l'expression de mes sentiments distingués.
> Je vous prie d'agréer, monsieur le ministre, mes respectueuses salutations.

Certains auteurs préconisent la capitale à l'apostrophe rhétorique et à la fonction :

> Veuillez accepter, Madame, mes salutations distinguées.
> Je vous prie d'agréer, Monsieur le Ministre, mes respectueuses salutations.

Initiales

Les initiales sont les mentions de la personne qui a rédigé la lettre et de celle qui l'a composée à la machine. Ces deux noms sont séparés par une barre oblique. On ne met pas de points abréviatifs, pas de traits d'union, pas de particule. On met les accents sur les majuscules. Supposons que la rédactrice se nomme Marie-Éva de Villers et que l'opératrice soit Anne-Marie Saint-Paul. Voici l'écriture des initiales :

> MÉV/amsp

Corps typographique

L'interligne est de 12 pt pour un corps de 10 pt, et de 14 pt pour un corps de 12 pt. Mettre un blanc d'au moins 6 pt entre les paragraphes.

Téléphone, fax et télécopieur

Le mot *téléphone* s'abrège **tél.** Les mots *télécopie* ou *télécopieur* s'abrègent **téléc.** Le mot **fax** (nom commun masculin) signifie « télécopie » et ne s'abrège pas. Au Québec, on utilise « télécopie » ou « télécopieur ». L'indicatif d'un numéro se met entre parenthèses.

Tél. : (514) 499-1142	Téléc. : (514) 499-1142	*si la place manque*
Téléphone : (514) 499-1142	Télécopie : (514) 499-1142	*s'il y a la place*

Les numéros 800 et 888 sont des numéros dits de **libre-appel** et sont gratuits. Les numéros 900 et 976 sont des numéros dits de **libre-service** et sont payants. Ces quatre numéros ne sont pas entourés de parenthèses ni de traits d'union, mais d'une espace insécable. Exemples fictifs :

> 1 800 123-4567   1 888 234-5678   1 900 345-6789   1 976 456-7890

Courrier électronique

Le mot **courriel** s'impose de plus en plus. Sur une carte professionnelle, il est important de distinguer le numéro de téléphone et celui du télécopieur. Mais on peut ne pas mentionner *Courriel* devant l'adresse, car il ne peut y avoir confusion, étant donné la présence de l'arobas @. Le mot *courriel* ne s'abrège pas. On peut utiliser le verbe *courriéliser.*

> ramat@videotron.ca

Lettre d'affaires : adresse

A, B, C	En capitales, collés au numéro : 13B, rue Durand
Appartement	400, rue de la Liberté, app. 1600 *ou* Appartement 1600 400, rue de la Liberté *ou* 1600-400 RUE DE LA LIBERTÉ (sans virgule, et toute l'adresse en capitales ; écriture préconisée par les Postes, mais qui enfreint les règles de la ponctuation).
Bis	En italique, bas-de-casse, avec espace : 13 *bis,* rue Thiers.
Bureau	Abréviation : bur. Même règle que Appartement.
Canada	En capitales, sur la dernière ligne. À n'employer que dans les adresses d'expéditeurs canadiens écrivant à l'étranger.
Case postale	Abréviation : C.P. C.P. 120, succ. Centre-ville
Chambre	Ne s'utilise que dans l'hôtellerie. Même règle que Appartement, mais ne s'abrège pas.
Code postal	Même ligne que la province, détaché par deux espaces, ou sur la ligne suivante si la place manque.
Destinataire	Le nom de la personne doit être mentionné d'abord : Monsieur Roger Dubois Société générale de menuiserie
Est, Ouest	3, rue Sainte-Catherine Ouest
Étage	Abréviation : ét. Même règle que Appartement.
Madame	Au long avec capitale initiale, de même que : Monsieur, Mademoiselle, Docteur, Maître.
Numéro	Jamais d'espace entre les chiffres. Suivi d'une virgule : 12345, rue Georges-Dupont
Porte	Ne s'abrège pas. Peut s'employer à la place de Bureau.
Province	Au long (Québec), ou avec le symbole (voir la liste page 53), sans virgule avant, sans parenthèses, deux espaces insécables avant le code postal : Saint-Lambert QC J4R 2G9
Rue	23, rue Jean-Durand Ouest 23, 2e Rue *ou* 23, Deuxième Rue
Suite	Ne s'utilise que dans l'hôtellerie. Même règle que Appartement, mais ne s'abrège pas.
Ville	Son nom ne s'abrège pas. En bas-de-casse ou en capitales.
Virgule	On ne met pas de virgule à la fin des lignes.

En revenant de la Foire aux vins, j'ai été pris dans un bouchon.

Logiciels

En romain. Il faut respecter les capitales, même celles à l'intérieur d'un mot.

Adobe Acrobat
Bibliorom Larousse
FrontPage Express
InDesign
Internet Explorer
McAfee VirusScan
Outlook Express
PageMaker
QuarkXPress®
StarOffice
Windows98
WordPad

Maladies

Bas-de-casse initial. Le pluriel se forme normalement.

l'hypoglycémie   le sida   la rougeole   la maladie d'Addison

Bas-de-casse aux malades atteints d'une maladie dérivant d'un nom propre.

les parkinsoniens, parkinsoniennes   l'addisonisme

Manifestations

Liste de génériques suivant la même règle :

biennale
carnaval
colloque
concile
conférence
congrès
exposition
festival
fête
floralies
foire
salon

Capitale au premier nom ainsi qu'à l'adjectif qui le précède.

la Biennale de Venise
le Carnaval de Québec
le Colloque des linguistes
le Concile de Vatican II
la Conférence du stage
le Congrès des fabricants de tissus
l'Exposition des arts graphiques
le Festival de Cannes
la Fête des vendanges
les Floralies de Québec
la Grande Foire du printemps
le Salon des arts ménagers

On peut avoir plusieurs capitales initiales dans une dénomination.

le Quatrième Colloque du Réseau des traducteurs et traductrices en éducation

Menus de restaurant

Article au début du mets

On n'emploie l'article que si la pièce entière est servie, ce qui est très rare.

Bœuf en boulettes — *et non :* Le bœuf en boulettes
Tournedos Rossini — *et non :* Le tournedos Rossini

Capitales dans un menu

On met une capitale au premier mot de la dénomination seulement.

Mousseline de brochet — *et non :* Mousseline de Brochet
Terrine de fruits de mer — *et non :* TERRINE DE FRUITS DE MER

Dénominations dédicatoires

Le nom propre indique la personne, le lieu ou l'événement.

Entrecôte Mirabeau
Faisan Sainte-Alliance
Poulet sauté Périgord

Antonomases dans un menu

Une antonomase est un nom propre qui est devenu un nom commun.

Choucroute au champagne (vin de la région de Champagne)
Salsifis à la béchamel (sauce inventée par Louis de Béchamel)

Traits d'union et capitales dans une dénomination

Le générique prend une capitale, puisqu'il est au début. Chacun des composants du spécifique prend une capitale, sauf les articles, les prépositions, les pronoms et les conjonctions. Les particules nobiliaires s'écrivent en bas-de-casse. On place un trait d'union entre tous les mots du spécifique.

Consommé Christophe-Colomb
Filet de bœuf Prince-Albert
Côte de veau Grimod-de-la-Reynière
Poire Belle-Hélène

Locution « à la »

Le mot qui suit la locution « à la » prend un bas-de-casse initial, excepté s'il s'agit d'un nom propre. Il ne faut jamais supprimer la locution « à la », afin de garder la correction grammaticale. En effet, dans la colonne de droite, l'expression « Tomates provençale » sans **s** semblerait contenir une faute d'accord.

Truite à la matapédienne
Croûte aux bananes à la Beauvilliers
Tomates à la provençale
et non : Tomates provençale

Virgules dans les menus

On peut utiliser des virgules quand le sens l'exige.

Aiguillettes de canard au vinaigre de miel, garnies de mangues
ou de poires, en saison

C'est un poisson qu'il faut cuire au bourt-couillon.

Organismes

Liste de génériques nationaux et internationaux suivant la même règle :

administration	bureau	cour	organisation
agence	caisse	fonds	régie
alliance	centre	groupe	secrétariat
archives	chambre	inspection	sénat
assemblée	code	institut	sommet
association	comité	ligue	sûreté
banque	commission	marché	syndicat
bibliothèque	communauté	mouvement	tribunal
bourse	conseil	office	union

Capitale au premier nom ainsi qu'à l'adjectif qui le précède.

l'Administration
l'Agence nationale pour l'emploi
l'Alliance atlantique
l'Alliance française
les Archives nationales du Québec
l'Assemblée législative
l'Assemblée nationale
l'Association des exportateurs canadiens
la Banque du Canada
la Banque mondiale
la Bibliothèque nationale du Québec
la Bourse de Montréal, jouer en Bourse, toutes les Bourses du monde
le Bureau de la statistique du Québec
le Bureau des normes du Québec
le Bureau international du travail
la Caisse populaire des fonctionnaires
le Centre de recherche industrielle
la Chambre des communes
la Chambre des députés
le Code civil
le Comité de la protection de la jeunesse
le Comité international olympique
la Commission de toponymie du Québec
la Commission des courses du Québec
la Commission européenne
la Communauté européenne économique
le Conseil de la langue française
le Conseil de sécurité
le Conseil de tutelle
le Conseil des ministres
le Conseil économique et social
la Cour d'appel du Québec
la Cour du Québec
la Cour fédérale
la Cour internationale de justice
la Cour supérieure du Québec
la Cour suprême du Canada
la Croix-Rouge
le Fonds de relance industrielle
le Fonds monétaire international
le Groupe des 7
la Haute Assemblée
la Haute Cour de justice
l'Inspection du bâtiment
l'Institut de France
l'Institut national d'optique
la Ligue arabe
la Ligue des droits de l'homme
la Ligue nationale de hockey
le Marché commun
le Mouvement de la paix
le Mouvement Desjardins
l'Office de la langue française
l'Office des changes
l'Organisation de l'unité africaine
l'Organisation mondiale de la santé
le Parlement européen
la Régie des loteries du Québec
le Secrétariat d'État
le Sénat
le Sommet de la francophonie
la Sûreté du Québec
le Syndicat des postiers du Canada
le Tribunal des professions
le Tribunal du travail
l'Unesco, l'Unicef
l'Union de l'Europe occidentale

Employés seuls, certains spécifiques prennent la capitale.

les Communes
les Droits de l'homme
la Francophonie (avec une capitale) : organisme groupant les pays francophones

Particules de, du, des

Bas-de-casse à la particule **de,** et capitale à **Du** et **Des.**

Aubert de Gaspé
Pernette Du Guillet
Guillaume Des Autels
Monseigneur de Laval
Madame Du Barry
le baron Des Adrets

Capitale si elles ne sont pas précédées du prénom ni du titre.

la vie de De Gaspé
la vie de Des Prés
la vie de De Gaulle
la vie de Du Guesclin

Bas-de-casse à la particule **de** placée entre deux noms propres.

Valéry Giscard d'Estaing
François Chavigny de Berchereau

La particule **de** n'entre pas dans le classement alphabétique, alors que les particules **Du** et **Des** s'y trouvent.

Ronsard (Pierre de)
Des Loges (Marie)
Du Bellay (Joachim)
Du Barry (Jeanne Bécu, comtesse)

Quand il s'agit d'un nom étranger, la particule **De** s'écrit avec une capitale.

De Sica (Vittorio)
De Coster (Charles)

Particules le, la

Capitale à l'article défini **Le** ou **La** s'il fait partie d'un nom propre.

le marquis de La Jonquière
Pierre Le Moyne d'Iberville

L'article défini entre dans le classement alphabétique. On cherche à **L.**

La Fayette (comtesse de)
Le Moyne de Bienville (Jean-Baptiste)

Partis politiques

Capitale au premier nom ainsi qu'à l'adjectif qui le précède.

l'Action démocratique du Québec
le Bloc québécois
le Nouveau Parti démocratique
le Parti libéral du Québec
le Parti progressiste-conservateur
le Parti québécois

Bas-de-casse aux membres et adhérents de partis politiques.

l'extrême droite
l'extrême gauche
l'opposition
la droite
la gauche
la majorité
les communistes
les démocrates
les libéraux
les péquistes
les républicains
les socialistes

Planètes

Capitale initiale. On connaît autour du Soleil neuf planètes principales, qui sont, de la plus proche du Soleil à la plus éloignée :

Mercure, Vénus, la Terre, Mars, Jupiter, Saturne, Uranus, Neptune, Pluton.

Dans ce débat, la droite a été gauche, et la gauche a été adroite.

Points cardinaux

Sont considérés comme points cardinaux les mots suivants : nord, sud, est, ouest, midi, centre, occident, orient, couchant et levant.

Abréviations des points cardinaux

Seuls peuvent s'abréger les quatre premiers points cardinaux cités plus haut. Ces abréviations prennent un point abréviatif.

nord	N.	sud	S.
est	E.	ouest	O. *ou* W.

On ne met de trait d'union qu'entre les termes ou groupes de termes désignant des aires de vent opposées.

un vent N.-S. — un vent N.N.O.-S.S.E.

Signes des points cardinaux

Le signe *degré* est représenté par un cercle supérieur. Les minutes sont représentées par le signe simple appelé **prime** (ALT 0162 SYMBOL dans Ansi), les secondes par le signe double appelé **seconde** (ALT 0178 SYMBOL dans Ansi). Ces signes ne sont pas des apostrophes. On ne met pas de 0 (zéro) devant un chiffre inférieur à 10.

un point situé par 53° 8′ 25″ de latitude N.

Casse dans les points cardinaux

S'il s'agit d'une direction : bas-de-casse et traits d'union.

Le vent vient du sud-ouest.
La maison est exposée au midi.
Nous marchons vers l'occident.
Nous admirons le soleil levant.

S'il s'agit d'une région : capitale initiale aux deux éléments.

Je vais dans l'Extrême-Nord canadien.
Je vais en vacances dans le Sud-Est.
Nous avons parcouru les routes du Midi et du Centre.
L'Orient et l'Occident ont des coutumes différentes.

Si le point cardinal est suivi d'un toponyme administratif : bas-de-casse.

Je vais dans l'extrême-nord du Canada.
Je vais en vacances dans le sud-est du Québec.
Nous avons parcouru les routes du midi et du centre de la France.
Cette ville se trouve au sud de Montréal.

Points cardinaux dans les toponymes

Le point cardinal s'écrit avec une capitale et un trait d'union s'il fait partie d'un toponyme (qu'il soit placé avant ou après le nom propre). Il prend le bas-de-casse et le trait d'union s'il fait partie d'un adjectif de lieu.

le Sud-Vietnam	Orly-Sud
l'Amérique du Sud	la politique nord-américaine

Recettes de cuisine

Mesures liquides			**Mesures linéaires**		**Mesures de poids**	
250 ml	1 tasse	8 oz	5 cm	2 po	1 kg	2 lb
175 ml	¾ tasse	6 oz	2,5 cm	1 po	500 g	1 lb
125 ml	½ tasse	4 oz	1,25 cm	½ po	250 g	½ lb
50 ml	¼ tasse	2 oz	5 mm	¼ po	125 g	¼ lb

Ustensiles

1 cuiller à thé (Canada)	c. à t.	5 ml	1 verre à eau	20 cl
1 cuiller à café (France)	c. à c.	5 ml	1 verre à bordeaux	13 cl
1 cuiller à soupe	c. à s.	15 ml	1 verre à porto	6 cl

Ingrédients liquides

Dé	Très petite quantité d'un liquide.
Filet	Très petite quantité d'un liquide versé en jet continu.
Goutte	Très petite quantité d'un liquide, souvent versé en petites sphères.
Nuage	Très petite quantité de lait ou de crème.
Trait	Petite quantité d'un liquide qui entre dans la composition d'un cocktail.

Ingrédients granuleux ou en poudre

Grain	Très petite quantité d'un ingrédient en grains.
Pincée	Quantité d'un ingrédient que l'on peut tenir entre le pouce et l'index.
Pointe	Quantité d'un ingrédient pris avec la pointe d'une lame de couteau.
Prise	Synonyme de « pincée ».
Soupçon	Très faible quantité d'un ingrédient.

Récompenses

S'il s'agit d'une récompense signifiant un rang obtenu : bas-de-casse.

la médaille d'argent — la médaille de bronze — la palme d'or

Si le générique est suivi d'un nom propre, il prend un bas-de-casse.
Si le générique est suivi d'un nom commun ou d'un adjectif, il prend une capitale.
L'adjectif prend la capitale s'il précède le nom. Trait d'union dans les patronymes.

le prix Goncourt	le prix Nobel	le prix Robert-Cliche
le Prix des libraires	le Mérite touristique	le Grand Prix de la critique

Si le spécifique est employé seul, il prend la capitale et reste invariable.

des Anik	des Gémeaux	des Jutra
des César	des Goncourt	des Molière
des Félix	des Juno	des Nobel
des Femina	des Jupiter	des Oscar

Dans le *Larousse,* seuls les mots ci-dessous sont devenus des noms communs. Il est donc permis de les employer avec le bas-de-casse et le **s** du pluriel quand on les cite isolément. Mais quand ils apparaissent dans une liste avec les mots ci-dessus, on utilisera la capitale et l'invariabilité pour uniformiser.

un césar, des césars — un oscar, des oscars — un molière, des molières

Attention, on écrit :

Antonine Maillet a remporté le prix Goncourt. Elle est Prix Goncourt.

Vous me fîtes un gratin de pommes de terre et vous m'épatâtes.

Saint ou Sainte

Quand il s'agit du saint lui-même, le mot **saint** s'écrit tout en bas-de-casse et sans trait d'union. Il ne s'abrège pas.

Nous prions sainte Justine.
Il célèbre la fête de saint Valentin.
Cette église est dédiée à sainte Anne.

Quand le mot **saint** entre dans un nom propre ou la dénomination d'une fête, d'un bâtiment, d'un lieu public, d'un toponyme ou d'un ordre, il s'écrit avec une capitale et un trait d'union.

Sainte-Beuve est né en 1804.
Nous viendrons à la Saint-Valentin.
Il travaille à l'hôpital Sainte-Justine.
L'église Saint-Vincent
Elle habite à Saint-Lambert.
L'ordre de Saint-Michel fut créé en 1469.

Abréviation du mot *Saint* ou *Sainte*

Bien qu'il soit conseillé de ne pas abréger le mot **Saint** ou **Sainte,** on peut, en cas de manque de place, abréger ce mot dans une adresse. Il s'écrit dans ce cas sans point abréviatif, avec un trait d'union.

23, pl. St-François-de-Neufchâteau
34, av. Ste-Marie-de-l'Incarnation

Orthographes comprenant le mot *Saint* ou *Sainte*

Bien noter l'emploi des capitales et des traits d'union.

Écriture sainte
Lieux saints
Sa Sainteté (le pape)
saint sacrement
saint-amour (vin), invariable
saint-bernard (chien), invariable
saint-crépin (cordonnerie), invariable
saint-cyrien, saint-cyrienne
saint-cyriens, saint-cyriennes
saint-émilion (vin), invariable
Saint-Empire
Saint-Esprit
saint-florentin (fromage), invariable
saint-frusquin (sans valeur), invariable
saint-glinglin (à la)
Saint-Guy (danse de)
saint-honoré (gâteau), invariable
saint-marcellin (fromage), invariable
saint-nectaire (fromage), invariable
Saint-Office
saint-paulin (fromage), invariable
saint-père (pape)
saint-pierre (poisson), invariable
Saint-Sépulcre
Saint-Siège
saint-simonien, saint-simonienne
saint-simoniens, saint-simoniennes
saint-simonisme
saint-synode
sainte Bible
sainte Église
sainte Famille
sainte messe
sainte table
Sainte Vierge
Sainte-Alliance
sainte-maure (fromage), invariable
sainte-nitouche
saintes-nitouches
Sainte-Trinité
saints-pères (papes)
saints-synodes
Semaine sainte
Terre sainte
Vendredi saint
Ville sainte

Services administratifs

Liste de génériques suivant la même règle :

aide juridique
aide sociale
ambassade
assurance-chômage
barreau
bureau de vote
chambre de commerce
circonscription
conseil municipal
consulat
cour municipale
curatelle publique
direction
gouvernement
hôtel de ville
maison de la culture
mairie
ministère
palais de justice
palais des congrès
palais des sports
parlement
ville

Bas-de-casse à tous les mots des génériques ci-dessus. Capitale aux noms spécifiques ainsi qu'aux adjectifs qui les précèdent.

l'aide juridique
l'ambassade d'Algérie
l'assurance-chômage
l'assurance-emploi
l'assurance-maladie
l'assurance-vie
le barreau de Montréal
le bureau de vote de mon quartier
la chambre de commerce de Sorel
la circonscription de Mercier
le conseil municipal de Laval
le consulat de Belgique
la cour municipale de Trois-Rivières
la curatelle publique
la direction de la Sécurité civile
le gouvernement du Québec
l'hôtel de ville de Chicoutimi
la mairie de Rivière-du-Loup
la maison de la culture de Mont-Royal
le ministère de la Sécurité publique
le ministère des Affaires culturelles
le palais de justice de Saint-Jérôme
le palais des congrès de Montréal
le parlement d'Ottawa

Employés seuls, certains génériques peuvent prendre la capitale.

le Barreau
la Chambre de commerce
le Conseil
la Cour
le Gouvernement
le Ministère
le Palais
le Parlement
la Ville

Services internes

Les services à l'intérieur d'une entreprise peuvent prendre une capitale initiale, ou bien s'écrire tout en bas-de-casse, selon ce qu'a décidé l'entreprise.

le Département des langues	le département des langues
la Division des consultations	la division des consultations
la Section de rhumatologie	la section de rhumatologie
le Service de la comptabilité	le service de la comptabilité

Signes du zodiaque

Capitale initiale.

le Verseau	♒	01-21 - 02-18	le Lion	♌	07-22 - 08-22
les Poissons	♓	02-19 - 03-20	la Vierge	♍	08-23 - 09-21
le Bélier	♈	03-21 - 04-20	la Balance	♎	09-22 - 10-22
le Taureau	♉	04-21 - 05-21	le Scorpion	♏	10-23 - 11-21
les Gémeaux	♊	05-22 - 06-21	le Sagittaire	♐	11-22 - 12-21
le Cancer	♋	06-22 - 07-21	le Capricorne	♑	12-22 - 01-20

(Un verseau, un poissons, un bélier, un taureau, un gémeaux, un cancer, etc., avec un bas-de-casse, car on désigne ainsi les personnes nées sous ces signes.)

Sociétés

Liste partielle de génériques suivant la même règle :

agence	bibliothèque	cinéma	galerie	magasin	restaurant
association	boutique	club	hôpital	maison	service
assurances	brasserie	compagnie	hôtel	musée	société
auberge	café	éditions	imprimerie	ordre	théâtre
banque	centre	établissements	librairie	pharmacie	

Si c'est la raison sociale, capitale au premier nom ainsi qu'à l'adjectif qui le précède.

l'Agence de voyage Candiac
l'Association forestière québécoise
les Assurances Michel Brosseau ltée
l'Auberge de l'aéroport
la Banque de Montréal
la Bibliothèque des arts graphiques
la Boutique d'art
la Brasserie de la montée
le Grand Café des amis
le Centre dentaire Durand
le Cinéma du plateau
le Club de golf de La Prairie
la Compagnie canadienne scientifique
les Éditions Durand ltée
les Établissements Dupont & Fils
la Galerie Michel Bigué
l'Hôpital de Montréal pour enfants
l'Hôtel des voyageurs
l'Imprimerie nationale
la Librairie Renaud-Bray
le Magasin de la place
la Maison de la mariée enr.
le Musée des arts décoratifs
le Musée des beaux-arts de Montréal
l'Ordre des pharmaciens du Québec
les Pharmacies Jean Coutu
le Restaurant de la gare
le Service régional de messageries
la Société des musées québécois
le Théâtre du rideau vert

Si l'on ne connaît pas la raison sociale exacte, on peut appliquer la règle suivante : bas-de-casse au générique s'il est suivi d'un nom propre ou faisant office de nom propre, capitale s'il est suivi d'un nom commun ou d'un adjectif.

Le théâtre du Rideau vert
la galerie Jean-Pierre Valentin
l'hôpital Sainte-Justine
la Brasserie des amis
la Galerie d'art inuit
le Musée océanographique

Sports

Liste de génériques suivant la même règle :

challenge	coupe	fédération	jours	prix	tournoi
championnat	division	jeux	ligue	tour	

Capitale au premier nom ainsi qu'à l'adjectif qui le précède.

le Challenge du Manoir
le Championnat du monde de ski
la Coupe du monde de football
la Coupe Stanley
la Division II
la Fédération française de rugby
les Jeux olympiques
les Six Jours de Paris
la Ligue nationale de hockey
le Grand Prix de Monaco
le Tour du Québec
le Tournoi des cinq nations

Si le spécifique est un nom propre, le générique peut être en bas-de-casse.

le challenge du Manoir
la coupe Jules-Rimet

Si la dénomination est elliptique, le spécifique prend la capitale.

Il joue dans la Ligue nationale.
Il joue en Nationale.

On m'a volé tous mes effets et mon assurance est sans effet.

Styles artistiques

Quand la dénomination concerne un personnage historique ou une époque, le générique est en bas-de-casse et le spécifique prend la capitale. On n'emploie pas de traits d'union dans le spécifique.

un buffet Henri II
un fauteuil Renaissance
un meuble Empire
une chaise Directoire
un lit Louis XVI
une table Louis XV

Quand le style est déterminé par un adjectif ou un nom pris comme qualificatif, le tout reste en bas-de-casse.

une cathédrale gothique
une église rococo
une chapelle romane
un style baroque

Systèmes

Les noms de systèmes s'écrivent complètement en bas-de-casse.

le système alphabétique
le système d'équations
le système de référence
le système décimal
le système international d'unités
le système linguistique phonologique
le système métrique
le système monétaire européen
le système nerveux
le système solaire

Textes juridiques

Liste de génériques suivant la même règle :

accord
aide
arrêté
article
charte
code
déclaration
décret
édit
loi
ordonnance
pacte
plan
règlement
serment
traité

Bas-de-casse au générique s'il est suivi d'un nom propre ou d'un numéro faisant office de nom propre, capitale s'il est suivi d'un nom commun ou d'un adjectif. Si la dénomination est elliptique, capitale au premier nom.

l'Accord de libre-échange nord-américain
l'accord du lac Meech
l'Aide au cinéma
l'arrêté du 2 janvier 1993
l'article 107
la Charte constitutionnelle
la charte de l'Atlantique
la Grande Charte
le code Napoléon
le Code de la route
la Déclaration des droits de l'homme
les Droits de l'homme (*elliptique*)
le décret du 3 mai 1961
l'édit de Nantes
la loi Frédéric-Falloux
la Loi sur les accidents du travail
l'ordonnance de Villers-Cotterêts
le pacte de Varsovie
le Pacte atlantique
le plan Marshall
le Règlement du travail en agriculture
le serment de Strasbourg
le traité de Versailles

Quand il ne s'agit pas de textes juridiques, le tout s'écrit en bas-de-casse.

la loi de la pesanteur
la loi divine

Raphaël a peint les frasques du Vatican.

Toponymie

La toponymie est l'étude des noms de lieux. Un toponyme est un nom géographique. Il existe deux catégories de toponymes : les toponymes **naturels** et les toponymes **administratifs.** (Le générique est le nom commun au début de la dénomination ; le spécifique est le mot ou groupe de mots qui spécifie la dénomination.)

Toponyme naturel

Nom géographique désignant un espace façonné par la nature.

le lac Noir

est un toponyme naturel, car le lac a été délimité par la nature et non par l'homme. Le mot « lac » est le générique et le mot « Noir » est le spécifique.

Toponyme administratif

Nom géographique désignant un espace délimité par l'homme.

la rue Crémazie

est un toponyme administratif, car la rue a été délimitée par l'homme. Le mot « rue » est le générique et le mot « Crémazie » est le spécifique.

Génériques de toponymes naturels

aiguille	cap	crête	île	océan	rivière
anse	chaîne	dent	lac	péninsule	rocher
arête	chute	étang	massif	pic	ruisseau
baie	cime	fleuve	mer	pointe	val
bassin	col	glacier	mont	presqu'île	vallée
bois	côte	golfe	montagne	rive	vallon

Génériques de toponymes administratifs

arrêt	canton	cours	immeuble	passage	rue
autoroute	chemin	district	impasse	place	square
avenue	commune	édifice	municipalité	quai	station
boulevard	complexe	faubourg	paroisse	rond-point	ville

Distinction entre les toponymes

le bas Saint-Laurent	(le cours inférieur du fleuve)	toponyme naturel
le Bas-Saint-Laurent	(division de recensement)	toponyme administratif

Place (ensemble immobilier)

Un ensemble immobilier qui comporte erronément le nom de « place » est considéré comme un spécifique ; il prend donc des capitales et des traits d'union aux mots importants. On peut l'utiliser seul, le générique (*immeuble* ou *édifice*) étant dans ce cas sous-entendu.

la Place-des-Arts
la Place-Bonaventure
la Place-Ville-Marie
1, édifice Place-Ville-Marie

Toponymie : règles

Abréviations des toponymes

Ne pas abréger le générique dans un texte. Mais on peut l'abréger dans une adresse ou en cartographie. Il faut toujours citer le générique. Ne pas abréger les spécifiques de tous les toponymes, sauf parfois le mot *Saint.*

J'habite au 24, avenue Dupont.	24, av. Dupont (*adresse*)
J'aime la rivière des Prairies.	Riv. des Prairies (*cartographie*)
Je vais au 24, rue Dupont.	*et non pas :* Je vais au 24, Dupont.
J'aime la ville de Montréal.	*et non pas :* J'aime la ville de Mtl.

Génériques des toponymes

Bas-de-casse initial. Si un adjectif précède le générique, il prend une capitale.

la place d'Armes   la baie James   le lac Clair   le Petit lac Clair

Spécifiques des toponymes administratifs

Capitale initiale à tous les mots, sauf aux *articles, prépositions, pronoms* et *conjonctions* (des mots courts). Les mots sont reliés par un trait d'union, sauf les particules *De, Du, Des, Le, La, Les* si elles font partie d'un nom propre et qu'elles se trouvent au **début** du spécifique.

Dollard-des-Ormeaux (ville)	boulevard René-Lévesque
boulevard Henri-IV	place du 8-Mai-1945
rue du Chat-qui-Pêche	avenue des Arts-et-Métiers
rue De Maisonneuve (sans prénom)	avenue du Général-Tremblay
station de métro Place-d'Armes	Le Gardeur, La Prairie, Les Éboulements

Quand les particules sont à **l'intérieur,** elle prennent un bas-de-casse et des traits d'union (règle internationale, à gauche). La Commission de toponymie du Québec écrit les particules avec des capitales et des espaces (à droite).

rue Joachim-du-Bellay	rue Joachim-Du Bellay
rue Jean-de-la-Fontaine	rue Jean-De La Fontaine
rue Dollard-des-Ormeaux	rue Dollard-Des Ormeaux

On n'utilise pas de préposition devant un nom de personne, sauf si ce dernier est précédé d'un adjectif ou d'une qualité.

rue Gabrielle-Roy   rue du Général-Giraud

Spécifiques des toponymes naturels

Pas de traits d'union. Les toponymes naturels sont à droite**.**

le village de Mont-Louis	le ruisseau du Mont Louis
la ville de Deux-Montagnes	le lac des Deux Montagnes

Traits d'union quand le spécifique est composé d'un des groupes suivants :

verbe + nom	le lac Brise-Culotte
prénom + nom	le ruisseau Jean-Guérin
prénom + prénom	la rivière Marie-Alice
nom + nom	le lac Matchi-Manitou
titre + nom	le mont du Général-Allard

Toponymie : odonymes

Les odonymes sont des noms de voies de circulation (rue, avenue, boulevard, etc.). Voici des exemples (colonne du centre) tirés du *Répertoire des voies publiques,* de la ville de Montréal, officialisé par la Commission de toponymie du Québec. Les prépositions (de, du, des) prennent un bas-de-casse, alors que les particules (De, Du, Des, Le, La) prennent une capitale. Dans la colonne de droite, je donne la méthode internationale, utilisée dans la plupart des pays francophones. Dans cette méthode, la particule garde sa capitale initiale et n'a pas de trait d'union quand elle se trouve au début du spécifique. Quand elle se trouve à l'intérieur, elle est en bas-de-casse avec des traits d'union :

rue Général-de-Gaulle, rue Guy-de-la-Brosse

	Commission de toponymie	*Méthode internationale*
avenue	Alfred-De Vigny	Alfred-de-Vigny
rue	Charles-De Gaulle	Charles-de-Gaulle
rue	Charles-De La Tour	Charles-de-la-Tour
rue	D'Iberville	D'Iberville
avenue	d'Outremont	d'Outremont
avenue	De Gaspé	De Gaspé
avenue	de Granby	de Granby
place	De Jumonville	De Jumonville
avenue	de l'Église	de l'Église
avenue	De La Bruère	De La Bruère
parc	de la Cité-du-Havre	de la Cité-du-Havre
rue	De La Peltrie	De La Peltrie
côte	de la Place-d'Armes	de la Place-d'Armes
chemin	de La Ronde	de La Ronde
rue	de la Visitation	de la Visitation
rue	De Saint-Exupéry	De Saint-Exupéry
allée	de Saint-Léonard	de Saint-Léonard
rue	Des Ormeaux	Des Ormeaux
avenue	du Bois-de-Boulogne	du Bois-de-Boulogne
rue	du Champ-de-Mars	du Champ-de-Mars
chemin	du Chenal-Le Moyne	du Chenal-le-Moyne
rue	du Parc-De Lotbinière	du Parc-de-Lotbinière
rue	du Parc-La Fontaine	du Parc-la-Fontaine
chemin	du Tour-de-l'Isle	du Tour-de-l'Isle
rue	Émilie-Du Châtelet	Émilie-du-Châtelet
rue	Hélène-De Champlain	Hélène-de-Champlain
rue	Jean-D'Estrées	Jean-d'Estrées
rue	Julie-De Lespinasse	Julie-de-Lespinasse
parc	La Fontaine	La Fontaine
avenue	Léonard-De Vinci	Léonard-de-Vinci
rue	Marie-Le Franc	Marie-le-Franc
rue	Mathieu-De Costa	Mathieu-de-Costa
rue	Michelle-Le Normand	Michelle-le-Normand
avenue	Pierre-De Coubertin	Pierre-de-Coubertin
avenue	Vincent-D'Indy	Vincent-d'Indy

Quand on crée un toponyme dédié à une personne, il vaut mieux inclure le prénom de la personne. Cela permet de savoir exactement à qui est dédié ce toponyme, et cela évite de se trouver avec une particule (ou deux) au début du spécifique.

Toponymie : stations de métro

Les noms des stations de métro sont des spécifiques (le générique station est sous-entendu). Ils prennent donc des traits d'union et des capitales aux mots importants, sauf aux prépositions. Une préposition ne peut pas se trouver au début du spécifique. On ne peut pas écrire *Du Collège.* Les particules nobiliaires peuvent se trouver au début : *D'Iberville.* Le mot *La* ou *Le* placé au début ne prend pas de trait d'union. Quand il s'agit d'un toponyme surcomposé, on utilise le tiret court entre les divers éléments : *Charles-de-Gaulle–Étoile, à Paris.*

À Montréal

Acadie
Angrignon
Assomption
Atwater
Beaubien
Beaudry
Berry-UQAM
Bonaventure
Cadillac
Castelnau
Champ-de-Mars
Charlevoix
Collège
Côte-des-Neiges
Côte-Sainte-Catherine
Crémazie
D'Iberville
Édouard-Montpetit
Église
Fabre
Frontenac
Peel
Georges-Vanier
Guy-Concordia
Henri-Bourassa
Jarry
Jean-Drapeau
Jean-Talon
Jolicœur
Joliette
Langelier
LaSalle
Laurier
Lionel-Groulx
Longueuil
Lucien-L'Allier
McGill
Monk
Mont-Royal
Namur
Outremont
Papineau
Parc
Pie-IX
Place-d'Armes
Place-des-Arts
Place-Saint-Henri
Plamondon
Préfontaine
Radisson
Rosemont
Saint-Laurent
Saint-Michel
Sauvé
Savane
Sherbrooke
Snowdon
Square-Victoria
Université-de-Montréal
Vendôme
Verdun
Viau
Villa-Maria

À Paris

Arts-et-Métiers
Bir-Hakeim
Bobigny–Pablo-Picasso
Bonne-Nouvelle
Cardinal-Lemoine
Chambre-des-Députés
Champ-de-Mars
Charles-de-Gaulle–Étoile
Château-d'Eau
Châtelet–Les-Halles
Cluny-la-Sorbonne
Denfert-Rochereau
École-Militaire
Église-d'Auteuil
Église-de-Pantin
Filles-du-Calvaire
Gare-de-Lyon
Gare-du-Nord
Hôtel-de-Ville
La Chapelle
La Motte-Picquet–Grenelle
Louis-Blanc
Mairie-des-Lilas
Marcadet-Poissonniers
Montparnasse-Bienvenüe
Musée-d'Orsay
Notre-Dame-de-Lorette
Place-d'Italie
Place-de-Clichy
Pont-de-Neuilly
Porte-Dauphine
Porte-de-Saint-Cloud
Pré-Saint-Gervais
Quai-de-la-Rapée
Réaumur-Sébastopol
Saint-Germain-des-Prés
Saint-Philippe-du-Roule
Strasbourg–Saint-Denis

Quel territoire la France a-t-elle conservé en 1763? — Saint-Pierre-et-Madelon.

Toponymes à retenir

Anjou, *et non* Ville d'Anjou
Arabie Heureuse, l'
Arabie saoudite, l'
Asie centrale, l'
Asie Mineure, l'
autoroute 10, l'
autoroute électronique, l'
baie James[1], la
Baie-James[2]
bas du fleuve[1], le
Bas-du-Fleuve[2], le
bas du Saint-Laurent[1], le
Bas-Saint-Laurent[2], le
Bas-Canada[2], le
Basse-Côte-Nord[2], la
Basse-Ville[2], la
Bassin parisien, le
Baton Rouge (Louisiane)
Bois-des-Filion[2]
Bois-Francs[2], les
Bouclier canadien, le
cap de la Madeleine[1], le
Cap-de-la-Madeleine[2]
cap Vert[1], le
Cap-Vert[2]
Cap-Breton[2]
Cap-Rouge[2]
Cordillère centrale, la
cordillère des Andes, la
côte atlantique, la
Côte d'Azur, la
Côte d'Ivoire, la
côte nord du fleuve, la
Côte-Nord[2], la
Côte Vermeille, la
Côte-d'Or, la
Dollard-des-Ormeaux[2]
Extrême-Orient, l'
fleuve Jaune, le
Forêt-Noire, la
Grand Canyon, le
Grand Lac Salé, le
Grand Nord, le
Grand Rapids[1]
Grands Lacs, les
Guatemala, le
Guatémaltèques, les
Haut-Canada[2], le
Haute-Côte-Nord[2], la
Haute-Ville[2], la
Haute-Volta, la
hémisphère Sud, l'
Hispaniques, les
île d'Anticosti[1], l'
Île-d'Anticosti[2]
île de Montréal[1], l'
Île-de-Montréal[2]
île des Sœurs[1], l'
Île-des-Sœurs[2]
île Maurice, l'
Île-Dorval[2]
Île-Perrot[2]
îles Anglo-Normandes, les
îles Britanniques, les
îles de la Madeleine[1], les
Îles-de-la-Madeleine[2]
îles Sous-le-Vent, les
La Mecque
La Nouvelle-Orléans
La Prairie[2]
lac Beauport[1], le
Lac-Beauport[2]
lac Drolet[1], le
Lac-Drolet[2]
LaSalle[2]
Le Gardeur[2]
LeMoyne[2]
Les Éboulements[2]
Les Escoumins[2]
Les Méchins[2]
Maison-Blanche. la
Massif central, le
mer Morte, la
mer Rouge, la
Mongolie-Intérieure, la
mont Blanc, le
massif du Mont-Blanc, le
tunnel du Mont-Blanc, le
mont Cenis, le
col du Mont-Cenis, le
mont Royal[1], le
Mont-Royal[2] (municipalité)
avenue du Mont-Royal[2], l'
mont Saint-Hilaire[1], le
Mont-Saint-Hilaire[2]
Mont-Saint-Michel[2], le
montagnes Rocheuses, les
Rocheuses, les
Moyen-Orient, le
New York
New-Yorkais, les
Nord-Africains, les
nordistes, les
Nouveau Monde, le
Nouveau-Mexique, le
Nouvelle-Calédonie, la
Nouvelle-Orléans, La
Occidentaux, les
océan Atlantique, l'
Orientaux, les
Pays basque, le
pays de Galles, le
Pays-Bas, les
péninsule Ibérique, la
Petit-Champlain[2], le
Plateau-Mont-Royal[2], le
pôle Nord, le
Proche-Orient, le
Provençal, un
provincial, un
Rio de Janeiro
Río de la Plata, le
rive sud du fleuve, la
Rive-Sud[2], la
Réunion, la
Riviera, la
rivière des Mille Îles[1], la
Saguenay–Lac-Saint-Jean[2]
Saint-Pierre-et-Miquelon
Sierra Leone, la
sierra Nevada, la
sudistes, les
terre Adélie, la
Terre de Feu, la
tiers-monde, le
tiers-mondiste
Val-d'Or[2]
Val-Saint-François[2]
Venezuela, le
Vénézuéliens, les
Vieille Capitale, la
Vietnam, le
Vieux-Montréal[2], le
Vieux-Port[2], le
Vieux-Québec[2], le
Ville éternelle, la
Ville Lumière, la

[1] Toponyme naturel, façonné par la nature : lac, mer, fleuve, cap, île, col, mont, océan...
[2] Toponyme administratif, délimité par l'homme : ville, rue, avenue, place, square, station...

Télévision et radio

Émissions

Les émissions de radio et de télévision comme les journaux télévisés ou radiodiffusés ne sont pas considérées comme des titres d'œuvres, car elles ne sont pas l'œuvre d'un auteur. Elles suivent donc les mêmes règles que les journaux : en italique avec capitale au premier nom, ainsi qu'à l'article défini si ce dernier fait vraiment partie du titre. Il est question ici de titres à l'intérieur d'un texte courant.

Bouillon de culture
Des chiffres et des lettres
Jamais sans mon livre
le *Journal de France 2*
La Facture
le *Grand Journal*
le *Jour du foot*
le *Journal RDI*
Le Point
le *Réseau des sports*
Le Téléjournal
Les Règles du jeu

Titres d'œuvres

Les titres d'œuvres sont en italique, avec capitale au premier mot, quel qu'il soit.

Bouscotte
Ça se discute
La vie à l'endroit
Le pénis
Le retour
Les machos
Maman chérie
Moi et l'autre
Paris première
Piment fort
Un gars, une fille
Virginie
Vivement dimanche
Zone libre
Les cœurs brûlés

Les chaînes

Le nom des chaînes s'écrit en romain, en respectant la raison sociale.

Radio-Canada
Canal Vie
France 2

Vents

Bas-de-casse initial.

l'autan	vent du sud-est qui souffle sur le haut Languedoc
le chinook	vent chaud et sec qui descend des montagnes Rocheuses
le mistral	vent violent qui souffle dans la vallée du Rhône et le Midi
le noroît	vent qui souffle du nord-ouest
le sirocco	vent chaud qui souffle du Sahara sur le sud de la Méditerranée
la tramontane	vent du nord-ouest qui souffle sur le bas Languedoc
le vaudaire	vent du sud-est qui souffle sur le lac Léman

Petites capitales

Il n'existe pas de règles absolues dans l'emploi des petites capitales. On les utilise quand on pense que les capitales paraîtront trop grandes visuellement.

Articles de lois

Les articles de lois s'écrivent en abrégé et en petites capitales, sauf l'article premier qui s'écrit au long. On utilise une grande capitale initiale à l'abréviation et une espace insécable avant le numéro.

Article premier. — Art. 234. —

Bibliographies

Le nom de l'auteur peut se mettre tout en grandes capitales, ou en petites capitales avec une grande capitale initiale.

DURAND (Pierre). Durand (Pierre).

Capitale initiale

Un sigle en petites capitales ne prend pas de grande capitale initiale. Mais on utilisera cette dernière chaque fois qu'elle aura une raison d'être.

la table ascii (sigle) les Québécois, les Anglo-Saxons

Chiffres romains

En chiffres romains les numéros des génériques suivants : chapitre, régime politique, souverain, manifestation, siècle, acte et scène de pièce de théâtre.

En chiffres grandes capitales :
le chapitre IV
la IIIe République
Louis XIV
les XIXes Jeux olympiques
l'acte II

En chiffres petites capitales :
le xvie siècle, *ou* le XVIe siècle
la scène iv

Dans un tableau, les chiffres arabes s'alignent sur la droite et les chiffres romains sur la gauche. Dans une table des matières, les chiffres romains s'alignent sur la droite.

							Table des matières
1	I	9	IX	80	LXXX	I.	Abc de typographie
2	II	10	X	90	XC	II.	Capitales
3	III	20	XX	100	C	III.	Coupures
4	IV	30	XXX	200	CC	IV.	Italique
5	V	40	XL	300	CCC	V.	Nombres
6	VI	50	L	400	CD	VI.	Orthographe
7	VII	60	LX	500	D	VII.	Ponctuation
8	VIII	70	LXX	1000	M	VIII.	Typographie anglaise

I	peut se soustraire de V et X	Exemples :	IV	4	IX	9
X	peut se soustraire de L et C	Exemples :	XL	40	XC	90
C	peut se soustraire de D et M	Exemples :	CD	400	CM	900

Ma femme, en qui j'avais confiance, m'a trompé avec un autre salaud.

Comptabilité

En romain petites capitales les mots suivants, qui sont suivis de nombres :

TOTAL, TOTAUX, BALANCE, SOLDE, RESTE.

Les autres indications se mettent en italique bas-de-casse.

À reporter, Report, À suivre.

Lettrines

Seule la partie du mot qui suit la lettrine peut se mettre en petites capitales.

À voir Pierre dans ses bras... AVOIR Pierre dans ses bras...

Logiciels

On peut utiliser les petites capitales dans les commandes.

les touches CTRL, GAUCHE, POMME, ALT 0234

Notes de bas de page

On met en petites capitales avec une capitale initiale le nom de l'auteur. L'acte se met en chiffres romains capitales, et la scène en petites capitales.

[1] RACINE, *Britannicus,* acte IV, scène VI.

Pages liminaires

Folios des pages liminaires : préfaces, introductions, avant-propos, etc.

I II III IV V VI VII VIII

Pièces de théâtre

Petites capitales avec capitale initiale pour les noms des interlocuteurs.

PYRRHUS
Me cherchiez-vous, madame? Un espoir si charmant me serait-il permis?
ANDROMAQUE
Je passais jusqu'aux lieux où l'on garde mon fils, puisqu'une fois le jour...

Renvois aux chapitres

Si le titre du chapitre a été écrit en capitales, le renvoi s'écrit en petites capitales.

Voir le chapitre MONTAGNES DU CANADA.

Siècles

Siècles en chiffres romains petites capitales. La lettre **e** se met en exposant. Il est permis aussi d'utiliser les grandes capitales pour les siècles. Dans ce cas, le **e** supérieur reste en bas-de-casse, même dans un texte tout en capitales.

le xxe siècle le XXe siècle LE XXe SIÈCLE

Me moquant du tiers comme du quart, je les échangerais contre un demi.

Coquilles avec les capitales

Le feu s'est déclaré chez Mlle Joly-Minois, Miss France 2000, dans le village de Poil. Les pompiers de Saint-Justin sont arrivés à Poil en un temps record.

•

Il y a une lettre de trop quelque part :

Révision des beaux postérieurs
au 15 mars 2000

La caisse du couvreur

Dans le texte suivant, le mot Caisse avec une capitale signifie la « Caisse d'assurance-accidents ». Sans capitale, il s'agit de la caisse en bois de notre couvreur.

Après avoir réparé un toit, nous avons voulu récupérer les tuiles non utilisées en les descendant dans une caisse grâce à un système de poulie.

En haut, mon copain a rempli la caisse. Moi, je tenais la corde en bas. Mais la caisse pleine de tuiles étant plus lourde que moi, j'ai été soulevé de terre. À mi-montée, j'ai croisé la caisse qui descendait et j'ai reçu un coup sur la tête. J'ai continué à monter jusqu'au toit et je me suis frappé la tête contre une poutre.

Quand la caisse a touché le sol, le fond a lâché. Étant plus lourd que la caisse vide, je suis reparti vers le sol et j'ai de nouveau heurté la caisse qui montait.

En touchant le sol, j'ai lâché la corde. Alors la caisse est redescendue en me frappant encore une fois sur la tête.

Je vous demande donc, monsieur le directeur, ce que la Caisse peut faire pour moi.

•

Il y a une espace de trop quelque part :

L'exil du roi et de son harem

Mamadou parmi ses jolies femmes noires
caresse les plus noirs des seins

Avec ou sans accents sur les capitales :

UN HOMME ASSASSINÉ
UN HOMME ASSASSINE

IL A ÉTÉ INTERNÉ
IL A ETE INTERNE

IL DORT OÙ IL TRAVAILLE
IL DORT OU IL TRAVAILLE

ÉTUDE DU MODELÉ
ETUDE DU MODELE

ENFANTS LÉGITIMÉS
ENFANTS LEGITIMES

LE CRIMINEL SERA JUGÉ
LE CRIMINEL SERA JUGE

DES LIVRES ILLUSTRÉS
DES LIVRES ILLUSTRES

LE COUP DE DÉ DE DE GAULLE
LE COUP DE DE DE DE GAULLE

BEURRE SALÉ
BEURRE SALE

AUGMENTATION DES RETRAITÉS
AUGMENTATION DES RETRAITES

JEUNE FEMME, 25 ANS, CHERCHE COMPAGNON, MÊME ÂGÉ
JEUNE FEMME, 25 ANS, CHERCHE COMPAGNON, MEME AGE

Patronne de restaurant cherche cuisinier pour passer à la casserole.

Coupures

Définitions

La division ou trait d'union conditionnel (-) a été utilisée pour la première fois dans sa forme actuelle par Pierre Robert, dit Olivétan, dans une traduction de la Bible qu'il réalisa avec l'aide de Calvin, son cousin, en 1535.

Coupures

Le terme « coupures » englobe la division de mots et la séparation de mots, deux termes qui sont expliqués ci-dessous. Dans la pratique, quand on dit simplement « coupure », on pense à une division de mot.

Division

La division (ou *trait d'union conditionnel,* ou *césure*) est le signe qui sert à diviser un mot en bout de ligne. Si l'on ajoute du texte avant ce mot divisé et que ce dernier est chassé sur la ligne suivante, le trait d'union conditionnel disparaît et le mot est reformé. Si on le lui demande, la machine peut diviser automatiquement les mots en fin de ligne (césure). On peut aussi placer soi-même les traits d'union conditionnels à l'endroit de son choix. Dans ce cas, il faut veiller à mettre des traits d'union conditionnels et non pas des traits d'union normaux, car ceux-ci resteront apparents si les mots divisés sont chassés plus loin. Le trait d'union conditionnel n'est jamais répété au début de la ligne où se place la deuxième partie du mot. Sur un PC, le trait d'union conditionnel s'obtient en tapant CTRL+TRAIT D'UNION.

Séparation

Une séparation est le fait d'avoir sur deux lignes différentes deux mots qui, selon les règles de la page 104, devraient rester sur la même ligne.

Trait d'union

On le nomme aussi *trait d'union sécable,* c'est-à-dire que la machine peut faire la division d'un mot à ce trait d'union. Le trait d'union est le signe qui sert à unir deux ou plusieurs mots et on doit le taper comme une autre lettre. Les traits d'union d'un mot ne disparaissent pas, quelle que soit la position du mot dans la ligne.

grand-père arc-en-ciel qu'en-dira-t-on

Trait d'union insécable

Le trait d'union insécable empêche la machine de diviser le mot à ce trait d'union. On utilise un trait d'union insécable dans les exemples suivants pour empêcher une division au trait d'union et éviter que le premier élément ne se trouve à la fin d'une ligne et le second au début de la ligne suivante.

3-2 St-Luc à-propos

Voici les certificats de baptême de mes cinq enfants, tous produits par le curé.

Divisions de mots

Dans les exemples ci-dessous, les divisions interdites ont été marquées par une barre oblique, et les divisions permises l'ont été par un trait d'union. Il est évident qu'on sera plus tolérant si l'on travaille sur une petite mesure. D'autre part, on sera plus tolérant pour un journal que pour un livre. Les entrées ci-dessous sont par ordre alphabétique.

Abréviations

Ne pas diviser les abréviations courantes ni les symboles d'unités.

géo / gr. (géographie) M / Hz (mégahertz)

Apostrophe

Ne pas diviser avant ni après une apostrophe.

aujourd / ' / hui presqu / ' / île

Consonnes doubles

On doit diviser entre les consonnes doubles d'un mot, excepté quand ces dernières se trouvent dans une syllabe muette à la fin d'un mot.

com-mis-sion feuille feuilles

Deux consonnes

On peut diviser entre deux consonnes, sauf celles de la liste ci-dessous.

des-cendre soup-çonner

Deux consonnes interdites

Ne pas diviser entre : bl, br, ch, cl, cr, dr, fl, fr, gl, gn, gr, pl, pr, th, tr, vr.

semb / lable	ac / ronyme	imbrog / lio	app / récier
nomb / ril	hyd / rophyle	renseig / ner	sympat / hie
parc / hemin	aff / luent	géog / raphie	apost / rophe
inc / lus	chiff / res	imp / liquer	ouv / rage

Deux consonnes permises

On peut diviser entre : bv, cq, ct, mb, ng, pç, pt, sc, sh, sp, st.

sub-venir	bous-culer	cons-pirer	anes-thésie
ac-quitter	des-cendre	gas-pillage	cons-truire
fruc-tifier	dis-cours	pros-pérer	crous-tiller
ponc-tuer	dis-cussion	res-plendir	démons-tration
ressem-bler	pres-crire	rous-péter	ges-ticuler
jon-gler	sus-citer	sus-pecter	obs-tination
soup-çonner	trans-crire	abs-trait	plas-tique
accep-ter	dés-habiller	adminis-trer	s'abs-tenir
adap-ter	blas-phème	amnis-tier	sous-traire

Deux traits d'union

Ne pas diviser une locution qui contient deux traits d'union après le second mais après le premier, afin de n'avoir qu'un trait d'union sur chaque ligne.

c'est-à- / dire cria-t- / elle

Deux voyelles

Ne pas diviser entre deux voyelles, sauf si l'étymologie le permet.

cré / ancier pro-éminent

Division étymologique

La division étymologique consiste à reconnaître la formation du mot, donc à diviser selon les éléments.

chlor-hydrique

Division syllabique

Il est parfois difficile de reconnaître l'étymologie d'un mot formé d'éléments latins ou grecs. La division syllabique sera donc tolérée.

chlo-rhydrique

Lettres x *et* y

Ne pas diviser avant ni après les lettres **x** ou **y** placées entre deux voyelles.

deu / x / ième cro / y / ance

Malsonnante

Éviter les divisions malsonnantes.

J'ai mal occu /
pé ma jeunesse

à faire des cu /
lottes de drap.

Mathématiques

Ne pas diviser une suite mathématique. Elle doit rester sur la même ligne.

(4 + 2 - 3) * 6 = 18

Mots composés

Ne pas diviser un mot composé ailleurs qu'à son trait d'union.

porte-mon / naie tim / bre-poste

Mots divisés de suite

Ne pas diviser plus de deux mots de suite. Il faut aussi éviter d'avoir plusieurs mots ou lettres semblables de suite en bout de ligne.

Dorothée avait mangé sa soupe sans ouvrir la bouche.

Nombres en chiffres

Ne pas diviser les nombres écrits en chiffres, même après la virgule.

2 000 / 000 12 346, / 50

Noms propres

Ne pas diviser les noms propres ni les prénoms, excepté quand il s'agit de noms et prénoms composés qui pourront alors être divisés au trait d'union.

Mar / cel-Lu / cien Du / rand-Com / tois Marcel-Lucien Durand-Comtois

Première lettre

Ne pas diviser après la première lettre d'un mot, même si cette première lettre est précédée d'une apostrophe.

i / tinérant l'é / ternité

Sigles et acronymes

Ne pas diviser les sigles ni les acronymes, que ceux-ci soient écrits avec ou sans points abréviatifs.

CR / TC C.R. / T.C. Ac / nor

Syllabe finale

Ne pas diviser avant une syllabe finale sonore de moins de trois lettres, ni avant une syllabe finale muette de moins de quatre lettres.

ten / du ten-due
liber / té liber-tés
uni / que uni-ques

Veuve et orphelin

Une *veuve* est un mot entier ou coupé qui se trouve seul sur une ligne au sommet d'une colonne ou d'une page, ce qui est inacceptable. Un *orphelin* est un mot entier ou coupé qui se trouve seul sur une ligne au bas d'une colonne ou d'une page, ce qui est également inacceptable.

Séparations de mots

Séparer des mots ou des nombres signifie accepter qu'ils ne soient pas sur la même ligne. Si la justification est très petite, on peut accepter la séparation.

Dates

Ne pas séparer les éléments des dates. Une tolérance est accordée dans le second exemple, où l'on peut séparer le nom du jour (dimanche) de la date.

24 juin 1997 dimanche 26 janvier 1997

Énumérations

Ne pas séparer le chiffre ni la lettre du texte qui suit ou qui précède.

chapitre II	art. 3	Henri IV
XI. Typographie	3. Coupures	*a*) Les bénéfices

Noms propres

Ne pas séparer les prénoms abrégés, les titres de fonction ou de civilité des noms propres qu'ils accompagnent.

A. Dupont Dr Dubois M. Durand

Symboles

Ne pas séparer les nombres en chiffres des symboles qui les suivent.

25,50 $ 21 × 27 cm 15 h 05

Composition avec sécables

On peut composer normalement avec des espaces sécables, c'est-à-dire utiliser la barre d'espacement entre les mots qui ne doivent pas être séparés. Mais on court de cette façon le risque qu'une séparation non permise se produise, car la machine justifie la ligne aux espaces sécables. Si une séparation non permise se produit, on fera la correction.

Composition avec insécables

On peut composer avec une espace insécable entre les mots qui ne doivent pas se séparer, par exemple entre *M.* et *Durand*. Il existe des logiciels possédant une espace insécable fixe. Or, dans un texte justifié, l'espace insécable fixe risque de ne pas avoir la même largeur que les autres. D'autres logiciels comportent une espace insécable qui est justifiante. Dans ce cas, les risques de séparations non permises sont écartés, et les espaces entre les mots sont toutes égales. Cette dernière méthode est donc préférable.

Italique

Liste alphabétique

Aldus Manutius (de son vrai nom Alde Manuce), est né à Venise en 1449 et il y est mort en 1515. C'est un imprimeur à qui l'on doit deux réalisations : c'est lui qui a inventé le livre de poche in-octavo, c'est-à-dire la feuille de papier pliée en huit. En outre, c'est lui qui, en 1501, créa les premiers caractères typographiques penchés, qui furent d'abord appelés *lettres vénitiennes,* ou *aldines*, puis *italiques*.

Après certains verbes

Après les verbes *écrire, dire, appeler, nommer,* il faut utiliser l'italique ou bien les guillemets, sinon la phrase n'est pas précise.

Quand j'écris le mot *mal,* je l'écris correctement.
Quand j'écris le mot « mal », je l'écris correctement.
Quand j'écris le mot mal, je l'écris correctement (*non-sens*).

Bibliographies

Voici l'ordre des entrées :

1.	Auteur	point	RAMAT, Aurel.
2.	Titre	virgule	*Le Ramat de la typographie,*
3.	Auteurs secondaires	virgule	illustrations de Catherine Ramat,
4.	Numéro de l'édition	virgule	5e éd., *ou* 5e édition,
5.	Collection	virgule	coll. Typographie,
6.	Lieu de publication	virgule	Montréal,
7.	Nom de l'éditeur	virgule	Aurel Ramat éditeur,
8.	Date	virgule	2000,
9.	Volumes	virgule	(*c'est une monographie*)
10.	Pages	virgule	224 p., *ou* 224 pages,
11.	Renseignements	point final	18,95 $.

RAMAT, Aurel. *Le Ramat de la typographie,* illustrations de Catherine Ramat, 5e éd., coll. Typographie, Montréal, Aurel Ramat éditeur, 2000, 224 p., 18,95 $.

- Plusieurs auteurs :

Un auteur	DUBOIS, Luc.
Deux auteurs	DUBOIS, Luc, et Ève DUPONT.
Trois auteurs	DUBOIS, Luc, Ève DUPONT et Ida DURAND.
Plus de trois auteurs	DUBOIS, Luc, et autres (de préférence à *et al.*)

- La composition se fait en sommaire simple, c'est-à-dire que la première ligne est au fer à gauche (sans renfoncement) et les lignes suivantes sont renfoncées;
- S'il n'y a pas de nom d'auteur, on commence par le titre en italique;
- Il ne faut pas mettre de virgules dans la raison sociale de l'éditeur, afin de ne pas scinder les éléments. C'est pour cela que la virgule après Ramat a disparu;
- S'il n'y a qu'un seul volume (monographie), il est inutile de le mentionner;
- Les renseignements peuvent être le prix du livre, ses récompenses, etc.;
- S'il s'agit d'un article dans un périodique, on met le titre de l'article entre guillemets et le nom du périodique en italique.

BONNEAU, Jean. « Cuisine familiale », *La Presse,* 8 mars 1999, p. 28.

Grande vente de jeans avec trois poches : une sur chaque jambe.

Créations commerciales

Les créations commerciales ou techniques s'écrivent en italique avec une capitale au nom spécifique ainsi qu'à l'adjectif qui le précède.

le tailleur *Petit Prince*	l'opération *Apollo 12*	la capsule *Apollo*
le parfum *Chanel n° 5*	le programme *Gemini*	l'explosion de *Challenger*

Devises, maximes et proverbes

Les devises, maximes et proverbes en français ou en une langue étrangère s'écrivent en italique et sans guillemets.

Devise de la sobriété : *Prenons garde aux grands crus qui provoquent les cuites.*

Elle avait pour maxime : *When you do something, do it right.*

Proverbe géométrique : *Quand on prend les virages en ligne droite, c'est que ça ne tourne pas rond dans le carré de l'hypoténuse.*

Dictionnaires

Dans les dictionnaires, les exemples sont donnés en italique. Par conséquent, on ne peut y appliquer les règles d'emploi de l'italique. On utilise donc les guillemets pour détacher les mots qui devraient être en italique.

Guillemets et italique

L'italique ou les guillemets sont utilisés pour faire ressortir un mot ou une expression. Quand on désire les mettre en opposition, on utilise d'abord l'italique, puis les guillemets. Ne pas ajouter de guillemets à des mots en italique.

Dans ledit contrat, les mots *la Compagnie* signifient « la Compagnie d'assurances internationales ».

Indications aux lecteurs

Les parenthèses sont en romain, il n'y a pas de point final.

(*Suite de la page précédente*) (*Suite à la page 25*)

Langues étrangères

Un mot ou une expression dans une langue étrangère se met en italique.

« Comment allez-vous? » se traduit par *How do you do?*

On n'écrit pas en italique un patronyme sous prétexte d'une connotation étrangère.

Ce matin, j'ai rencontré Mme Greenwood et M. Smith.

Les mots suivants d'origine italienne ont été francisés. Ils s'écrivent donc en romain et avec des accents. Ils sont donnés ici au pluriel, avec un **s.**

brocolis	concertos	imbroglios	macaronis	raviolis	sopranos
cafétérias	confettis	incognitos	maestros	salamis	spaghettis
chiantis	gnocchis	influenzas	pizzérias	scénarios	trémolos

Latin : mots francisés

Les mots latins francisés par l'usage s'écrivent dans la même face que le texte. Ils sont variables et prennent des accents et la marque du pluriel.

un addenda	des addendas	choses à ajouter
un agenda	des agendas	ce qui doit être fait
un alibi	des alibis	ailleurs, moyen de défense
un alinéa	des alinéas	à la ligne
un alléluia	des alléluias	louez Dieu, en hébreu
un angélus	des angélus	cloche annonçant la prière
un bénédicité	des bénédicités	bénissez
un consortium	des consortiums	association
un décorum	des décorums	protocole, bienséance
un duplicata	des duplicatas	copie d'un document
un erratum	des errata	erreur
un fac-similé	des fac-similés	faire une reproduction
un lavabo	des lavabos	je laverai
un maximum	des maximums	le plus grand
un média	des médias	diffusion de l'information
un médium	des médiums	entre les vivants et l'au-delà
un mémento	des mémentos	souviens-toi
un mémorandum	des mémorandums	qu'on doit se rappeler
un minimum	des minimums	la plus petite chose
un muséum	des muséums	consacré aux sciences naturelles
un pensum	des pensums	travail intellectuel ennuyeux
un quatuor	des quatuors	groupe de quatre personnes
un quorum	des quorums	nombre minimal pour délibérer
un quota	des quotas	contingent déterminé
un recto	des rectos	première page d'un feuillet
un référendum	des référendums	consultation
un sanatorium	des sanatoriums	établissement de cure
un scénario	des scénarios	canevas d'une pièce, d'un roman
un tollé	des tollés	clameur d'indignation
un ultimatum	des ultimatums	dernière injonction
un verso	des versos	envers d'un feuillet

Latin : mots non francisés

En italique, sans accents et invariables dans un texte en romain. Les abréviations de plusieurs éléments de une lettre n'ont pas d'espace entre les éléments.

Locution	**Abréviation**	**Traduction**
a contrario	*a contrario*	par la raison des contraires
a fortiori	*a fortiori*	à plus forte raison
a posteriori	*a posteriori*	en partant de ce qui vient après
a priori	*a priori*	en partant de ce qui est avant
ad hoc	*ad hoc*	pour cela
ad litteram	*ad litt.*	littéralement
ad nutum	*ad nutum*	au moindre signe de la tête
ad patres	*ad patres*	vers les ancêtres
ad valorem	*ad valorem*	selon la valeur
bis	*bis*	deux fois, deuxième
confer	*cf.*	se reporter à
credo	*credo*	je crois
de facto	*de facto*	selon le fait

Il avait ouvert un élevage de chiens qui fit faillite. Maintenant, il est aux abois.

de jure	*de jure*	selon le droit
de visu	*de visu*	d'après ce qu'on a vu
deleatur	*del.*	à supprimer
delineavit	*delin.*	a dessiné
duplicata littera	*dupl. litt.*	lettre redoublée
eadem pagina	*ead. pag.*	même page
et alii	*et al.*	et autres (*préférable au latin*)
ex aequo	*ex aequo*	à égalité
ex cathedra	*ex cathedra*	du haut de la chaire
ex-voto	*ex-voto*	en conséquence d'un vœu
exempli gratia	*e.g.*	par exemple
extra-muros	*extra-muros*	en dehors des murs
grosso modo	*grosso modo*	en gros, sans entrer dans le détail
hoc est	*h.e.*	c'est
ibidem	*ibid.*	au même endroit
id est	*i.e.*	c'est-à-dire
idem	*id.*	le même
in extenso	*in ext.*	au complet
in extremis	*in extremis*	au dernier moment
in limine	*in lim.*	au commencement
in transitu	*in trans.*	en passant
initio	*init.*	au début
intra-muros	*intra-muros*	en dedans des murs
invenit	*inv.*	a créé, inventé
ipso facto	*ipso facto*	par le fait même
lato sensu	*lato sensu*	au sens large
loco citato	*loc. cit.*	passage cité
loco laudato	*loc. laud.*	passage approuvé
manu militari	*manu militari*	par la main militaire
minus habens	*minus habens*	qui a le moins
desiderata	*desiderata*	choses désirées
modus vivendi	*modus vivendi*	manière de vivre
ne varietur	*n.v.*	édition définitive
nec plus ultra	*nec plus ultra*	pas au-delà, ce qu'il y a de mieux
nota bene	*nota bene*	notez bien
opere citato	*op. cit.*	ouvrage cité
opere laudato	*op. laud.*	ouvrage approuvé
passim	*pass.*	en divers endroits
pinxit	*pinx.*	a peint
post-scriptum	*P.-S. ou PS*	écrit après
requiem	*requiem*	repos
sequiturque	*sq.*	et suivant
sic	*sic*	ainsi
sine die	*sine die*	sans fixer de jour
sine qua non	*sine qua non*	condition indispensable
statu quo	*statu quo*	état actuel des choses
stricto sensu	*stricto sensu*	au sens strict
supra	*sup.*	ci-dessus
ter	*ter*	trois fois, troisième
ultimo	*ult.*	à la fin
ut dictum	*ut dict.*	comme il a été dit
vade-mecum	*vade-mecum*	va avec moi
veto	*veto*	je m'oppose
via	*via*	en passant par
vice versa	*vice versa*	réciproquement, inversement

Lettres de l'alphabet

Les lettres de l'alphabet ou les lettres de référence s'écrivent en italique. Il est inutile d'y ajouter des guillemets. On peut aussi utiliser le gras romain ou le gras italique.

La lettre *m* est large.

La figure **b** est très détaillée.

Livres sacrés

Les titres des livres sacrés s'écrivent en romain dans un texte en romain. L'article défini ne prend la capitale que s'il fait partie du titre. Le premier nom prend une capitale initiale ainsi que l'adjectif qui le précède.

J'ai lu la Bible.
J'ai lu la Tora.
J'ai lu l'Ancien Testament.

J'ai lu l'Évangile selon saint Mathieu.
J'ai lu le Coran.
J'ai lu la Genèse.

Lois

Généralement en romain, mais en italique dans l'administration fédérale canadienne.

J'ai lu la Loi de l'impôt sur le revenu.

J'ai lu la *Loi de l'impôt sur le revenu.*

Notes de musique

Seule la note est en italique. Dans un titre d'œuvre, la note reste en italique.

un *si* bémol

Concerto en fa majeur

Pages liminaires d'un livre

Les pages liminaires sont les pages qui précèdent le chapitre premier.

Introduction	Texte rédigé en belle page par l'auteur pour présenter son livre et donner des précisions ainsi que des explications. Elle peut se composer en romain ou en italique.
Préface	Texte rédigé par une autorité en la matière et destiné à présenter le livre et son auteur. Elle peut se composer en romain ou en italique et se place au début du livre. Synonyme : Avant-propos.
Postface	Semblable à la préface, mais elle se place à la fin du livre.

Pour détacher un mot

On doit utiliser l'italique ou les guillemets pour détacher un mot de la phrase, sinon on commet un non-sens.

Dans ce texte, le mot « suivant » est très important.
Dans ce texte, le mot *suivant* est très important.
Dans ce texte, le mot suivant est très important (*non-sens*).

Prières

Les prières sont considérées comme des titres d'œuvres. Elles s'écrivent en italique et seul le premier mot prend une capitale. Ces titres sont invariables.

J'ai récité un *Je vous salue, Marie.*

J'ai récité deux *Notre père.*

Il lui fit cette déclaration entre trois yeux, car il était borgne.

Produits et spécialités

Les produits qui portent des noms propres se composent en romain et prennent une capitale initiale. Ils restent invariables.

deux Boeing	cinq Chevrolet	trois Renault	plusieurs Ricard

Si le produit porte un nom déposé, il apparaît dans les dictionnaires Larousse parmi les noms communs avec une grande capitale initiale. Il est invariable.

des Coca-Cola	des Martini	des Frigidaire	des Opinel

Si le produit portant un nom propre est si connu qu'il est devenu un nom commun, il s'écrit avec un bas-de-casse. Il prend la marque du pluriel s'il s'agit d'un nom simple. Il reste invariable s'il s'agit d'un nom composé.

Noms simples		**Noms composés**	
un camembert	des camemberts	un pont-l'évêque	des pont-l'évêque
un bourgogne	des bourgognes	un pouilly-fuissé	des pouilly-fuissé
un diesel	des diesels	un saint-amour	des saint-amour

Si cet ancien nom propre est précédé de son générique (fromage, vin, moteur, etc.), il reprend sa capitale et son invariabilité.

un fromage de Camembert	des fromages de Camembert
un vin de Bourgogne	des vins de Bourgogne
un moteur Diesel	des moteurs Diesel

Titres de séminaires, cours...

Les titres de séminaires, cours, concours et programmes s'écrivent comme des titres d'œuvres, c'est-à-dire en italique, avec une capitale au premier mot, quel qu'il soit.

Le séminaire *L'an 2000 sans bogue* était intéressant.
J'ai assisté au cours *Faire de l'argent avec celui des autres* la semaine dernière.
Le concours *L'orthographe facile* a été un succès.
L'orateur nous a parlé du programme *Risques limités* avec clarté et précision.

Titres d'œuvres

Liste partielle de génériques suivant les mêmes règles :

ballet	conte	gravure	poésie	sculpture
chanson	drame	nouvelle	récit	téléroman
comédie	film	peinture	roman	théâtre

En italique avec une capitale au premier mot

Seul le premier mot, quel qu'il soit, prend une capitale initiale.

J'ai lu *Le français au bureau.*
J'ai lu *Le roi se meurt.*
J'ai vu le film *À bout de souffle.*
J'ai lu *Les fausses confidences.*
J'ai lu *On ne badine pas avec l'amour.*
J'ai lu *Le loup et l'agneau.*

Deux éléments unis par « ou »

S'il s'agit de deux titres en un, capitale au premier mot de chaque élément.

J'ai lu *Le feu sur la terre ou Le pays sans chemin.*

Mots qui gardent leur capitale

Les mots qui suivent une règle d'emploi gardent leur capitale.

J'ai lu *Les coutumes des Français.*	Français	habitants d'un pays
J'ai lu *Ma vache Bossie.*	Bossie	nom propre
J'ai lu *L'histoire de l'Alliance atlantique.*	Alliance	organisme
J'ai lu *Le meurtre de la rue du Marché.*	Marché	spécifique d'un toponyme
J'ai lu *Fanfan la Tulipe.*	Tulipe	surnom
J'ai lu *La vie de* La Presse.	*La Presse*	titre de journal

Ordre alphabétique des titres d'œuvres

L'ordre alphabétique se fait d'après le premier mot important. Les mots **Le, La, Les, Un, Une, De, Du** n'entrent pas dans l'ordre alphabétique.

Du contrat social	on cherche à	*contrat*	nom
La divine comédie	on cherche à	*divine*	adjectif
Très riches heures	on cherche à	*très*	adverbe
Après l'orage	on cherche à	*après*	préposition

le, la (dans un titre d'œuvre)

Si le titre est complet, l'article défini en faisant partie se met en italique et prend une capitale. Il se met en romain bas-de-casse s'il ne fait pas partie du titre.

J'ai lu *Les caractères,* de La Bruyère.
J'ai lu les *Pensées,* de Pascal.

Dans des listes alphabétiques, ces titres apparaissent ainsi :

Caractères (Les), de La Bruyère...
Pensées, de Pascal...

Si le titre est elliptique, l'article reste en romain bas-de-casse.

Dans le *Malade,* Molière parle des médecins (titre elliptique).

Si l'article est contracté (**du**), il reste en romain bas-de-casse.

La présentation du *Malade imaginaire* a eu lieu hier soir.

J'accuse réception de ne pas avoir reçu mon chèque.

Accord du titre d'œuvre

Le titre est un nom propre : accord en genre.

Athalie a été jouée hier.

Le titre est un nom commun précédé de l'article : accord en genre et en nombre.

Les misérables ont été joués hier.

Le titre est un nom commun non précédé de l'article défini : masculin singulier.

Romances sans parole a été lu en classe.

Le titre est une proposition : accord avec le sujet de cette proposition.

La guerre de Troie n'aura pas lieu a été jouée hier.

Exemples de titres d'œuvres

Titre de l'œuvre	Sorte	Auteur
Pour que tu m'aimes encore	chanson	Céline Dion
Notre-Dame de Paris	comédie musicale	Luc Plamondon
Ma vache Bossie	conte	Gabrielle Roy
Jack Kérouac	essai	Victor-Lévy Beaulieu
De l'amour et des restes humains	film	Denys Arcand
Le moucheticaire	gravure	Pierre Ayotte
Fuites et poursuites	nouvelle	Chrystine Brouillet
Quatre femmes	peinture	Alfred Pellan
Le dictionnaire insolite	pensées	Jacques Languirand
Je vous entends rêver	poésie	Gilles Vigneault
Les voyageurs sacrés	récit	Marie-Claire Blais
Les fous de Bassan	roman	Anne Hébert
Celui qui t'aime	roman	Jean-Paul de Lagrave
L'été de l'île de Grâce	roman	M. Ouellette-Michalska
L'homme de fer	sculpture	Germain Bergeron
Le temps des lilas	téléroman	Marcel Dubé
La cruche cassée	théâtre	Jean-Louis Roux
L'homme qui voulait être sa femme	théâtre	Louise Matteau
Avec l'hiver qui s'en vient	théâtre	Marie Laberge
Sainte Carmen de la Main	théâtre	Michel Tremblay
Deux pères aux as	théâtre	Sophie Clément

Commentaires

L'écriture des titres d'œuvres avec seulement une capitale au premier mot, quel qu'il soit, c'est-à-dire la façon la plus simple et la plus logique, a été adoptée par :

Le Centre de formation et de perfectionnement des journalistes, à Paris ;
L'Office de la langue française du Québec ;
Aurel Ramat dans le présent livre.

En effet, la capitale initiale qu'on mettait au premier **nom** pouvait entraîner parfois des inexactitudes.

Le Français au bureau	signifie un monsieur de nationalité française au bureau
Le français au bureau	signifie la langue française au bureau
La Bourse ou la vie	signifie le marché des valeurs mobilières ou la vie
La bourse ou la vie	signifie le portefeuille ou la vie

Véhicules

Les noms propres de bateaux, d'avions et de trains sont en italique avec une capitale au premier nom ainsi qu'à l'adjectif qui le précède. Dans un texte courant, on met des traits d'union dans les noms.

le *Jean-Bart* le *Prince-de-Galles*

Si le nom du véhicule est employé **avec** son générique, on écrit l'article en italique avec une capitale s'il fait partie du nom.

J'ai pris le train *Le Corridor.* J'ai pris l'avion *Château-de-Versailles.*

Si le nom du véhicule est employé **sans** son générique, on écrit l'article en romain et en bas-de-casse.

J'ai pris le *Corridor.* J'ai pris le *Château-de-Versailles.*

Si le nom du véhicule est **masculin,** l'article qui le précède est masculin, même si le type de véhicule est féminin.

le *Prince-de-Galles*	Prince	est masculin, il s'agit d'un paquebot
le *Château-de-Versailles*	Château	est masculin, il s'agit d'un avion
le *Corridor*	Corridor	est masculin, il s'agit d'un train
le *Jean-Tangue*	Jean	est masculin, il s'agit d'une frégate

Si le nom du véhicule est **féminin,** l'article qui le précède est masculin si le type de véhicule est masculin; cet article est féminin si le type de véhicule est féminin.

le *France*	France	est féminin, il s'agit d'un paquebot
le *Concorde*	Concorde	est féminin, il s'agit d'un avion
le *Chaleur*	Chaleur	est féminin, il s'agit d'un train
la *Chamade*	Chamade	est féminin, il s'agit d'une frégate

Villas

Les noms de villas, domaines, propriétés et maisons s'écrivent en italique et suivent les mêmes règles que les titres d'œuvres : capitale au premier mot.

J'aime beaucoup notre villa *La belle vie.*
Notre propriété *Belle vue* est magnifique.
Nous passons l'été à notre maison de campagne *Notre repos bien gagné.*

Nombres

Généralités

Avant Jésus-Christ, les Arabes utilisaient des cailloux pour calculer. (Le mot « calcul » vient du latin *calculus,* qui signifie « caillou ».) Leur système ne comprenait pas de zéro. Pour compter ses moutons, le berger posait par terre un caillou à chaque mouton qui passait. Le soir, il comparait les cailloux avec les moutons. Au cinquième siècle après Jésus-Christ apparaît aux Indes l'emploi des dix chiffres de 0 à 9. Le mot « zéro » vient de l'arabe *sifr,* changé en *zero* en 1491 dans un traité de Florence. C'est à partir de 1440, grâce aux imprimeurs, que la forme des dix chiffres a été définitivement fixée.

Travaux juridiques

Dans les travaux juridiques, on écrit le nombre en lettres et on le répète en chiffres entre parenthèses. Si l'un des deux nombres devenait illisible par accident, l'autre donnerait alors la précision souhaitée.

> Cette proposition expirera après un délai de quatre-vingt-dix (90) jours.

Travaux littéraires

Les nombres s'écrivent en lettres dans les travaux littéraires. Les nombres y sont peu nombreux et donnent rarement lieu à des comparaisons.

> Mon âme aux mille voix, que le dieu que j'adore
> Mit au centre de tout, comme un écho sonore.

Travaux scientifiques

Les nombres s'écrivent en chiffres dans les travaux scientifiques. Ces ouvrages comportent de nombreux chiffres, et écrire ces derniers en lettres prendrait trop de place. Il faut dire que la lecture d'un nombre écrit en chiffres est toujours plus facile.

> Le nombre $\pi = 3{,}141\,592\,653\,5\ldots$ se retient en comptant les lettres de ce poème :
> « Que j'aime à faire apprendre un nombre utile aux sages... »

Travaux ordinaires

Dans les travaux ordinaires, quand les nombres n'entrent pas dans l'une des catégories mentionnées dans les règles débutant à la page suivante, ils s'écrivent :

En lettres pour les nombres de *un* à *neuf* inclus

> Elle avait huit ans à cette époque.

En chiffres pour les nombres à partir de 10 (s'ils sont entiers)

> Elle avait 10 ans à cette époque.

En chiffres si les deux cas se trouvent dans la même phrase

> Elle avait entre 8 et 10 ans à cette époque.

Je vais faire un séjour linguistique en Angleterre en tant que fils au père.

Liste alphabétique

Accord du numéral cardinal

Déterminant numéral **cardinal** (quantité) : un, deux, trois, quatre, cinq, etc.

Genre (masculin ou féminin) : invariable, sauf « un ».

les quatre garçons, les quatre filles, un garçon, une fille

Nombre (singulier ou pluriel) : invariable.

nos huit ballons, nos sept copains, nos sept copines

Avec traits d'union : tous les nombres composés

vingt-deux, trente-trois, quatre-vingt-dix

Mais sans traits d'union, ni avant ni après les mots suivants :

cent	deux cent trois, deux cent trente
mille (invariable)	deux mille, deux cent mille
milliers, millions, milliards	trois milliers, deux millions, six milliards
et un	vingt et un

Accord du numéral ordinal

Déterminant numéral **ordinal** (rang) : premier, deuxième, troisième, etc.

Genre (masculin ou féminin) : invariable, sauf *premier.*

le deuxième garçon, la deuxième fille, le premier garçon, la première fille

Nombre (singulier ou pluriel) : variable.

le sixième garçon, les sixièmes garçons, la sixième fille, les sixièmes filles

Traits d'union : mêmes règles que les cardinaux.

vingt et unième, vingt-deuxième, quatre-vingt-dixième, cent deuxième

Accord de « cent »

S'il est multiplié et suivi d'un nom	var.	deux cents dollars
Suivi d'un nom, mais pas multiplié	inv.	deux mille cent dollars
Suivi d'un déterminant numéral	inv.	deux cent trois dollars
Suivi de **mille** (qui est invariable)	inv.	deux cent mille dollars
Suivi de **milliers, millions, milliards**	var.	deux cents millions de dollars
S'il s'agit d'un rang	inv.	la page deux cent

Accord de « quatre-vingt »

Suivi d'un nom	var.	quatre-vingts dollars
Suivi d'un déterminant numéral	inv.	quatre-vingt-deux dollars
Suivi de **mille** (qui est invariable)	inv.	quatre-vingt mille dollars
Suivi de **milliers, millions, milliards**	var.	quatre-vingts millions de dollars
S'il s'agit d'un rang	inv.	la page quatre-vingt

Âges

Les nombres dans les âges s'écrivent en lettres de *un* à *neuf* inclus, et en chiffres à partir de *dix.* Si le nombre n'est pas entier, on l'écrit en lettres.

Ce bébé a deux mois.
Geneviève a deux ans et demi.
Victor Hugo est mort à 83 ans.
François a dix-sept ans et demi.

Cartes à jouer

Les nombres des cartes à jouer s'écrivent en lettres.

le neuf de carreau
le dix de pique

Classes d'école

En lettres avec bas-de-casse initial aux classes d'école, de train ou d'avion.

la troisième C
en deuxième année
la classe de quatrième
voyager en première

Début d'une phrase

Un nombre au début d'une phrase s'écrit en lettres. On évitera cette tournure de phrase si le nombre est très grand.

Il y avait 25 personnes. Dix-huit d'entre elles appartenaient à la Société.
Il y avait 25 personnes, dont 18 appartenaient à la Société.

Degré

Le signe de degré (un petit cercle ° supérieur) s'emploie dans les domaines suivants : longitude et latitude, angles plans, degrés d'alcool et températures. Il ne peut être utilisé que lorsqu'il est précédé d'un nombre de quantité écrit en chiffres, et non d'un numéro d'ordre.

Il a fait 10° à l'ombre aujourd'hui.
Il fait plus chaud de quelques degrés.
Elle a été brûlée au troisième degré.
Il est au 30e degré de latitude N.

Degrés d'alcool

Le signe ° est collé au nombre qui le précède (décimales comprises) et il est suivi d'une espace sécable. Ces valeurs sont décimales, donc avec la virgule.

un vin de 10° très fruité
un vin de 10,4° excellent

Degrés de température

Si la précision C ou F (Celsius ou Fahrenheit) n'est pas donnée, le signe ° est collé au nombre qui le précède (décimales comprises) et il est suivi d'une espace sécable ; si le signe est précisé par C ou F, il est détaché du nombre par une espace insécable. Ces valeurs sont décimales, donc avec une virgule.

Il a fait 26,7° aujourd'hui.
Il a fait 26,7 °C aujourd'hui.

Il faisait un froid de six béries.

Densités

Un nombre dans une densité s'écrit en chiffres. Il s'agit d'un nombre décimal, donc avec une virgule.

Le plomb a une densité de 11,3 et il fond à 327 °C; il bout à 1740 °C.

Horaires

Les horaires de trains, d'avions ou d'autocars sont donnés en heures et en minutes. La journée commence à minuit. Dans un même jour, le premier train peut partir à 00:00 et le dernier à 23:59. On utilise toujours quatre chiffres. Voici les deux façons d'écrire les horaires, au choix :

00:00	*ou*	0000	minuit
01:01	*ou*	0101	une heure une minute du matin
12:15	*ou*	1215	midi et quart
15:00	*ou*	1500	quinze heures (trois heures de l'après-midi)
23:59	*ou*	2359	minuit moins une minute du jour suivant

Longitude, latitude, angles plans

Le signe ° est collé au nombre qui le précède. On met une espace insécable entre les éléments. Ces valeurs sont données en degrés, minutes d'angle et secondes d'angle. On ne met pas de zéro devant les chiffres inférieurs à dix. Il y a 360 degrés dans une circonférence, 60 minutes dans un degré et 60 secondes dans une minute.

Ce point est situé par 41° 8′ 25″ de latitude N.
Ce triangle a un angle de 43° 9′ 25″ exactement.
Un angle droit est un angle de 90° exactement.

Numéros d'armées

Les numéros d'armées, de corps, de divisions, de régiments, de compagnies, de bataillons, etc., s'écrivent en chiffres, et le nom prend un bas-de-casse.

la 1re armée	le 5e bataillon	le 13e régiment	la 2e brigade

Numéros d'ordre

Les numéros d'adresses, d'années, d'articles, de circulaires, de lois, de loteries et de pages s'écrivent en chiffres. On ne met pas d'espace entre les tranches de trois chiffres, car il ne s'agit pas d'une quantité mais d'un **rang.**

1234, rue Dupont	l'année 2001	l'article 4234	la circulaire 8976
la loi 4956	le billet 879809	la page 1456	

Poésies

Les nombres s'écrivent en lettres.

Ce siècle avait deux ans. Rome remplaçait Sparte.
Déjà Napoléon perçait sous Bonaparte.

La grève des Postes est due à plusieurs facteurs.

Pourcentages

Les nombres dans les pourcentages accompagnés du signe % s'écrivent en chiffres. Le signe % est détaché du nombre par une espace insécable, alors que les fractions (¼, ½, ¾) sont collées au nombre qui les précède.

50 % 12½ % 6,5 % 3,5 p. 100 dix pour cent

On emploiera la forme % dans les textes scientifiques, les tableaux et les textes ordinaires. La forme *p. 100* sera utilisée sur demande de l'auteur seulement. Enfin, la forme *pour cent* sera utilisée dans les textes littéraires. Si le nombre n'est pas entier, il vaut mieux utiliser la forme avec la virgule plutôt que les fractions. Les mêmes règles peuvent s'appliquer à ‰ (pour mille).

Les signes % et $ peuvent être répétés ou non dans les exemples suivants :

un intérêt de 4 % à 6 % annuel
un intérêt de 4 à 6 % annuel
un gain de 100 $ à 150 $
un gain de 100 à 150 $

Proverbes

Les nombres s'écrivent en lettres.

Deux opinions valent mieux qu'une.
Un de perdu, dix de retrouvés.
Un homme averti en vaut deux.
Un tiens vaut mieux que deux tu l'auras.

Quantités

Les nombres signifiant une quantité (et non pas un rang) sont séparés en groupes de trois chiffres détachés par une espace fine ou une espace insécable, même les décimales. Si le nombre n'a que quatre chiffres, on peut l'écrire avec ou sans espace. On met une espace insécable entre le nombre et le symbole.

23 234,78 $ 2 678 kg *ou* 2678 kg π = 3,141 592 653...

Statistiques

Les nombres dans les statistiques s'écrivent tous en chiffres.

Les travailleurs sont-ils pour ou contre les vacances?
456 m'ont répondu : « Je suis pour. »
234 m'ont répondu : « Je ne suis pas contre. »

Un, une (déterminant numéral)

Quand le mot **un** est déterminant numéral et non pas article indéfini, on fera l'élision seulement s'il est suivi de décimales dans l'écriture en lettres.

une pièce de un dollar (déterminant numéral)
une longueur d'un mètre cinquante (suivi de décimales)
la longueur d'un terrain (article indéfini)

Votes

Les nombres indiquant le résultat d'un vote s'écrivent tous en chiffres.

Le résultat du vote fut le suivant : 16 voix pour et 5 voix contre.

Arrêtons de passer du coq à l'âne et revenons à nos moutons.

Orthographe

ORTHOGRAFE

Introduction

Les langagiers

Ce chapitre « Orthographe » fait maintenant partie de ce livre de typographie. De nos jours, il est évident que les fonctions de rédacteur, de réviseur, de traducteur et de correcteur d'épreuves se sont entremêlées. Autrement dit, maintenant, tous les langagiers doivent connaître à la fois l'orthographe et la typographie.

La nomenclature traditionnelle

Ce chapitre n'est pas une grammaire complète. C'est plutôt un aide-mémoire présenté de façon claire et pratique. La nomenclature grammaticale est celle qui est utilisée dans le *Multidictionnaire,* le *Larousse* et le *Robert.* C'est celle qui a traversé les siècles, à l'abri des inventions éphémères et inutiles. Tout lecteur qui consulte un dictionnaire et qui lit « v.t. » devrait savoir ce qu'est un verbe transitif.

Dans le chapitre « Ponctuation », qui fait partie des règles typographiques, j'explique par exemple qu'on ne doit pas séparer par une virgule le *verbe* de son *sujet* ni de son *complément d'objet direct.*

Pour être sûr que mon lecteur comprend bien ces termes en italique, j'ai donc rédigé le chapitre qui suit.

Abréviations utilisées

adj.	adjectif
adv.	adverbe
c.o.d.	complément d'objet direct
c.o.i.	complément d'objet indirect
exc.	exception
f.	féminin
f.p.	féminin pluriel
inv.	invariable
m.	masculin
m./f.	masculin ou féminin
m.p.	masculin pluriel
p.p.	participe passé
var.	variable

Abc de grammaire

Nom

Le nom est un mot variable qui désigne soit un être, soit une chose.

être	*personne ou animal*	étudiante, chat
chose	*objet ou idée*	chaise, honneur

Genre du nom

masculin	un banc	Pierre	bonheur	renard
féminin	une fenêtre	Pierrette	confiance	hirondelle
épicène	un/une enfant	élève	secrétaire	journaliste
non marqué	le rédacteur (*signifie* le rédacteur ou la rédactrice)			

Nombre du nom

Singulier : on met **le, la, un, une** devant. Pluriel : on met **les** ou **des** devant.

singulier	le chat	la table	un garçon	une fille
pluriel	les chats	les tables	des garçons	des filles

Nom au sens propre ou figuré

Le sens propre est le premier sens du mot donné dans le dictionnaire.

sens propre	une fleur des champs	l'air pur des montagnes
sens figuré	la fleur de l'âge	l'air du temps

Nom concret ou abstrait

Concret : un être vivant ou un objet. Abstrait : une idée ou une qualité.

concret	un bébé	un enfant	un tigre	une maison
abstrait	la confiance	la fermeté	la valeur	le risque

Nom simple ou composé

Simple : un seul mot. Composé : plusieurs mots, avec ou sans traits d'union.

simple	timbre	ciel	pomme
composé	timbre-poste	arc-en-ciel	pomme de terre

Nom individuel ou collectif

Individuel : un être ou une chose. Collectif : un ensemble.

individuel	rédactrice	manteau
collectif	la plupart	une foule

Nom commun ou nom propre

Commun : un être ou une chose. Propre : nom qui s'écrit avec une majuscule.

commun	chien	fauteuil
propre	Dupont	Montréal

Pour savoir si on est en bonne santé, il faut passer un ketch-up.

Déterminant

Mot variable qui précise un nom et le précède. Il y a six sortes de déterminants.

Déterminant démonstratif

Mot variable qui précède le nom en le montrant. Liste complète : ce, cet, cette, ces. On emploie **cet** devant un mot masculin commençant par une voyelle.

ce jardin, *cet* avion, *cette* voiture, *ces* fleurs

Déterminant possessif

Mot variable qui précède le nom et indique une possession. Liste complète : mon, ton, son, ma, ta, sa, mes, tes, ses, notre, votre, leur, nos, vos, leurs (*notre* et *votre* ne prennent pas de **ô**).

mon livre, *ta* mère, *ses* gants, *notre* voiture

Déterminant interrogatif

Mot variable qui précède un nom et sert à poser une question. Liste complète : quel, quelle, quels, quelles. (Tous commencent par la lettre **q.**)

Quelle route prendrez-vous?

Déterminant indéfini

Mot variable qui accompagne un nom pour indiquer une idée vague. Liste partielle : certain, aucun, plusieurs, divers...

certaines personnes, *plusieurs* jours, *divers* éléments

Déterminant numéral

Cardinal. En général invariable, il précède le nom et lui donne une **quantité.**

les *quatre* joueuses, les *quatre* joueurs

Ordinal. Mot variable en nombre qui précède le nom et lui donne un **rang.**

les *quatrièmes* parties, les *quatrièmes* Jeux du Québec

Article

Article défini. Mot variable qui accompagne le nom et lui donne une détermination précise. Il y a trois articles définis : *le, la, les.*

le chapeau vert, *la* valise rouge, *les* patins blancs

Article indéfini. Mot variable qui accompagne le nom et lui donne une détermination imprécise. Il y a trois articles indéfinis : *un, une, des.*

un chapeau vert, *une* valise rouge, *des* patins blancs

Article partitif. Mot variable qui accompagne le nom et indique une partie d'un tout. Il y a trois articles partitifs : *du, de la, des.*

Nous avons pris *du* café, *de la* crème et *des* confitures.

Pronom

Mot variable qui sert à remplacer un nom déjà exprimé ou sous-entendu. Le nom en question se nomme l'**antécédent.** Il y a six sortes de pronoms.

Pronom démonstratif

Mot variable qui remplace un nom en montrant l'être ou la chose en question. Liste complète : ça, ce, ceci, cela, celle, celle-ci, celle-là, celles, celles-ci, celles-là, celui, celui-ci, celui-là, ceux, ceux-ci, ceux-là. (Ils commencent tous par la lettre **c.**)

Cette voiture est verte ; *celle-ci* est bleue.

Pronom possessif

Mot variable qui remplace (avec l'idée de possession) un nom déjà exprimé. Liste complète : le mien, le tien, le sien, la mienne, la tienne, la sienne, les miens, les tiens, les siens, les miennes, les tiennes, les siennes, le nôtre, le vôtre, le leur, la nôtre, la vôtre, la leur, les nôtres, les vôtres, les leurs (*nôtre* et *vôtre* ont un **ô**).

Votre voiture et *la nôtre* sont bleues.

Pronom interrogatif

Mot variable qui sert à poser une question sur la personne ou la chose dont on parle, dont on a parlé ou dont on va parler. Liste complète : qui, que, quoi, ce qui, ce que, lequel, duquel, auquel, laquelle, de laquelle, à laquelle, lesquels, desquels, auxquels, lesquelles, auxquelles, desquelles.

Qui avez-vous rencontré ?

Pronom indéfini

Le pronom indéfini est un mot variable qui remplace un nom (déjà exprimé ou sous-entendu) d'une façon vague ou indéfinie. Liste partielle : aucun, nul, certains, plus d'un, personne, plusieurs, l'un, l'autre, un autre, autrui, on, quelqu'un, chacun, tel, le même, tout...

Nous avons cueilli des poires ; *certaines* étaient gâtées.

Pronom personnel

Mot variable qui sert à remplacer la personne qui parle, à qui l'on parle ou dont on parle. Il sert aussi à remplacer une chose. Liste partielle : je, tu, il, elle, on, nous, vous, ils, elles, me, te, se, moi, toi, soi...

Mon nom est Françoise et *je* lis des poèmes.
Ton nom est Robert et *tu* étudies le chant.
Sylvie est sportive : *elle* joue très bien au tennis.
La course à pied est très utile : *elle* est bonne pour la santé.

Pronom relatif

Mot variable qui remplace un nom ou un pronom qui a déjà été exprimé. Liste complète : qui, que, quoi, dont, où, lequel, laquelle, lesquels, lesquelles, duquel, desquels, auquel, auxquels, de laquelle, desquelles, à laquelle, auxquelles.

Ginette mange les fruits *qui* tombent. Yves mange ceux *que* je ramasse.

Il y a une recrue d'essence de vols dans les stations-service.

Adjectif

Mot variable qui qualifie le nom ou le pronom. Il y a trois adjectifs :

adjectif qualificatif	grand, grande
adjectif verbal, qui vient d'un verbe	souriant, souriante
adjectif de couleur	bleu, bleue

Adverbe

Mot invariable qui modifie un verbe, un adjectif ou un autre adverbe.

Elle marche *vite.* Il est *peu* efficace. Elle parle *très* bien.

Adverbes à partir d'adjectifs.

Ils se forment en prenant le féminin de l'adjectif et en ajoutant *-ment.*

légère : légèrement, complète : complètement

Adverbes à partir d'adjectifs finissant par *-ant.*

Ils s'écrivent en remplaçant *-ant* par *-amment.*

bruyant : bruyamment, constant : constamment

Adverbes à partir d'adjectifs finissant par *-ent.*

Ils s'écrivent en remplaçant *-ent* par *-emment.*

prudent : prudemment, négligent : négligemment

Conjonction

Conjonction de coordination

Elle sert à lier des phrases ou des éléments de même fonction grammaticale. Liste complète : mais, ou, et, donc, or, ni, car.

Il aime le dessin *et* la peinture. Elle doit choisir : rester *ou* partir.

Conjonction de subordination

Elle sert à introduire une proposition subordonnée. Liste partielle : si, que, quand, comme, quoique, lorsque, puisque, parce que...

Je crois que nous sortirons, *si* le temps le permet.

Interjection

Mot (ou groupe de mots) invariable qui sert à souligner une émotion.

Ah!	douleur ou joie	Ah! que je suis content!
Eh bien,	dans le sens de « alors »	Eh bien, qu'avez-vous à dire?

Préposition

Mot invariable qui établit un rapport entre les mots. Liste partielle : à, de, en, sur, avec, par, pour, sans...

Je vais *à* la partie de football. J'aime les chansons *de* Céline Dion.

Participe

Participe présent

Le participe présent se termine toujours par **-ant** et reste invariable. On le reconnaît quand on peut mettre **en** devant lui.

Il entra, *souriant* aux invités.	Elle entra, *souriant* aux invités.
Ils entrèrent, *souriant* aux invités.	Elles entrèrent, *souriant* aux invités.

1. Participe présent employé comme adjectif

Il s'accorde en genre et en nombre avec le nom auquel il se rapporte. On l'appelle *adjectif verbal.*

Ces garçons *souriants* sont entrés.	Ces filles *souriantes* sont entrées.

2. Participe présent et adjectif verbal

Il y a parfois des différences orthographiques entre le participe présent et l'adjectif verbal ou le nom. (Le participe présent est donné en premier.)

adhérant	adhérent	extravaguant	extravagant
affluant	affluent	fabriquant	fabricant
coïncidant	coïncident	fatiguant	fatigant
communiquant	communicant	fringuant	fringant
confluant	confluent	influant	influent
convainquant	convaincant	intriguant	intrigant
convergeant	convergent	naviguant	navigant
déférant	déférent	négligeant	négligent
détergeant	détergent	précédant	précédent
différant	différent	présidant	président
divergeant	divergent	provoquant	provocant
émergeant	émergent	résidant	résident
équivalant	équivalent	somnolant	somnolent
excellant	excellent	suffoquant	suffocant
expédiant	expédient	vaquant	vacant

Participe passé

On trouve le participe passé en conjuguant le verbe au passé composé.

Il a *fini* ses devoirs.	Elle est *arrivée* à l'heure.

Terminaisons du participe passé

Le participe passé masculin se termine par l'une des lettres **é, i, s, t, u.** Pour savoir la dernière lettre d'un participe passé masculin, on le prononce ou on l'écrit au féminin et on retranche la lettre **e.**

une lettre arrivée	un message arrivé
une lettre finie	un message fini
une lettre permise	un message permis
une lettre écrite	un message écrit
une lettre lue	un message lu

Propositions

Indépendante

Une proposition indépendante ne dépend d'aucune autre proposition.

Demain soir, j'irai au restaurant avec mon ami.

Deux propositions indépendantes peuvent être coordonnées.

Nous sommes allés au restaurant et *nous avons bien mangé.*

Principale

Elle exprime l'idée principale de la phrase. On ne peut pas la supprimer.

Quand le soleil est revenu, *nous sommes sortis.*

On ne peut pas supprimer la principale (*en italique*), car la phrase serait incomplète.

Subordonnée relative explicative

Elle est introduite par un pronom relatif : qui, que, quoi, dont, où...
Entre deux virgules, elle « explique » que toutes les poires étaient mûres.

Les poires, *qui étaient mûres,* ont été cueillies.

Subordonnée relative restrictive

Elle est introduite par un pronom relatif : qui, que, quoi, dont, où...
Sans virgules, elle « restreint » le nombre de poires qui ont été cueillies.

Les poires *qui étaient mûres* ont été cueillies.

Subordonnée circonstancielle

Elle indique les circonstances qui entourent la principale. Circonstancielles...

de temps	*Quand le chat est parti,* les souris dansent.
de but	Je croise mes doigts *pour que tu réussisses.*
de cause	Tu dois prendre ton parapluie *parce que le temps se couvre.*
de condition	*Si je savais la réponse à cette question,* je vous la dirais.

Subordonnée participiale

Son verbe est un participe (présent ou passé).

Espérant une réponse, je vous adresse mes sincères salutations.
Le beau temps revenu, nous avons repris notre marche.

Incise ou incidente

Proposition généralement courte, intercalée dans une autre, et qui a le même effet qu'une parenthèse.

« Ce cheval, *dit-elle,* est nerveux. »	incise
« Cette salade, *il me semble,* est délicieuse. »	incidente

Fonctions du nom

Sujet

Il répond à la question **qui est-ce qui?** ou **qu'est-ce qui?** posée avant le verbe.

Caroline joue au tennis. La *pluie* tombe.

Complément d'objet direct (c.o.d.)

Il répond à la question **qui?** ou **quoi?** posée après le verbe d'action. On dit alors que le verbe est *transitif direct.*

Paul appelle le *directeur.* La jeune fille lit le *journal.*

Complément d'objet indirect (c.o.i.)

Il répond aux questions **à qui? à quoi? de qui? de quoi?** posées après le sujet et le verbe. Le verbe est alors *transitif indirect,* car il est construit avec une préposition. Un verbe qui n'a ni c.o.d. ni c.o.i. est dit *intransitif.*

Les soldats obéissent au *capitaine.* La dame renonce à la *poursuite.*
Il se souvient de ses *parents.* Je doute de ses *capacités.*

Complément circonstanciel

Il répond aux questions **où? quand? comment? combien?** posées après le verbe.

Je vais à la *mer.* Je partirai *mardi.*
Je voyagerai en *train.* Cela me coûtera mille *dollars.*

Complément du nom

En général, il précise un nom ou un pronom à l'aide de la préposition **de.** Il définit :

l'auteur	une lettre de *Françoise*
le contenu	un verre de *vin*
la matière	un mur de *ciment*
l'origine	du sucre de *betterave*
le possesseur	la bicyclette de *Paul*
le prix	un livre de *trois dollars*

Apostrophe rhétorique

Elle représente l'être ou la chose à qui l'on s'adresse.

Je t'en prie, *Luc,* viens ici. *Montagnes,* je vous adore.

Apposition

Un nom est en apposition quand il est à côté d'un nom pour le préciser.

Mme Claire Dubé, *présidente,* a pris la parole.

Attribut

Il qualifie le sujet ou le c.o.d. par l'intermédiaire d'un verbe d'état.

Georges est le *fils* du ministre. Je la croyais *architecte.*

Verbe

Procès

verbe d'action	ôter, cueillir, s'entraîner
verbe d'état	être, sembler, paraître

Voix

active	Je lis un livre.	le sujet *fait* l'action
passive	Le livre est lu.	le sujet *subit* l'action
pronominale	Christine **se** maquille.	*pronom* réfléchi

Formes

affirmative	Tu lis le journal.	affirmation
négative	Tu ne lis pas le journal.	négation
interrogative	Lis-tu le journal?	interrogation
interro-négative	Ne lis-tu pas le journal?	interro-négation

Transitivité

transitif direct	Je mange une poire.	c.o.d. (sans préposition)
transitif indirect	Je me souviens **de** toi.	c.o.i. (avec une préposition)
intransitif	Je dors.	sans c.o.d. ni c.o.i.
impersonnel	Il pleut.	seulement avec **il**

Groupes

premier groupe	en **-er**	aimer	**aim** radical, **er** terminaison
deuxième groupe	en **-ir**	finir (-issant)	**fin** radical, **ir** terminaison
troisième groupe	autres verbes		

Personnes

	singulier	*pluriel*
première personne	je	nous
deuxième personne	tu	vous
troisième personne	il/elle/on	ils/elles

Modes

infinitif	conditionnel	impératif
indicatif	subjonctif	participe

Temps

temps simples		*temps composés*	
indicatif présent	j'aime	indicatif passé composé	j'ai aimé
indicatif imparfait	j'aimais	indicatif plus-que-parfait	j'avais aimé
indicatif passé simple	j'aimai	indicatif passé antérieur	j'eus aimé
indicatif futur	j'aimerai	indicatif futur antérieur	j'aurai aimé
conditionnel présent	j'aimerais	conditionnel passé	j'aurais aimé
subjonctif présent	que j'aime	subjonctif passé	que j'aie aimé

Les enfants ne sont pas tous du même lit, car nous avons changé nos meubles.

Accord du verbe

Avec le sujet

Le verbe s'accorde en personne et en nombre avec son sujet. Le sujet répond à la question **qui est-ce qui?** ou **qu'est-ce qui?** posée avant le verbe.

Le *soleil* brille.
qu'est-ce qui brille? — le soleil (troisième personne du singulier).

La *fille* et le *garçon* s'avancent. *Je* les vois. *On* les voit.
qui est-ce qui s'avance? — la fille et le garçon (troisième personne du pluriel).
qui est-ce qui les voit? — je (première personne du singulier).
qui est-ce qui les voit? — on (troisième personne du singulier).

Ils ont accepté les offres que leur avait faites la *ministre*.
qui est-ce qui a accepté les offres? — ils (troisième personne du pluriel).
qui est-ce qui a fait les offres? — la ministre (troisième personne du singulier).

Luc sort les tiroirs et les fouille.
qui est-ce qui sort les tiroirs et les fouille? — Luc (troisième du singulier).

Ils nous donneront les résultats quand *nous* les demanderons.
qui est-ce qui donnera les résultats? — ils (troisième personne du pluriel).
qui est-ce qui les demandera? — nous (première personne du pluriel).

Toute la nombreuse *famille* était réunie.
qui est-ce qui était réunie? — la famille (même s'il y a plusieurs personnes).

Le sujet est un infinitif

Le verbe se met au singulier.

Pratiquer différents sports *est* un exercice qui forme le corps et l'esprit.

Pronoms personnels différents

La première personne l'emporte sur la deuxième, et la deuxième sur la troisième.

Toi et moi *chanterons.*
Elle et moi *chanterons.*
Vous et lui *chanterez.*
Vous et moi *chanterons.*
Lui, toi et moi *chanterons.*
Toi et lui *chanterez.*

Pronom relatif « qui »

Le verbe se met à la même personne et au même nombre que l'antécédent.

Est-ce *toi* qui *as* frappé? C'est *moi* qui *ai* dit cela.

Adverbe de quantité

Le verbe se met au pluriel si ce qui suit peut se compter.

assez de	bien des	moins de	plus de	tant de
beaucoup de	combien de	peu de	que de	trop de...

Beaucoup de joueurs *riaient*. Beaucoup de tendresse *illuminait* son regard.

« Le voleur a volé les pommes », où est le sujet? — « En prison. »

Accord de l'adjectif

Qualificatif

L'adjectif qualificatif, qu'il soit attribut, épithète ou apposition, s'accorde en genre et en nombre avec le nom ou le pronom auquel il se rapporte.

Attribut	Ces robes sont *belles* ; elles sont même *magnifiques.*
Épithète	Les *beaux* jours sont arrivés.
Apposition	Toutes ces robes, très *belles,* sont à vendre.

Deux noms singuliers

L'adjectif qui se rapporte à deux noms singuliers se met au pluriel.

Le pont et la rivière sont *pittoresques.*

Deux noms de genre différent

L'adjectif se met au masculin pluriel (genre non marqué).

Il portait une cravate et un manteau *noirs.*

La cravate et le manteau étaient noirs. Placer le nom masculin près de l'adjectif.

Un seul des noms

Si l'adjectif se rapporte à un seul des noms, l'accord se fait selon le sens.

Il portait une cravate et un manteau *noir.*

Seul le manteau était noir : l'adjectif s'accorde avec ce mot seulement.

Deux adjectifs pour un nom

L'accord des adjectifs se fait selon le sens. Il y a un seul gouvernement fédéral.

Les gouvernements *fédéral* et *provinciaux* sont représentés.

Deux noms unis par « de »

L'accord de l'adjectif se fait selon le sens.

une forêt de sapins *immense*	c'est la forêt qui est immense
une forêt de sapins *immenses*	ce sont les sapins qui sont immenses

Adjectif comme adverbe

Cet adjectif reste invariable, comme un adverbe.

Sophie parle *fort* (fort = fortement).

Couleur simple

L'adjectif de couleur simple s'accorde en genre et en nombre avec le nom auquel il se rapporte. Liste partielle des adjectifs de couleurs simples :

beige	brun	fauve	jaune	pourpre	vermeil
blanc	châtain	glauque	mauve	rose	vert
bleu	cramoisi	gris	noir	rouge	ultraviolet
blond	écarlate	incarnat	orangé	roux	violet...

des robes *bleues*

Couleur formée d'un nom

Liste partielle des noms pris comme adjectifs de couleur (invariables) :

abricot	bronze	coquelicot	groseille	nacre	pomme
amarante	café	crème	havane	noisette	prune
ardoise	caramel	cuivre	indigo	ocre	rouille
argent	carmin	ébène	jade	olive	safran
auburn	cerise	émeraude	jonquille	or	saumon
azur	châtaigne	fer	kaki	orange	sépia
bistre	chocolat	framboise	marron	pervenche	tomate
brique	citron	grenat	moutarde	pistache	turquoise...

des robes *citron*

Couleur suivie d'un nom

L'adjectif de couleur et le nom qui le suit sont invariables, sans trait d'union.

des robes *rouge cerise*

Couleur suivie d'un adjectif

L'adjectif de couleur et l'adjectif qui le suit sont invariables, sans trait d'union.

des robes *bleu clair*

Deux couleurs mélangées

Les deux sont invariables, avec trait d'union. **Bleu** et **noir** sont des couleurs simples et elles sont mélangées pour former une nouvelle couleur.

une encre *bleu-noir*

Deux couleurs additionnées

Les deux adjectifs de couleur restent invariables, et l'on utilise le mot **et** sans trait d'union. Ces photos ont chacune du noir et du blanc additionnés mais non mélangés.

des photos *noir et blanc*

Deux couleurs pour un seul nom

Il y a des rayures noires et des rayures blanches. Les deux adjectifs s'accordent.

des rayures *noires et blanches*

À vendre : un lit vertical plus un recueil d'histoires à dormir debout.

Accord du participe passé

Règles générales

1. **Le participe passé** est dans la liste des pages 136 et 137 .... **invariable**

   Les reines se sont *succédé.*
   Les filles se sont *plu* à raconter des anecdotes.
   Les garçons se sont *ri* des menaces qui leur étaient adressées.

2. **Sans auxiliaire** .... **accord comme un adjectif**

   Il reçut enfin la lettre *attendue.*
   Celle-ci, *écrite* à la main, lui plut.
   Les feuilles *tombées* ont été brûlées.

3. **Avec c.o.d. placé avant** .... **accord avec le c.o.d.**

   La voiture que j'ai *achetée* est bleue.
   C'est la règle que lui a *fixée* son père.
   Ils se sont *blessés* à la tête.
   La table qu'il s'est *fabriquée* est bancale.
   Je les en ai *informés.*

4. **Avec c.o.d. placé après** .... **invariable**

   J'ai *écrit* une lettre.
   Elle a *acheté* un livre.
   Elle s'est *acheté* une robe.
   Ils se sont *pardonné* leurs fautes.

5. **Avec « avoir », sans c.o.d.** .... **invariable**

   Elles ont beaucoup *attendu.*
   Ils ont *chanté* hier soir.
   Elles ont *lu* pendant une heure.
   Il vous en a *parlé.*
   Cette maison nous a *appartenu.*
   Elle a *rêvé* toute la nuit.
   Les rivières ont *débordé.*

6. **Avec « être », sans c.o.d.** .... **accord avec le sujet**

   Les joueuses sont *arrivées.*
   Toutes les personnes ont été *ravies.*
   On est *entré* chez moi par effraction.
   La bague et le bracelet ont été *vendus.*
   Elle est *allée* à Québec et elle en est *enchantée.*
   Ils se sont *souvenus* de leur enfance.
   Elle s'est *aperçue* de l'erreur.
   Elle s'est *attendue* à cette question.
   Elle s'est *trompée* d'escalier.

   Sauf si le pronom réfléchi (nous, vous, se) **est c.o.i.** .... **invariable**

   Nous nous sommes *parlé* (nous avons parlé l'une à l'autre).
   Vous vous êtes *téléphoné* (vous avez téléphoné l'une à l'autre).
   Elles se sont *écrit* (elles ont écrit l'une à l'autre).

Pourriez-vous me dire si mon assurance-vol garantit le vol des antivols?

Cas particuliers

7. Verbe impersonnel (se conjugue seulement avec **il** neutre)............**invariable**

La décision qu'il a *fallu* prendre a été pénible.
Les jours qu'il a *neigé,* c'était beau.
La rumeur qu'il y a *eu* était exagérée.
Les orages qu'il a *fait* ont tout gâché.

8. *L'* neutre............**invariable**

La photo est plus belle que je l'avais *craint.*
La fleur est plus belle que je l'avais *cru.*
Rendons justice à celui qui l'a *mérité.*
Elle est fâchée, comme je l'avais *prévu.*

9. Suivi d'un infinitif, le c.o.d. fait l'action .... **accord avec le c.o.d.**

La dame que j'ai *vue* sourire était jolie.
Ces barbares, je les ai *vus* piller.
La chanteuse que j'ai *entendue* chanter avait une belle voix.
Les fruits que j'ai *vus* mûrir ont été vendus.

10. Suivi d'un infinitif, le c.o.d. ne fait pas l'action............**invariable**

La rue que j'ai *vu* réparer est ouverte.
Ces victimes, je les ai *vu* piller.
La chanteuse que j'ai *entendu* applaudir le méritait bien.
Les fruits que j'ai *vu* cueillir étaient mûrs.

11. Suivi d'un infinitif sous-entendu............**invariable**

J'ai fait les choses que j'ai *voulu* (sous-entendu : *faire.*)
J'ai rendu les services que j'ai *pu.*
Il a rempli les engagements qu'il a *dû.*

12. *Fait* suivi d'un infinitif............**invariable**

Elle s'est *fait* entendre et ils se sont *fait* aimer.
Ils ont pris les petites filles et les ont *fait* jouer.
Elles se sont *fait* attaquer.

13. *En,* quand il est c.o.d. ....**invariable**

De la confiture, j'en ai pris (j'ai pris quoi? — *en,* mis pour *confiture*).
Des tomates, on en a *mis* beaucoup.
Des poires, j'en ai *mangé.*
Des pays, ils en ont *visité.*

14. *Coucher, courir, coûter, mesurer, peser, souffrir, valoir, vivre* au sens intransitif............**invariable**

La nuit que nous avons *couché* chez vous a été agréable.
Il a neigé pendant l'heure qu'il a *couru.*
Je ne regrette pas les dix dollars qu'a *coûté* ce livre.

au sens transitif direct............**variable**

Les enfants que nous avons *couchés* étaient fatigués.
Les dangers qu'il a *courus* sont chose du passé.
Je me souviens des efforts qu'a *coûtés* ce travail.

J'ai cassé mon phare et j'ignore si je suis couvert. Pouvez-vous m'éclairer?

Participes passés invariables

Les verbes

transitifs indirects	qui s'emploient avec une préposition	jouir de
intransitifs	qui n'ont pas de c.o.d. ni de c.o.i.	rire, dîner
transitifs	employés au sens intransitif, marqués [1]	courir, coûter
impersonnels	qui se conjuguent avec « il » seulement	falloir, neiger

ne peuvent pas avoir de c.o.d. Les participes passés suivants sont donc invariables.

abondé
abouti
aboyé
accédé
acquiescé
adhéré
afflué
agi
agonisé
aluni
amerri
appartenu
atermoyé
attenté
atterri
babillé
badiné
baguenaudé
bâillé
banqueté
bataillé
batifolé
bavardé
bénéficié
bifurqué
blêmi
boité
bondi
bourlingué
brillé
bronché
cabriolé
capitulé
caqueté
caracolé
cessé
chancelé
cheminé
chialé
chinoisé
chuté
circulé
clignoté
cliqué
cliqueté
coexisté
cohabité
coïncidé
commercé
comparu
compati
complu
concouru
consisté
contrevenu
contribué
convergé
conversé
convolé
coopéré
copiné
correspondu
couché[1]
couru[1]
cousiné
coûté[1]
crâné
craqueté
créché
crépité
croulé
croustillé
croûté
crû (croître)
culminé
daigné
déambulé
déblatéré
déchanté
déconné
découché
découlé
décru
défailli
dégénéré
dégoutté
déjeuné
délibéré
déliré
démérité
démordu
déparlé
dépéri
déplu
déraillé
dérapé
dérogé
détalé
détoné
détonné
devisé
dialogué
dîné
discordé
discouru
divagué
divergé
dormi
duré
émané
empiété
enquêté
équivalu
erré
été
éternué
étincelé
eu (il y a)
excellé
excipé
existé
explosé
exulté
faibli
failli
fainéanté
fait (il a)
fallu
fauté
finassé
flamboyé
flanché
flâné
foisonné
folâtré
fonctionné
forci
fourmillé
fraîchi
fraternisé
frémi
frétillé
frissonné
fructifié
fugué
fureté
galéré
galopé
gambadé
gargouillé
gazouillé
geint
gémi
gesticulé
giclé
gigoté
gouaillé
gravité
grêlé
grelotté
grimacé
grincé
grisonné
grogné
guerroyé
haleté
henni
herborisé
hésité
hoqueté
implosé
influé
insisté
intercédé
interféré
jailli
jasé
jeûné
jonglé
joui
jubilé
langui
larmoyé
légiféré

J'ai douze enfants, mais mon mari peut aussi faire des travaux de plomberie.

lésiné
louvoyé
louché
lui
lunché
lutté
magasiné
maraudé
médit
menti
mesuré[1]
mésusé
miaulé
milité
minaudé
miroité
monologué
moussé
mugi
musardé
nasillé
navigué
neigé
niaisé
nui
obtempéré
obvié
officié
opiné
opté
oscillé
œuvré
ovulé
pactisé
palabré
palpité
papillonné
papoté
paradé
paressé
parlementé
participé
pataugé
pâti
patienté
patrouillé
pausé
péché
pédalé
perduré
péri
périclité
péroré
persévéré
persisté
pesé[1]
pesté
pétaradé
pétillé
philosophé
pinaillé
pioncé
pique-niqué
pirouetté
pivoté
planché
pleurniché
plu (plaire)
plu (pleuvoir)
poireauté
polémiqué
pontifié
potiné
pouffé
pouliné
prédominé
préexisté
préludé
procédé
profité
progressé
proliféré
prospéré
pu
pué
pullulé
queuté
radoté
raffolé
ragé
râlé
rampé
randonné
réagi
rechigné
récidivé
récriminé
reflué
regorgé
rejailli
relui
remédié
renâclé
renchéri
répugné
résidé
résisté
résonné
resplendi
ressemblé
retenti
rêvassé
réveillonné
ri
ricané
ricoché
rigolé
rivalisé
rôdé
ronchonné
ronflé
roté
roupillé
rouspété
rugi
ruisselé
salivé
sangloté
sautillé
scintillé
scrabblé
séjourné
semblé
sévi
siégé
skié
sombré
sommeillé
songé
souffert[1]
soupé
sourcillé
souri
spéculé
sprinté
stagné
statué
subsisté
subvenu
succédé
succombé
suffi
suppuré
surabondé
surenchéri
surgi
suri
surnagé
sursauté
sursis
survécu
sympathisé
tablé
tâché
tangué
tardé
tâtonné
tempêté
temporisé
tergiversé
testé
titubé
tonitrué
tonné
topé
tourbillonné
tournoyé
toussé
toussoté
transigé
transparu
transpiré
trébuché
tremblé
trembloté
trépigné
tressailli
triché
trimé
trinqué
triomphé
trôné
trotté
trottiné
vacillé
vagabondé
valu[1]
vaqué
vécu[1]
végété
venté
verdoyé
vivoté
vogué
voisiné
voleté
voltigé
voyagé
vrombi
zigzagué

[1] Participe passé invariable quand il est employé intransitivement.

Participes passés variables

Le participe passé des verbes

toujours pronominaux	s'absenter, s'abstenir...
parfois pronominaux, avec *à* ou *de*	se donner à, se douter de...
conjugués seulement avec *être*	entrer, partir...

s'accorde toujours avec le sujet.

Elle s'est absentée ce matin.	Ils se sont abstenus.
Elle s'est donnée à ce travail.	Ils se sont doutés de quelque chose.
Elle est entrée dans la classe.	Ils sont partis de grand matin.

Liste de ces verbes dont le participe passé s'accorde avec le sujet :

absenter (s')
abstenir (s')
accointer (s')
accouder (s')
accroupir (s')
acharner (s')
acoquiner (s')
adonner (s')
affairer (s')
affaisser (s')
agenouiller (s')
aller
amouracher (s')
apercevoir de (s')
apparenter (s')
arriver
associer à (s')
assurer de (s')
atrophier (s')
attabler (s')
attaquer à (s')
attarder (s')
attendre à (s')
autofinancer (s')
avachir (s')
avérer (s')
aviser de (s')
biler (se)
blottir (se)
chamailler (se)
colleter (se)
contorsionner (se)
dandiner (se)
décarcasser (se)
décéder
dédire (se)
dégrouiller (se)
déhancher (se)
délecter (se)
démener (se)
démerder (se)
démoder (se)
désincarner (se)
désister (se)
devenir
dévergonder (se)
dévouer (se)
dissocier de (se)
divertir à
donner à (se)
douter de (se)
ébattre (s')
ébaudir (s')
ébrouer (s')
échapper de (s')
échiner (s')
écrier (s')
écrouler (s')
efforcer (s')
égosiller (s')
emparer (s')
empiffrer (s')
empresser (s')
énamourer (s')
encanailler (s')
encorder (s')
endimancher (s')
enfuir (s')
ennuyer de (s')
enquérir (s')
ensuivre (s')
enticher (s')
entr'aimer (s')
entraider (s')
entre-tuer (s')
entrer
envoler (s')
époumoner (s')
éprendre (s')
esclaffer (s')
escrimer (s')
étonner de (s')
évader (s')
évanouir (s')
évertuer (s')
exclamer (s')
extasier (s')
faire à (se)
féliciter de (se)
fier (se)
gargariser (se)
gausser (se)
goinfrer (se)
gourer (se)
immiscer (s')
ingénier (s')
insurger (s')
intervenir
jouer de (se)
lamenter (se)
marrer (se)
méfier (se)
méprendre (se)
mettre (se)
morfondre (se)
mourir
mutiner (se)
naître
obstiner (s')
pâmer (se)
parjurer (se)
partir
parvenir
passer de (se)
pavaner (se)
périmer (se)
plaindre de (se)
prélasser (se)
prendre à (se)
prévaloir de (se)
prosterner (se)
provenir
raviser (se)
rebeller (se)
rebiffer (se)
récrier (se)
recroqueviller (se)
redevenir
réfugier (se)
réincarner (se)
remplumer (se)
renfrogner (se)
repentir (se)
ressourcer (se)
rester
revenir
saisir de (se)
servir de (se)
soucier (se)
soustraire de (se)
souvenir (se)
suicider (se)
survenir
tapir (se)
targuer (se)
trémousser (se)
vautrer (se)
venir

Note. — Il n'existe pas de liste de verbes *parfois pronominaux.* En effet, la plupart des verbes peuvent se mettre à la forme pronominale : *je me lave, je m'étonne,* etc.

Conjugaisons

-ayer **payer,** balayer, bégayer, déblayer, défrayer, effrayer, enrayer, essayer...
Le **y** devient **i** devant un **e** muet : je paie, il paie, nous payons. Comparer le présent, l'imparfait et le subjonctif : payons, payions, payions.

-cer **avancer,** annoncer, effacer, élancer, foncer, forcer, lancer, placer...
Noter le **ç** devant **a** et **o** pour garder le son **s** : avança, avançons.

-éder **céder,** espérer, gérer, modérer, opérer, posséder, préférer, régler...
Avant-dernière syllabe accentuée. On met **è** devant une syllabe muette, **é** devant une syllabe non muette : cède, cédons.
Exception : futur et conditionnel, **é** : céderai, céderais.

-éer **créer,** agréer, délinéer, gréer, maugréer, procréer, recréer, suppléer...
Ces verbes gardent partout leur **é** du radical : je crée, il crée, que je crée.
Noter le **e** muet après le **é** au futur et au conditionnel : créerai, créerais.

-eler **appeler,** amonceler, atteler, bosseler, carreler, chanceler, craqueler, créneler, denteler, dételer, écheveler, ensorceler, épeler, étinceler, ficeler, griveler, grommeler, harceler, jumeler, morceler, museler, niveler, rappeler, renouveler, ressemeler, ruisseler.
Quand le **e** devant le **l** n'est pas muet, il est suivi de **ll** : j'appelle.
Quand le **e** devant le **l** est muet, il est suivi de un **l** : nous appelons.

-eler **peler,** celer, ciseler, congeler, déceler, décongeler, dégeler, démanteler, écarteler, geler, harceler, marteler, modeler, receler.
Noter le **è** devant une syllabe muette et le **e** muet devant une syllabe non muette : pèle, pelons.

-ener **mener,** achever, enlever, lever, peser, promener, semer, soulever...
Avant-dernière syllabe muette. On met **è** devant une syllabe muette, **e** muet devant une syllabe non muette : mène, menons.

-er **aimer.** L'impératif s'écrit sans **s** : aime ton prochain.

-eter **acheter,** corseter, crocheter, fureter, haleter, racheter.
Devant la syllabe muette **te,** on met un **è.** Devant une syllabe non muette débutant par **t,** on met un **e** muet : j'achète, nous achetons, j'achèterai.

-eter **jeter** et tous les verbes finissant par -eter, excepté la liste ci-dessus.
Devant la syllabe muette **te,** on met un **t.** Devant une syllabe non muette débutant par un **t,** on met un **e** muet : je jette, nous jetons, je jetterai.

-ger **manger,** arranger, bouger, corriger, juger, loger, obliger, rager...
Le **g** est suivi du **e** devant **a** et **o** : mangea, mangeons.

-gner **soigner,** aligner, baigner, cogner, daigner, éloigner, gagner, témoigner...
Comparer le présent, l'imparfait et le subjonctif : soignons, soignions, soignions. L'impératif s'écrit sans **s** : soigne.

-guer **distinguer,** dialoguer, divaguer, fuguer, narguer, naviguer, voguer...
Ces verbes gardent toujours le **u** après le **g** : je dialogue, nous dialoguons.
Attention aux noms dérivés, sans **u** après le **g** : allégation, navigation.

-ier **copier,** allier, apprécier, associer, clarifier, confier, crier, envier, étudier...
Au futur et conditionnel, le **e** muet subsiste après le **i** : copierai, copierais.
Noter le présent, l'imparfait et le subjonctif : copions, copiions, copiions.

Futur du verbe « je bâille » : « je dors ».

-iller **tailler,** briller, détailler, éveiller, fouiller, gaspiller, habiller, travailler... Toujours deux **l.** Noter le présent, l'imparfait et le subjonctif : taillons, taillions, taillions. L'impératif s'écrit sans **s** : taille.

-ir **finir** et tous les verbes dont le participe présent se termine en **-issant.** Impératif : finis, finissons, finissez.

-oyer **ployer,** aboyer, broyer, côtoyer, déployer, employer, nettoyer, noyer... Le **y** devient **i** devant un **e** muet : je ploie, il ploiera. Comparer le présent, l'imparfait et le subjonctif : ployons, ployions, ployions. Au futur et au conditionnel, seuls **envoyer** et **renvoyer** ont **err** : enverrai, enverrais.

-quer **appliquer,** attaquer, cliquer, critiquer, fabriquer, piquer, risquer... Attention à certains noms dérivés, avec un **c** : application, fabrication.

-uer **jouer,** attribuer, clouer, continuer, distribuer, effectuer, habituer, situer... Ces verbes gardent le **e** au futur et au conditionnel : jouerai, jouerais.

-uyer **essuyer,** appuyer, désennuyer, ennuyer. Noter le présent, l'imparfait et le subjonctif : essuyons, essuyions, essuyions. Au futur et au conditionnel, **e** muet devant le **r** : essuierai, essuierais.

absoudre dissoudre. Pas de **d** dans l'indicatif présent : j'absous, il absout. Différence avec **résoudre,** le p.p. : absous, absoute / résolu, résolue.

accroître Verbe transitif, son participe passé est variable et ne prend jamais de **û.** On met un **î** devant un **t** seulement.

acquérir conquérir, requérir. Un **è** devant une syllabe muette, **é** devant une syllabe non muette : ils acquièrent, vous acquérez. Futur et conditionnel : acquerrai, acquerrais. Participe passé : acquis, acquise, acquises.

acquiescer Verbe transitif indirect : acquiescer à. Son participe passé est invariable. On met un **ç** devant **a** et **o** : j'acquiesce, il acquiesça, nous acquiesçons.

advenir Se conjugue avec **être** et n'est employé qu'à l'infinitif et aux troisièmes personnes : il peut advenir, quoi qu'il advienne, les cas qui adviendront.

aller Impératif : **va** sans **s,** sauf dans **vas-y** pour faciliter la prononciation.

arguer Ce verbe s'écrit sans tréma. Il se conjugue comme **distinguer** et le **u** après le **g** se prononce séparément : il argue, il arguait, nous arguons.

assaillir défaillir, tressaillir. Comparer le présent, l'imparfait et le subjonctif : assaillons, assaillions, assaillions. L'impératif s'écrit sans **s** : assaille.

asseoir (littéraire). Noter le présent, l'imparfait et le subjonctif : asseyons, asseyions, asseyions. Le **é** au futur et au conditionnel : assiérai, assiérais.

asseoir (populaire). Noter le présent, l'imparfait et le subjonctif : assoyons, assoyions, assoyions. Le **e** n'existe qu'à l'infinitif : asseoir, je m'assois.

battre abattre, combattre, débattre, s'ébattre, rabattre, rebattre. Impératif : bats. On met **tt** quand il y a plusieurs syllabes : je bats, il battait.

boire Pas de **û** au participe passé : bu, bue, bus, bues.

bouillir Verbe employé seulement aux troisièmes personnes de tous les temps. Pour les autres personnes : faire + infinitif : je fais bouillir.

choir Ce verbe ne s'emploie qu'à l'infinitif, précédé de **faire** ou **laisser** : il l'a fait choir, il l'a laissé choir. Aux autres temps, on se sert du verbe **tomber.**

La fiancée : « Mon futur, ici présent, n'est pas imparfait; il est plus que parfait. »

clore	Ne s'emploie qu'aux temps suivants : je clos, je clorai, je clorais, que je close, closant, clos. Seule différence avec **enclore** : il clôt, il enclot.
conduire	construire, cuire, déduire, détruire, enduire, induire, instruire, introduire, produire, reconduire, réduire, séduire, traduire. Impératif : conduis.
coudre	découdre, recoudre. On garde le **d** de **coudre** à l'indicatif présent : je couds, tu couds, il coud. Impératif : couds.
courir	accourir, concourir, discourir, encourir, parcourir, recourir, secourir. Le futur et le conditionnel prennent **rr** : courrai, courrais.
craindre	contraindre, plaindre. Comparer le présent, l'imparfait et le subjonctif : craignons, craignions, craignions.
croire	Comparer le présent, l'imparfait et le subjonctif : croyons, croyions, croyions. Le participe passé n'a pas d'accent circonflexe sur le **u.** Noter : je crois, il croit / que je croie, qu'il croie.
croître	Verbe intransitif, son participe passé est invariable et prend un **û.** Noter les **î** et **û** chaque fois qu'il peut être confondu avec **croire** : je crois / je croîs, je crus / je crûs.
cueillir	accueillir, recueillir. Comparer le présent, l'imparfait et le subjonctif : cueillons, cueillions, cueillions. L'impératif s'écrit sans **s** : cueille.
déneiger	Participe passé de **neiger** : invariable; celui de **déneiger** : variable.
devoir	redevoir. Le participe passé s'écrit **dû** seulement quand il comporte deux lettres : montant dû, somme due, montants dus, sommes dues.
dire	redire. Noter : nous disons, vous dites. Voir **prédire.**
échoir	Ne s'emploie seulement dans : il échoit, ils échoient, il échut, ils échurent, il échoira, ils échoiront, il échoirait, ils échoiraient, qu'il échoie, qu'ils échoient, échéant, échu, échue.
endormir	Les verbes **endormir** et **rendormir** (transitifs) ont un p.p. variable. Les verbes **dormir** et **redormir** (intransitifs) ont un p.p. invariable.
exclure	conclure. Comparer l'indicatif présent et le subjonctif : j'exclus, que j'exclue. Le participe passé n'a pas de **s** : exclu, exclue.
faillir	Ce verbe se conjugue aujourd'hui sur le modèle du deuxième groupe **finir.** Le participe passé est invariable. Les formes conjuguées sont rares.
faire	contrefaire, défaire, redéfaire, refaire, satisfaire, surfaire. Attention à : nous faisons, vous faites. Impératif : fais.
ficher	Se conjugue comme **aimer,** mais son participe passé est : fichu, fichue.
frire	Aujourd'hui, ce verbe s'emploie à l'infinitif précédé de **faire** : je fais frire.
fuir	s'enfuir. Comparer l'indicatif présent, l'imparfait et le subjonctif : aujourd'hui nous fuyons, hier nous fuyions, il faut que nous fuyions.
gésir	Ne s'emploie qu'aux temps suivants : je gis, je gisais, gisant (il gît, ci-gît).
haïr	Le **h** est aspiré : on ne fait donc jamais la liaison. Les lettres **a** et **i** se prononcent séparément quand le **i** comporte un tréma : je hais, j'ai haï.
inclure	occlure. Comparer l'indicatif présent et le subjonctif : j'inclus, que j'inclue. Le participe passé a un **s** : inclus, incluse.

interpeller Ce verbe se conjugue et se prononce comme **appeler,** mais il conserve toujours ses deux **l** : interpeller, j'interpelle, nous interpellons.

joindre adjoindre, disjoindre, enjoindre, oindre, poindre, rejoindre. Comparer le présent, l'imparfait et le subjonctif : joignons, joignions, joignions.

lire élire, réélire, relire. Transitifs, donc p.p. variables : lu, lue. Impératif : lis.

maudire Se conjugue comme le verbe du deuxième groupe **finir,** mais le participe passé se termine par **it** au lieu de **i.**

mettre admettre, commettre, compromettre, démettre, émettre, omettre, permettre, promettre, remettre, soumettre, transmettre. Impératif : mets. Noter les participes passés masculin singulier et masculin pluriel : mis.

mordre démordre, distordre, tordre. Impératif : mords. Le p.p. de **mordre, distordre** et **tordre** est variable. Celui de **démordre** est invariable.

moudre émoudre. Comme **coudre**, mais **l** au lieu de **s** : moulais / cousais.

mourir Le futur et le conditionnel prennent **rr** : mourrai, mourrais. Les temps composés se conjuguent avec l'auxiliaire **être** : j'étais mort, je serai mort.

mouvoir Le p.p. s'écrit **mû** seulement quand il comporte deux lettres : mû, mue, mus, mues. **Promouvoir** et **émouvoir** n'ont jamais de **û** : promu, ému.

naître Le **î** ne se trouve que devant un **t** et dans **naquîmes.** Aux temps composés, ce verbe se conjugue avec l'auxiliaire **être** : je suis né.

nuire luire, reluire. Verbes sans c.o.d., p.p. inv. : nui, lui, relui. Impératif : nuis.

ouïr Seul le p.p. est encore employé dans : j'ai ouï dire, ouï les témoins.

ouvrir couvrir, découvrir, entrouvrir, offrir, recouvrir, souffrir.
Noter l'impératif qui s'écrit sans **s** : ouvre.

paraître et dérivés. Noter le **î** devant un **t** seulement.

partir ressortir, sortir. Les temps composés se conjuguent avec l'auxiliaire **être** : je suis parti. Impératif : pars.

peindre astreindre, atteindre, ceindre, éteindre, étreindre, feindre, geindre, restreindre, teindre. Comparer le présent, l'imparfait et le subjonctif : peignons, peignions, peignions.

perdre Verbe transitif, donc p.p. variable : perdu, perdue. Impératif : perds.

plaire complaire, déplaire. Verbes transitifs indirects, leur participe passé est invariable : plu, complu, déplu.

pourvoir Noter le présent, l'imparfait et le subjonctif : pourvoyons, pourvoyions, pourvoyions. Différent de **prévoir** au passé simple : je prévis / je pourvus.

pouvoir Attention aux **rr** : je pourrai, je pourrais. Noter le **x** : je peux, tu peux.
Le participe passé est invariable : pu. Ce verbe n'a pas d'impératif.

prédire contredire, se dédire, interdire, médire. Noter : vous prédisez, vous vous dédisez, vous interdisez, vous médisez.

prendre apprendre, comprendre, entreprendre, s'éprendre, méprendre, reprendre, surprendre. Quand la syllabe **pre** est muette, un seul **n** : prenons, prenez, prenions. Quand la syllabe **pre** n'est pas muette, **nn** : prenne, prennent.

Les devoirs conjugaux sont les verbes qu'on doit conjuguer à la maison.

prévaloir Attention au **x** : je prévaux, tu prévaux. Impératif : prévaux. La différence avec **valoir,** c'est leur subjonctif : que je vaille / que je prévale.

prévenir appartenir, contenir, contrevenir, convenir, détenir, entretenir, maintenir, obtenir, retenir, soutenir, subvenir, tenir. Les temps composés se conjuguent avec l'auxiliaire **avoir** : j'ai prévenu. Impératif : préviens.

prévoir Comparer le présent, l'imparfait et le subjonctif : prévoyons, prévoyions, prévoyions. Ce verbe n'utilise pas **err** : je prévoirai, je prévoirais.

recevoir apercevoir, concevoir, décevoir, percevoir. On met un **ç** seulement devant les lettres **o** et **u** : reçois, reçu, recevons. Impératif : reçois.

renaître Au sens propre, se conjugue comme **naître,** mais n'a pas de participe passé, donc pas de temps composés. Au sens figuré, son participe passé est variable : elles étaient renées à l'espérance.

répandre Garde son **d** du radical à tous les temps : je répands, nous répandons.

résoudre Pas de **d** dans l'indicatif présent : je résous, il résout. La différence avec **absoudre,** c'est leur p.p. : résolu, résolue / absous, absoute.

rire sourire. Comparer le présent, l'imparfait et le subjonctif : rions, riions, riions. Verbes intransitifs, donc p.p. invariables : ri, souri. Impératif : ris.

rompre corrompre, interrompre. Impératif : romps. Ces verbes gardent toujours leur **p** du radical : je romps, il rompt, je corromps, il interrompt.

sentir consentir, démentir, départir, mentir, pressentir, ressentir. Les temps composés se conjuguent avec **avoir** : j'ai senti. Impératif : sens.

servir resservir. Seules les trois personnes du singulier de l'indicatif présent et l'impératif n'ont pas de **v** : je sers, tu sers, elle sert. Impératif : sers.

suffire Verbe transitif indirect, donc p.p. invariable : suffi. Impératif : suffis.

suivre poursuivre. Verbes transitifs, donc p.p. variable : suivi, suivie, poursuivi, poursuivie. Impératif : suis, poursuis.

taire Pas de **û** au participe passé : tu, tue, tus, tues. Impératif : tais.

tondre confondre, correspondre, fondre, se morfondre, pondre, répondre. Ces verbes gardent toujours leur **d** du radical : je tonds, nous tondons.

vaincre convaincre. Impératif : vaincs. **Vaincre** et **convaincre** sont les deux seuls verbes qui finissent par **c** à la troisième personne du présent.

vendre attendre, défendre, dépendre, descendre, détendre, distendre, entendre, étendre, fendre, pendre, pourfendre, prétendre, rendre, suspendre, tendre. Gardent toujours le **d** du radical : je vends, nous vendons.

venir s'abstenir, devenir, intervenir, parvenir, provenir, se souvenir, survenir. Temps composés conjugués avec **être** : il est venu. Impératif : viens.

voir entrevoir, revoir. Comparer le présent, l'imparfait et le subjonctif : voyons, voyions, voyions. Ces verbes utilisent **err** : je verrai, entreverrai, reverrai.

vouloir Noter l'impératif : veuille, veuillez.

subjonctif présent
Le subjonctif présent de tous les verbes (excepté **être** et **avoir**) se termine par **-e -es -e -ions, -iez, -ent** : que je croie, que tu croies, qu'il/elle croie, que nous croyions, que vous croyiez, qu'ils/elles croient.

L'homme sortit de son pantalon un engin avec lequel il frappa l'inspecteur.

Liste alphabétique des difficultés

Accents à retenir

abîme
abrègement
acariâtre
accru
acquêt
âcre (amer)
acre (mesure)
âcreté
acrimonie
acuité
affres
affût
affûter
aguets
aïeul
aiguë
aîné
albâtre
alêne
allégement
allègrement
aloès
ambigu
ambiguë
ambiguïté
ambigument
archaïque
aromate
aromatique
aromatiser
arôme
assèchement
assidûment
atome
avènement
axiome
bâbord
bâche
bâcler
bâfrer
bâiller
bâillon
barème
bât
bêler
binôme
blâme
blême
boite (je)
boîte (une)
brasero
brèche
brêler
brème
brûler
bûche
câble+dérivés
caïman
câlin
câpre
carême
céleri
châle
chalet
châlit
chapitre
châsse (coffre)
châssis
châtaigne
châtain
châtier
châtrer
chenet
choucroute
chute
cime
cloître
clos, un
clôt, il
clôturer
coefficient
coincer
coïncidence
colon
côlon, intestin
cône
conique
contiguïté
continûment
côte
coteau
coutume
crèche
crémerie
crêpe+dérivés
crépir
crépu
crête
croître
croustillant
croûte
cru (croire)
crû (croître)
crue, crus
crûment
cyclone
décru
dégoût
déjeuner
dessèchement
dévot
diffamer
diplomatique
diplôme
disgrâce
disgracieux
drainer
drolatique
drôle
drôlement
drôlerie
dû (devoir)
due, dus, dues
dûment
éclôt (il)
edelweiss
égoïste
égout
embâcle
emblème
empêtrer
empiècement
empiétement
enjôler
épître
espièglerie
événement
faïence
faîte (le)
fantomatique
fantôme
féerie
féerique
fêler
fibrome
flâner
folâtrer
frêle
frôlement
gâcher
gâchette
gaine
geôle
gériatre
glaïeul
gnome
goéland
goitre
goulûment
grâce
gracier
gracieusement
gracieux
grêle
guet
guêtre
haï, haïe
haillon
hâler (brunir)
haler (tirer)
havre
huître
icône
idolâtrer
incongruité
infamant
infâme
inouï
jeûne (diète)
jeûner
lâcher
mâcher
mâchicoulis
mâchurer
maïs
mânes (âmes)
manne
marâtre
mât (bateau)
mat (terne)
miracle
moelle
moellon
môme
monôme
mosaïque
moût
mouture
mû (mouvoir)
mue, mus
mulâtre
naïade
naïf
ouïe
païen
palabres
paranoïa
pédiatre
pentecôtiste
pimbêche
poêle
poème
polaire
pôle
polynôme
prévôt
protéine
psychiatre
psychiatrie
ptôse
pylône
rabâcher
râble
racler
raffut
raffûter
ragoût
râler
râper
râteau
ratisser
rature
règle
règlement
réglementaire
réglementer
simultanéité
sûr (certain)
sur (aigre)
symptomatique
symptôme
syndrome
tatillon
troène
ubiquité

L'expression « veiller au grain » veut dire « guetter son avoine ».

Accents

	aigu	grave	flexe[1]	tréma
a		à	â	
e	é	è	ê	ë
i			î	ï
o			ô	
u		ù	û	ü

e	aigu	devant une syllabe non muette	irrémédiable, problématique, régner
e	grave	devant une syllabe muette	remède, problème, règne
e	flexe	remplace souvent un ancien **s**	bête (bestial), fête (festivités)
o	flexe	remplace souvent un ancien **s**	hôpital (hospital)
i	flexe	ancien **s,** et au passé simple	benoît (benoist), nous fîmes, vous fîtes
u	flexe	au passé simple	nous fûmes, vous fûtes
	tréma	sur **e, i, u** pour indiquer que la voyelle qui précède se prononce séparément	ambiguë, haïr, Emmaüs

attendu – excepté – ôté – vu

Ces mots sont des prépositions (placées avant le nom). Ils sont donc invariables.

Attendu les événements, la fête est annulée.
Nous avons cueilli les pommes, excepté les vertes.
Ce livre est bien écrit, ôté la préface.
Je vous signale que, vu les difficultés, nous renonçons à ce projet.

Placés après le nom, ils sont des participes passés et s'accordent avec le nom.

Les événements attendus ne se sont pas produits.
Nous avons cueilli les pommes, les vertes exceptées.
La préface ôtée, ce livre est acceptable.
Les difficultés, vues sous cet angle, sont surmontables.

aucun

Le mot qui suit **aucun** est au singulier, sauf si le singulier n'existe pas.

Aucun effort n'a été épargné, et il n'y aura aucuns frais.

aussi tôt – aussitôt

Substitution par **aussi tard** — Pourquoi es-tu venu aussi tôt?
Substitution impossible — Je partirai aussitôt que tu arriveras.

avoir l'air

Substitution de **l'air** par **l'air d'être** — Elle a l'air heureuse dans son travail.
Substitution impossible — Elle a l'air heureux des gens calmes.

[1] Terme d'imprimerie pour signifier « accent circonflexe ».

c cédille

devant	**a**	ça	avança	pour obtenir le son [s]
pas devant	**e**	ce	cela	on a déjà le son [s]
pas devant	**i**	ci	merci	on a déjà le son [s]
devant	**o**	ço	façon	pour obtenir le son [s]
devant	**u**	çu	gerçure	pour obtenir le son [s]

ça – çà

Substitution de **ça** par **cela** — Ça va bien.
çà : dans **çà et là** seulement — Il va çà et là.

c'est – ce sont

Avec un nom singulier : **c'est.** Avec un nom pluriel : **ce sont.**

C'est une belle voiture. — Ce sont de belles voitures.

Avec **moi, toi, lui, elle, nous, vous,** on emploie **c'est.**

C'est moi, c'est toi, c'est lui, c'est elle, c'est nous, c'est vous.

Avec **eux, elles,** on peut employer **ce sont** ou **c'est.**

Ce sont eux qui ont perdu. — C'est elles qui ont gagné.

c'était – s'était

Substitution de **c'** par **cela** — Comme c'était permis,
Substitution impossible — il s'était assis dans l'herbe.

chef

chef placé avant — des chefs traducteurs
chef placé après — des adjudants-chefs
en chef invariable — des infirmières en chef

ci-annexé – ci-inclus – ci-joint

adj. inv. s'ils sont placés avant le nom — Veuillez trouver ci-joint les épreuves.
adj. var. s'ils sont placés après le nom — Veuillez trouver les épreuves ci-jointes.

combien en

combien placé avant **en** — Des livres, combien en a-t-il lus?
combien placé après **en** — Des livres, il en a lu combien?

comme

S'il y a deux virgules, le verbe se met au singulier.
S'il n'y a pas de virgules, le verbe se met au pluriel.

Le cinéma, comme le théâtre, me plaît beaucoup.
Le cinéma comme le théâtre me plaisent beaucoup.

Ci-joint le remboursement du trop-perçu lors de l'ajout d'un fils occasionnel.

compris – non compris

adj. inv. s'ils sont placés avant le nom — 8 $, compris (ou y compris) la taxe
8 $, non compris la taxe

adj. var. s'ils sont placés après le nom — 8 $, taxe comprise
8 $, taxe non comprise

dans – d'en

Substitution par **à l'intérieur de** — J'ai des bonbons dans ma poche, car
Substitution impossible — je viens d'en mettre.

de

Quand deux noms sont unis par **de,** la difficulté consiste à savoir si l'on doit mettre le second nom au singulier ou au pluriel. Le **second nom** est :

au singulier s'il donne l'idée d'**unicité**

des chefs de bureau
des comités d'entreprise
des couvertures de lit
des peaux de mouton

au pluriel s'il donne l'idée de **pluralité**

un carnet de chèques
un chiffre d'affaires
un règlement de comptes
une divergence de goûts

au singulier avec **gelée, jus, liqueur** ou **sirop**

des gelées de groseille
des jus de pomme
des liqueurs de framboise
des sirops de fraise

au pluriel avec **compote, confiture, marmelade** ou **pâte**

de la compote de poires
de la confiture de fraises
de la marmelade d'abricots
de la pâte de coings

de même que

S'il y a deux virgules, le verbe se met au singulier.
S'il n'y a pas de virgules, le verbe se met au pluriel.

La musique, de même que la peinture, est un art passionnant.
La musique de même que la peinture sont des arts passionnants.

demi

Avant un nom : invariable, trait d'union — Il me téléphone toutes les demi-heures.
Après un nom : accord en genre — La réunion a duré deux heures et demie.
Il m'écrit tous les deux ans et demi.

des plus

Substitution par **parmi les plus** — C'est un homme des plus désagréables.
Substitution impossible — Cela devient des plus désagréable.

dont – d'on

Substitution de **d'on** par **de on**	La nouvelle vient d'on ne sait où.
Substitution par **de qui** ou **de quoi**	C'est la personne dont je t'ai parlé.
Ne pas écrire :	*Mais écrire :*
Le gars dont j'ai marché sur les pieds.	Le gars sur les pieds de qui j'ai marché.
L'auteur dont je m'intéresse à l'œuvre.	L'auteur à l'œuvre de qui je m'intéresse.
L'église dont on aperçoit son clocher.	L'église dont on aperçoit le clocher.

é – er

Participe passé en **-é** ou infinitif en **-er**? Substitution par **prendre**. Si l'on obtient **pris** ou **prise** : participe passé. Si l'on obtient **prendre** : infinitif.

Son sandwich terminé, il s'est mis à chausser ses patins.

échappé belle

Toujours invariable — Ces jeunes filles l'ont échappé belle.

en – en n'

Substitution de **n'** par **ne**	En n'arrivant pas tôt, on manque le train.
C'est la liaison qu'on entend	En arrivant tôt, on trouve une place.

et surtout

S'il y a deux virgules, le verbe se met au singulier.
S'il n'y a pas de virgules, le verbe se met au pluriel.

Le sport, et surtout la course, m'attire énormément.
Le sport et surtout la course m'attirent énormément.

étant donné

Placée avant le nom, cette locution prépositionnelle est invariable.
Placé après le nom, ce participe passé s'accorde avec le nom.

Étant donné les circonstances, la réunion sera reportée.
Ces précisions étant données, nous avons pu discuter de l'affaire.

fin

Employé comme adverbe — Elles sont fin prêtes. Ils sont fin prêts.

fleurs

Fleurs d'une même espèce	singulier	un poirier en fleur	des poiriers en fleur
Fleurs d'espèces diverses	pluriel	un pré en fleurs	des prés en fleurs

garde-

S'il s'agit de personnes	des gardes-chasse	des gardes-malades
S'il est suivi d'un adjectif	des gardes forestiers	des gardes mobiles
Si c'est un verbe	des garde-boue	des garde-fous

Je me suis cassé la figure en tombant sur les fesses.

Genres à retenir

abatis, m.
abscisse, f.
abysse, m.
acné, f.
acoustique, f.
acrostiche, m.
agrume, m.
aigle, m./f.
albâtre, m.
alcôve, f.
alèse, f.
algèbre, f.
alvéole, f.
amalgame, m.
ambre, m.
améthyste, f.
amiante, m.
amibe, f.
ammoniac, m.
amour, m.
amours, f.p.
ampère, m.
anagramme, f.
anathème, m.
ancre, f.
anicroche, f.
ankylose, f.
antichambre, f.
antidote, m.
antifumée, m.
apanage, m.
aphte, m.
apogée, m.
apologue, m.
apostrophe, f.
apothéose, f.
appendice, m.
appendicite, f.
après-guerre, m.
après-midi, m./f.
arabesque, f.
arachide, f.
arcane, m.
aréna, m.
argile, f.
armistice, m.
arnaque, f.
arnica, m./f.
aromate, m.
arpège, m.
asphalte, m.
astérisque, m.
astragale, m.
athénée, m.
atmosphère, f.
augure, m.
auspices, m.p.
autoclave, f.
autographe, m.
automne, m.
avant-midi, m./f.
azalée, f.
camée, m.
câpre, f.
cent (mon.), m.
chrysalide, f.
cookie, m.
cuticule, f.
débâcle, f.
décombres, m.p.
délice, m.
délices, f.p.
ébène, f.
ébonite, f.
ecchymose, f.
échappatoire, f.
écharde, f.
écritoire, f.
effluve, m.
égide, f.
embâcle, m.
emblème, m.
en-tête, m.
encaustique, f.
entracte, m.
enzyme, m./f.
éphéméride, f.
épice, f.
épigramme, f.
épigraphe, f.
épitaphe, f.
épithète, f.
épître, f.
équinoxe, m.
équivoque, f.
escarre, f.
esclandre, m.
espace, m./f.
évangile, m.
exergue, m.
fiasque, f.
gélule, f.
gemme, f.
gens bons, m.p.
bonnes gens, f.p.
gent, f.
girofle, m.
glaire, f.
granule, m.
haltère, m.
hémicycle, m.
hémisphère, m.
hémistiche, m.
holocauste, m.
hyménée, m.
hymne, m./f.
immondices, f.p.
insigne, m.
interfrange, m.
interligne, m.
interstice, m.
interview, m./f.
ivoire, m.
jade, m.
job, m.
jute, m.
libelle, m.
lobule, m.
mandibule, f.
méandre, m.
métatarse, m.
météorite, f.
molécule, f.
moustiquaire, f.
nacre, f.
narcisse, m.
nimbe, m.
oasis, f.
obèle, m.
obélisque, m.
obsèques, f.p.
ocre, f.
octave, f.
odyssée, f.
office, m.
omoplate, f.
once, f.
orbite, f.
orge, m./f.
orgue, m.
orgues, f.p.
oriflamme, f.
orteil, m.
ouïe, f.
ovule, m.
ozone, m.
palabre, f.
pantomime, f.
pâque juive, f.
Pâques, m./f.
parka, m./f.
paroi, f.
pastiche, m.
patère, f.
pénates, m.p.
pendule, m./f.
penne, f.
perce-neige, m./f.
périgée, m.
pétale, m.
planisphère, m.
polichinelle, m.
postiche, m.
prémices, f.p.
prémisse, f.
primeur, f.
primevère, f.
psyché, f.
quadrille, m.
réglisse, f.
relâche, m./f.
satire, f.
satyre, m.
sbire, m.
sex-shop, m.
sex-symbol, m.
sit-in, m.
sitcom, m./f.
spore, f.
stalactite, f.
stalagmite, f.
starting-gate, f.
strate, f.
ténèbres, f.
tentacule, m.
termite, m.
testicule, m.
topaze, f.
trampoline, m.
trial (moto), f.
trial (sport), m.
tubercule, m.
ulcère, m.
uréthane, m.
urticaire, f.
varia, m.p.
vermicelle, m.
viscère, m.

Il est question de changer le système décimal en système des six femelles.

genre non marqué

Il s'emploie pour désigner les deux sexes et il a la même forme que le masculin.

joueur = joueur *ou* joueuse — Le joueur doit suivre les règles du jeu.
étudiants = étudiants *et* étudiantes — Les étudiants se sont réunis hier.

genre différent

Avec deux sujets de genre différent, l'accord se fait au genre non marqué.

La fille et le garçon sont arrivés. — La table et le banc sont bleus.

grand

Employé comme adverbe : variable — des portes grandes ouvertes
Noms composés : variables en nombre — des grands-pères, des grands-mères

là – ci

Si **là** ou **ci** touche le mot auquel il se rapporte : trait d'union.

cette robe-là — cette idée-ci
cette belle robe-là — cette grande idée-ci
ces deux-là — ces trois enfants-ci

Si **là** ou **ci** ne touche pas le mot auquel il se rapporte : pas de trait d'union.

cette robe d'été là
(*là* se rapporte à *robe,* non à *été)*

cette tarte aux fraises ci
(*ci* se rapporte à *tarte,* non à *fraises*)

la – l'a

Substitution par **avait** — On l'a trouvé caché dans le fossé.

la plupart

Le verbe se met au pluriel. — La plupart des soldats sont courageux.

le plus ... que – le moins ... que

Avec le subjonctif quand on veut insister sur le côté exceptionnel.

C'est la personne la plus extraordinaire que j'aie rencontrée.

Avec l'indicatif quand on veut montrer simplement la réalité d'un fait.

C'est la personne la plus extraordinaire que j'ai rencontrée.

le plus – le moins – le mieux

Avec comparaison : variables.

C'est la fille **la** plus brillante, **la** moins rusée, **la** mieux préparée de sa classe.

Sans comparaison : invariables.

C'est à l'oral qu'elle a été **le** plus brillante, **le** moins rusée, **le** mieux préparée.

L'accusé a vécu une vie de bâtons de chaise. Le dossier est entre vos mains.

le premier qui – le seul qui

Avec le subjonctif quand on veut insister sur le côté exceptionnel.
Avec l'indicatif quand on veut montrer simplement la réalité d'un fait.

Tu es le premier qui ait compris.
Tu es le premier qui a fini son devoir.

Elle est la seule qui ait compris.
Elle est la seule qui a fini son devoir.

leur – leurs

Déterminant possessif : variable en nombre. Pluriel de **lui** : invariable.

Les enfants jouent avec leur balle.
Je leur ai répondu.

Ils retroussent leurs manches.
Je les leur donne.

l'un et l'autre

Le verbe peut se mettre au singulier ou au pluriel.

L'un et l'autre cas est admis.

L'un et l'autre cas sont admis.

l'un ou l'autre

Le verbe se met au singulier.

L'une ou l'autre expression est admise.

même

Adjectif : accord en nombre avec le nom ou le pronom démonstratif.

le même jour	la même nuit	les mêmes jours	les mêmes nuits
le garçon même	la fille même	les garçons mêmes	ceux-là mêmes

Pronom personnel : trait d'union et accord en nombre.

lui-même	elle-même	eux-mêmes	elles-mêmes

Adverbe qu'on peut remplacer par **aussi** : invariable.

Même les hommes sont mortels.
Les hommes même sont mortels.

Ils se disaient même médecins.
Elles voulaient même l'épouser.

moins de deux

Le verbe se met au pluriel.

Moins de deux mois se sont écoulés.

ni – n'y

Substitution par **ne y**
Substitution impossible

Nous n'y pouvons rien,
ni toi ni moi.

ni... ni – ni l'un ni l'autre

Le verbe peut se mettre au singulier ou au pluriel.

Ni son père ni sa mère n'est d'accord.
Ni l'un ni l'autre cas n'est admis.

Ni son père ni sa mère ne sont d'accord.
Ni l'un ni l'autre cas ne sont admis.

Je ne peux être civilement responsable de cet accident, puisque je suis militaire.

nom collectif

Collectif : nom qui, au singulier, désigne un ensemble.
Liste partielle des noms collectifs suivant la même règle :

amas	équipe	meute	quantité
assemblée	foule	multitude	réseau
bande	groupe	nombre	reste
caravane	infinité	nuée	série
classe	lot	paquet	tas
comité	majorité	partie	totalité
cortège	masse	poignée	troupe

Si l'on considère l'ensemble global, le verbe se met au singulier.
Si l'on considère le nombre d'êtres ou de choses, le verbe se met au pluriel.

Le groupe des manifestants grossissait lentement.
Un groupe de manifestants chantaient divers slogans.

Elle découvrit un paquet de lettres qui était bien ficelé.
Elle découvrit un paquet de lettres qui étaient toutes manuscrites.

nom de quantité

Liste des mots suivant la même règle :

centaine	milliard	quarantaine	tiers
cinquantaine	millier	quart	trentaine
dizaine	million	quinzaine	vingtaine
douzaine	moitié	soixantaine	

S'il s'agit d'un nombre précis, le verbe se met au singulier.
S'il s'agit d'un nombre approximatif, le verbe se met au pluriel.

La douzaine d'œufs coûte de plus en plus cher.
La douzaine de membres présents ont applaudi.

Exactement le quart des membres a voté pour la proposition.
Environ le quart des membres ont voté pour la proposition.

non – n'ont

Substitution par **n'avaient**	Ils n'ont pas aimé ces remarques.
Substitution impossible	Elles étaient non conformes aux règles.

non seulement..., mais

Le verbe est au singulier si le second sujet est au singulier.
Le verbe est au pluriel si le second sujet est au pluriel.

Non seulement ses richesses, mais tout son honneur a disparu.
Non seulement son honneur, mais toutes ses richesses ont disparu.

nous d'humilité

Si **nous** = **je,** le verbe se met au pluriel, le participe passé reste au singulier.

Dans ce livre, nous nous sommes efforcé d'être simple.

Je nourris mon enfant au sein et j'ai du mal à joindre les deux bouts.

Orthographes à retenir

accusation (à la cour), l'
acquis (avantage obtenu)
acquit (quittance)
amande (fruit)
amende (contravention)
ammoniac (gaz)
ammoniaque (solution)
appas (charmes féminins)
appât (pour le poisson)
ayons, jamais ayions
bailler, seulement dans :
vous me la baillez belle
bayer aux corneilles
bâiller (ouvrir la bouche)
balade (promenade)
ballade (poème)
ban (proclamation)
ban de tambour
ban (sentence d'exclusion)
banc pour s'asseoir
banc de sable
banc de poissons
baptiste (secte)
batiste (toile de lin)
basilic (plante aromatique)
basilique (église)
bérets rouges, les
box (compartiment)
boxe (sport)
Brigades internationales
buté (obstiné)
butée (butée de pont)
buter (heurter)
butter (garnir de terre)
cadran (d'une montre)
quadrant (¼ de circonf.)
cahot (saut)
chaos (désordre)
cal (durillon)
cale (pièce d'arrêt)
cap (partie de côte)
cape (manteau)
Casques bleus, les
catarrhe (gros rhume)
cathare (d'une secte)
céans (ici)
séant (convenable)
cendre (qui a brûlé)
sandre (poisson)
cep (pied de vigne)
cèpe (champignon)
cession (donation)
session (période)
chas (trou d'une aiguille)
chemineau (vagabond)
cheminot (du train)
chorale (société musicale)
corral (lieu pour le bétail)
cols blancs *ou* bleus, les
Chemises noires, les
coque (partie d'un navire)
Couronne (à la cour), la
cours (allée)
court (terrain de tennis)
datte (fruit du dattier)
défense (à la cour), la
dessin (de dessiner)
dessein (but, intention)
détoner (exploser)
détonner (chanter faux)
différend (désaccord)
différent (distinct)
écho (répétition du son)
écot (contribution)
éthique (morale)
étique (maigre)
étrier (anneau en métal)
étriller (brosser)
exaucer (satisfaire)
exhausser (surélever)
exprès (le faire exprès)
express (un café)
express (un train)
express (une voie)
expresse (une condition)
flan (entremets)
flanc (partie du corps)
fond (partie la plus basse)
fonds (de commerce)
fonts (baptismaux)
for (mon for intérieur)
fors (excepté)
foret (outil de perçage)
gué (pour passer à pied)
guet (faire le guet)
front commun, le
heur (chance)
heurt (choc)
jarre (urne de terre cuite)
jars (mâle de l'oie)
livre blanc, le
marines (anglais), les
martyr (une personne)
martyre (grande douleur)
mess (endroit des officiers)
Métis, les
mines antipersonnel
n'eût été (avec un flexe)
palier (plate-forme)
pallier (verbe tr. dir.)
pâté (hachis de viande)
pâtée (pour animaux)
pause (du verbe pauser)
pose (du verbe poser)
pêcher (arbre)
pêcher la truite
pécher (fauter)
pêne (partie d'une serrure)
penne (longue plume)
pers (des yeux pers)
plain (de plain-pied)
plastic (explosif)
plastique (arts plastiques)
pool (groupement)
pore (orifice de la peau)
pouls (battement artériel)
prémices (premiers fruits)
prémisse (d'un syllogisme)
prou (*dans* peu ou prou)
proue (avant d'un navire)
puits (trou pour l'eau)
puy (montagne)
qui l'eût cru ?
rainette (grenouille)
reinette (pomme)
rendu compte (invariable)
rêne (pr guider le cheval)
renne (animal)
repaire (refuge)
repère (marque distinctive)
ru (petit ruisseau)
salon rouge, le
satire (critique)
satyre (homme vicieux)
sceau (cachet officiel)
taie (d'oreiller), une
tapis rouge, le
tribut (payer un tribut)
union sociale, l'
verni, e (adjectif)
vernis (nom)
Verts, les
Voie sacrée, la

L'homme marchait dans la rue, les mains derrière le dos, en lisant son journal.

on

Si **on** = **quelqu'un,** le verbe et le participe passé se mettent au singulier.

On s'est introduit par effraction. = Quelqu'un s'est introduit par effraction.

Si **on** = **nous** (dans la langue familière), le verbe reste au singulier.
Le participe passé ou l'adjectif s'accorde.

en langue écrite	Nous nous sommes introduits par effraction.
en langue familière	On s'est introduits par effraction : on est fous.
attention à la négation	On a réussi / On n'a pas réussi.

on – on n'

Substitution par **ne en**	Des soucis, on n'en prend pas.
Substitution impossible	Des vacances, on en prend.

ou

Si **ou** signifie un choix entre deux termes, le verbe se met au singulier.
Si **ou** signifie « et », le verbe se met au pluriel.

Le maire ou le secrétaire fera un discours.
Un choc physique ou une émotion peuvent lui être fatals.

ou – où

Substitution par **ou bien**	Préfères-tu l'été ou l'hiver?
Substitution impossible	Voici l'école où j'ai étudié.

par ce que – parce que

Substitution par **par la chose que**	Je suis intéressé par ce que tu me dis.
Substitution par **puisque**	Tu réussiras parce que tu es intelligent.

pas – sans

Au singulier ou au pluriel après la question : *s'il y en avait, y en aurait-il plusieurs?*

Ces tricots n'ont pas de col.	*s'ils en avaient, ils n'en auraient qu'un*
Ces tricots sont sans col.	*s'ils en avaient, ils n'en auraient qu'un*
Ce tricot n'a pas de manches.	*s'il en avait, il en aurait deux*
Ce tricot est sans manches.	*s'il en avait, il en aurait deux*

passé (préposition)

la postériorité dans l'espace	inv.	Passé l'église, tournez à droite.
la postériorité dans le temps	inv.	Passé cette date, vous serez pénalisé.

peu importe

Le verbe s'accorde avec son sujet ou reste invariable. Les deux sont permis.

Peu importent les menaces.	Peu importe les menaces.

L'orateur faisait de grands gestes, tout en parlant du bras droit.

peut – peu

Substitution par **pouvait**	Elle peut arriver à chaque instant.
Substitution impossible	Il sourit peu.

peut-être – peut être

Substitution par **probablement**	Elle arrivera peut-être demain.
Substitution par **pouvait**	Jean peut être fier de sa victoire.

plus d'un

Le verbe se met au singulier	Plus d'un élève fut surpris.

plutôt – plus tôt

Substitution par **de préférence**	Je viendrai plutôt demain.
Substitution par **plus tard**	J'arriverai plus tôt que toi.

plutôt que

Avec deux sujets au singulier unis par **plutôt que,** le verbe est au singulier.

La gloire, plutôt que l'argent, l'intéresse.

possible

Substitution par **qu'il est possible**	Nous ferons le moins de fautes possible.
Substitution par **qui sont possibles**	Nous ferons tous les efforts possibles.

pour cent

L'accord du verbe se fait au singulier ou au pluriel, au choix. Mais quand cette locution est précédée de **les,** le verbe se met toujours au pluriel.

Six pour cent des votes est nul.	Les vingt pour cent des votes sont nuls.
Six pour cent des votes sont nuls.	

pourquoi – pour quoi

Substitution par **pour quelle raison**	Pourquoi vous habillez-vous?
Substitution impossible	Pour quoi faire vous habillez-vous?

près – prêt

Substitution par **proche**	J'étais près du banc.
Substitution impossible	Le coureur était prêt à s'élancer.

Préfixes divers

anti tous sans trait d'union : antialcoolique, antirouille;
sauf devant un **i** : anti-infectieux, anti-intellectualisme;
mots créés pour la circonstance : anti-artiste, anti-concierge.

archi tous sans trait d'union : archiprêtre, archiduchesse ;
mots créés pour la circonstance : archi-faux.

arrière invariable et avec trait d'union : arrière-grands-pères, arrière-boutiques.

au au-dessus, au-dessous, au-dedans, au-dehors, au-delà, au-devant.

auto quand *auto* signifie « de soi-même » : autodidacte, autoportrait;
devant un **i** : auto-infection;
quand *auto* signifie *voiture automobile* : auto-école, auto-stop.

avant invariable et avec trait d'union : avant-dernières, avant-coureurs.

bi devant une consonne : bifocal, bihebdomadaire, bimensuel;
devant une voyelle, on ajoute un **s** : bisaïeul, bisannuel.

bio tous sans trait d'union : bioélectricité, biocarburant, biodégradable;
sauf devant un **i** : bio-industrie.

co tous sans trait d'union : coéditeur, colocataire, coprésident;
devant un **i** : coïnculpé, coïncidence; mais *coincer* (*co* n'est pas préfixe).

contre trop d'exceptions : il faut chercher dans le dictionnaire.

en tous sans trait d'union : en dedans, en dehors, en dessus, en dessous.

ex toujours avec un trait d'union : ex-femme, ex-étudiant, ex-itinérant.

extra tous sans trait d'union : extraconjugal, extrajudiciaire, extralucide.

faux avec un trait d'union : faux-bord, faux-cul, faux-filet, faux-fuyant,
faux-monnayeur, faux-semblant, faux-sens;
en deux mots : faux bond, faux cils, faux témoignage.

hyper tous sans trait d'union : hyperémotivité, hyperacidité, hyperactive.

hypo tous sans trait d'union : hypodermique, hypotendu, hypoesthésie.

inter tous sans trait d'union : intermédiaire, international, interurbain.

intra tous sans trait d'union : intramusculaire, intraveineux;
sauf devant une voyelle : intra-oculaire, intra-utérin.

mi tous avec trait d'union : mi-bas, mi-figue, mi-janvier, mi-session.

micro tous sans trait d'union : microédition, microfiche, microbus;
sauf devant **i** et **o**: micro-informatique, micro-onde.

mini tous sans trait d'union : minibus, minigolf, minijupe, Minicassette[MD];
sauf devant **i** et **o**: mini-incision, mini-ordinateur;
placé après, sans trait d'union et invariable : des shorts mini.

mono tous sans trait d'union : monoparental, monoculaire, monoplace;
devant un **i** : monoïque.

multi tous sans trait d'union : multimédia, multirisque, multiracial.

La vigne a servi à la nourriture des hommes et à leur habillement.

non devant adj., p.p. ou adv. : non célèbre, non apprise, non entièrement ; devant un nom ou un infinitif : non-agression, non-lieu, non-recevoir.

omni tous sans trait d'union : omnidirectionnel, omnipraticien, omniprésent.

pan tous sans trait d'union : panafricain, panchromatique, panoptique.

par en deux mots : par ailleurs, par contre, par en bas, par en haut, par l'avant, par l'arrière, par ici, par terre ;
avec trait d'union : par-ci, par-là, par-devant, par-derrière, par-dessus, par-dessous.

para tous sans trait d'union : parafiscalité, paralympique, parasexualité ;
devant une voyelle, trait d'union : para-universitaire.

pare tous avec trait d'union : pare-balles, pare-éclats, pare-étincelles, pare-feu.

poly tous sans trait d'union : polyalcool, polyiodure, polyurie, polycopie.

post tous sans trait d'union : postnatal, postindustriel, postopératoire ;
sauf ces mots latins : *post-partum, post-scriptum.*

pré tous sans trait d'union : préambule, prééminence, prédestiné, préoccuper.

pro tous sans trait d'union : proasiatique, procréation ;
devant un sigle, avec trait d'union : pro-ONU.

pseudo devant tout nom pour signifier « faux » : pseudo-médecin, pseudo-pain.

quasi devant adj., p.p. ou adv. : quasi fatal, quasi fini, quasi entièrement ;
devant un nom, trait d'union : quasi-contrat, quasi-délit, quasi-totalité.

re, ré tous sans trait d'union ;
devant une consonne : reboucher, refaire, revenir, revisser ;
devant un **h,** on trouve : réhabituer, rehausser, rhabiller ;
devant une voyelle : récrire *ou* réécrire, ranimer *ou* réanimer, etc. ;
les règles étant très anarchiques, il vaut mieux consulter le dictionnaire.

sans noms inv., tous avec trait d'union : sans-emploi, sans-abri, sans-le-sou.

semi tous avec trait d'union : semi-automatique, semi-rural, semi-voyelle.

sous tous avec trait d'union : sous-directrice, sous-alimenter, sous-entendre ;
exceptions : souscrire *et* soustraire (ainsi que leurs dérivés).

super tous sans trait d'union : superacide, superbénéfice, superordinateur ;
adjectif invariable : des filles super ;
adverbe : des filles super sympas, des robes super haut de gamme.

supra tous sans trait d'union : supranational, suprasensible, supraterrestre.

sur tous sans trait d'union : suramplificateur, suremploi, surimposition.

télé tous sans trait d'union : téléski, téléavertisseur ; exc. : télé-enseignement.

tri (trois) tous sans trait d'union : triangle, trière, trithérapie, trivalent.

ultra tous sans trait d'union : ultrason, ultraléger, ultrasensible.
mots créés pour la circonstance : ultra-compétent, ultra-actif.

vice tous avec trait d'union : des vice-présidentes, des vice-consuls.

quelque – quel que

Substitution par **n'importe lequel**	Pour quelque motif que ce soit...
Substitution par **une certaine**	Il faut faire quelque chose.
Substitution par **plusieurs**	J'ai cueilli quelques pommes.
Substitution par **environ**	J'ai cueilli quelque deux cents pommes.
Substitution par **aussi**	Quelque bonnes qu'elles soient...
Devant **être** au subjonctif, accord	Quel que soit le jour... Quelle que soit l'heure... Quels que soient les périls... Quelles que soient les peines...

quelquefois – quelques fois

Substitution par **parfois**	Quelquefois, il venait me voir.
Substitution par **plusieurs fois**	Ce soir-là, il a ri quelques fois.

qui

Si le pronom relatif **qui** a pour antécédent un pronom personnel, le verbe se met à la même personne et au même nombre que l'antécédent.

C'est nous qui avons perdu. C'est vous qui avez gagné.

Si le pronom relatif **qui** a pour antécédent un attribut se rapportant à un pronom personnel de la première ou de la deuxième personne, on peut accorder le verbe avec le pronom personnel (tu) ou avec l'attribut (élève), au choix.

Tu es une élève qui étudies bien. Tu es une élève qui étudie bien.

quoique – quoi que

Substitution par **bien que**	Quoique cela soit difficile, elle persiste.
Substitution impossible	Quoi que tu en penses, je viendrai.

si (concordance des temps)

Verbe de la principale au futur : celui de la subordonnée se met au présent.

Je sortirai demain s'il fait beau. (*et non pas* s'il fera beau)

Verbe de la principale au conditionnel : celui de la subordonnée se met à l'imparfait.

J'irais avec toi si tu le voulais. (*et non pas* si tu le voudrais)

son – leur

Avec **chacun** : *son* ou *leur.* Ils sont partis chacun de son (*ou* leur) côté.

t euphonique

pour faciliter la prononciation	Le convainc-t-il? Viendra-t-il? A-t-on sonné?
mais pas après un **d**	Prend-elle du café? Répond-elle souvent?
ni après un **t**	Veut-il venir me voir? Sort-elle avec lui?
attention à l'élision de **te**	Va-t'en. Achète-t'en une. Garde-t'en un.

La SNCF vient d'annoncer un train de mesures.

tel

tel s'accorde en genre et en nombre avec le nom qui suit.

J'ai vu que tel était son désir. Une telle volonté me surprend.
Tels sont ses désirs. De telles paroles me plaisent.
Un animal telle une girafe... Des animaux telles des girafes...

tel que s'accorde en genre et en nombre avec le nom qui précède.

Un animal tel que la girafe... Des animaux tels que les girafes...

tel quel signifie **sans changement** et s'accorde en genre et en nombre.

J'ai emprunté vos lunettes en bon état; je vous les rends telles quelles.

tout

Adjectif : accord en genre et en nombre avec le nom.

tout le jour toute la nuit tous les matins toutes les heures

Adverbe signifiant *entièrement* : invariable devant un adjectif ou un participe passé...

Ils sont tout contents. Elle est tout attristée.

...mais variable s'il s'agit d'un **féminin** débutant par une consonne ou un **h** aspiré.

Elle est toute contente. Elle est toute honteuse.

un de ceux qui – un des ... qui

Le verbe se met au pluriel.

Vous êtes un de ceux qui ont été choisis.
Vous êtes un des auteurs qui ont été choisis.

villes

Noms de villes débutant par **Le** ou **La** : même genre que cet article.

Le Gardeur est beau. La Pocatière est belle.

Noms de villes finissant par **-e** ou **-es** : genre féminin.

Saint-Jérôme est belle. Trois-Rivières est belle.

Noms de villes finissant autrement que par **-e** ou **-es** : genre masculin.

Québec est beau. Montréal est beau.

vive

Ce mot est considéré comme une interjection. Il est donc invariable.

Vive les gens d'esprit!

vous de politesse

Quand **vous** est mis à la place de **tu,** le verbe se met au pluriel, mais le participe passé ou l'adjectif reste au singulier.

Vous êtes arrivée toute seule. Vous semblez contente du résultat.

Le chef voulait refaire les forces de ses hommes fatigués par un repas chaud.

Féminisation

Il y a deux méthodes : la méthode traditionnelle et la méthode de féminisation, au choix. Voici des généralités qui s'appliquent aux deux méthodes.

Féminisation des textes

La féminisation demeure toujours facultative.

Les formes tronquées sont à exclure :

les parenthèses	les ingénieur(e)s retraité(e)s
les barres obliques	les étudiant/e/s inscrit/e/s
les virgules	les chirurgien,ne,s
les traits d'union	les directeur-trice-s

Charte des droits et libertés de la personne (Québec) Article 10.

Toute personne a droit à la reconnaissance et à l'exercice, en pleine égalité, des droits et libertés de la personne, sans distinction, exclusion ou préférence fondée sur la race, la couleur, le sexe...

Loi canadienne sur les droits de la personne (Canada) Article 2, a).

Tous ont droit, dans la mesure compatible avec leurs devoirs et obligations au sein de la société, à l'égalité des chances d'épanouissement, indépendamment des considérations fondées sur la race, l'origine nationale ou ethnique, la couleur, la religion, l'âge, le sexe...

1. Méthode traditionnelle

a) Grevisse : Nouvelle grammaire française

Les noms qui connaissent la variation en genre d'après le sexe de la personne désignée sont employés au masculin dans les circonstances où ils visent aussi bien des êtres masculins que des êtres féminins. En effet, le genre masculin n'est pas seulement le genre des êtres mâles, mais aussi le genre indifférencié, le genre asexué.

Il a quatre beaux enfants : deux garçons et deux filles.
L'héritier qui renonce est censé n'avoir jamais été héritier.

b) Larousse : La nouvelle grammaire du français

Le masculin s'emploie pour désigner n'importe quel représentant de l'espèce, sans considération de sexe; c'est le masculin générique.

L'homme est un être doué de raison (homme = homme + femme).
Les enseignants se sont réunis hier (enseignants = enseignants + enseignantes).

c) Note explicative (OLF)

On peut recourir à une note explicative au début du texte pour indiquer que la forme masculine non marquée désigne aussi bien les femmes que les hommes.

Nom et titre du supérieur immédiat.

Le premier ministre est enceinte et son mari est très heureux.

2. Méthode de féminisation

Le texte qui suit est un extrait du *Guide de féminisation,* de l'UQAM.

a) Utilisation des doublets

Une étudiante ou un étudiant. Les enseignants et enseignantes.

b) Stratégies de rédaction (*en italique*)

En plus d'assumer les responsabilités de tuteur...
En plus d'assumer les responsabilités de tutorat...

Un archiviste est responsable de la conservation des documents.
Le Service des archives est responsable de la conservation des documents.

La réunion d'information aura lieu demain pour les employés du secrétariat.
La réunion d'information aura lieu demain pour le personnel du secrétariat.

On demande la collaboration de chacun des membres.
On demande la collaboration de chaque membre.

Les étudiants ont été conviés à cette réunion. Plusieurs étudiants y ont assisté.
Les étudiants et étudiantes ont été conviés à cette réunion. Plusieurs y ont assisté.

L'étudiant pour lequel la demande a été formulée...
L'étudiante ou l'étudiant pour qui la demande a été formulée...

...les travaux des étudiants seront remis à ces derniers.
...les travaux des étudiants et étudiantes leur seront remis.

Le ou la responsable invitera les membres de son équipe à participer...
Les responsables inviteront les membres de leur équipe à participer...

...équivalence entre l'expérience et un cours du programme de l'étudiant.
...équivalence entre l'expérience et un cours du programme choisi.

...avec obligation pour eux de diffuser...
...avec obligation de leur part de diffuser...

Un des membres assurera la présidence. Il sera nommé par l'assemblée.
Un ou une des membres assurera la présidence. L'assemblée verra à sa nomination.

...en cas d'absence du cadre. Si l'absence de celui-ci se prolongeait...
...en cas d'absence du ou de la cadre. Si son absence se prolongeait...

Si l'étudiant n'est pas satisfait de sa note, il peut faire...
Si l'étudiante ou l'étudiant n'est pas satisfait de sa note, il lui est possible de faire...

Un étudiant pourra changer de groupe sans qu'il ait à débourser des frais.
Un étudiant ou une étudiante pourra changer de groupe sans encourir de frais.

Les cadres ne doivent pas s'y inscrire et, s'ils le font, on annulera leur inscription.
Les cadres ne doivent pas s'y inscrire et, le cas échéant, on annulera leur inscription.

Chers collègues, vous êtes convoqués, par la présente, à la réunion...
Chers et chères collègues, nous vous convoquons, par la présente, à la réunion...

L'étudiant doit en faire lui-même la demande.
L'étudiante ou l'étudiant doit en faire la demande.

Le directeur vérifie la demande et il la transmet...
La directrice ou le directeur vérifie la demande et la transmet...

Il mettra fin à sa collaboration, s'il le juge nécessaire...
Il ou elle mettra fin à sa collaboration, si cette décision s'avère nécessaire...

Voir aussi : *Au féminin,* féminisation des titres de fonction et des textes, OLF
Pour un genre à part entière, rédaction de textes non sexistes, MEQ

Féminisation des fonctions

Cette liste est tirée de la brochure *Au féminin : guide de féminisation des titres de fonction et des textes,* dans laquelle l'Office de la langue française propose des féminins. L'usage dira lesquelles parmi ces formes se seront imposées.

une accordeuse
une acquéreuse
une acupunctrice
une adjudante
une administratrice
une agente
une agricultrice
une aiguilleuse
une ajusteuse
une amatrice
une aménageuse
une amirale
une animatrice
une annonceure
une apicultrice
une appariteure
une applicatrice
une arbitre
une arboricultrice
une architecte
une archiviste
une armurière
une arpenteuse
une artisane
une artiste
une assesseure
une assureure
une astrologue
une astronome
une attachée
une auteure
une avicultrice
une avocate
une ayant droit
une banquière
une bâtonnière
une bénéficiaire
une bottière
une boursière
une brigadière
une briqueteuse
une bruiteuse
une buandière
une bûcheronne
une câbleuse
une cadre
une cadreuse
une camelot
une camionneuse
une canoteuse
une capitaine
une caporale
une cardiologue
une carreleuse
une catalogueuse
une cégépienne
une censeure
une chapelière
une chargée de cours
une chargeuse
une charpentière
une chaudronnière
une chauffeuse
une chef
une chercheuse
une chiropraticienne
une chirurgienne
une chômeuse
une chroniqueuse
une chronométreuse
une cimentière
une clown
une collègue
une colonelle
une commandante
une commis
une commissaire
une communicatrice
une compositrice
une conceptrice
une conductrice
une conseil
une consule
une consultante
une contractuelle
une contremaîtresse
une contrôleuse
une coopérante
une coordonnatrice
une cordonnière
une coroner
une correctrice
une courrière
une courtière
une couseuse
une couvreuse
une créatrice
une critique
une débardeuse
une débosseleuse
une découvreuse
une décrocheuse
une délatrice
une déléguée
une délinquante
une demanderesse
une demandeuse
une dentiste
une dépanneuse
une députée
une dessinatrice
une détective
une détentrice
une diététiste
une diffuseuse
une diplomate
une docteure
une écrivaine
une éditorialiste
une éleveuse
une émettrice
une employeuse
une emprunteuse
une encodeuse
une enquêteuse
une entraîneuse
une entrepreneuse
une équarrisseuse
une essayeuse
une estimatrice
une évaluatrice
une examinatrice
une experte-comptable
une exploitante
une fabricante
une factrice
une femme-grenouille
une ferblantière
une ferrailleuse
une finisseuse
une fondeuse
une foreuse
une fournisseuse
une fraiseuse
une franchiseuse
une garde
une garde-forestière

une générale
une généticienne
une géophysicienne
une gérante
une goûteuse
une gouverneure
une graveuse
une greffière
une guide
une horlogère
une horticultrice
une hôte (est reçue)
une hôtesse (reçoit)
une huissière
une illustratrice
une imprésario
une imprimeuse
une indicatrice
une industrielle
une ingénieure
une inspectrice
une installatrice
une instructrice
une intendante
une interlocutrice
une interne
une intervenante
une intervieweuse
une investisseuse
une jardinière
une jockey
une juge
une jurée
une juriste
une lamineuse
une lectrice
une législatrice
une lettreuse
une lieutenante
une lieutenante-gouverneure
une locutrice
une lotisseuse
une luthière
une maçonne
une magasinière
une magistrate
une mairesse
une maître
une malfaitrice
une mannequin
une manœuvre
une maraîchère
une marin
une matelot
une médecin
une meneuse
une menuisière
une metteure en scène
une ministre
une monteuse
une notaire
une officière
une oratrice
une orienteuse
une pasteure
une pêcheuse
une peintre
une pharmacienne
une physicienne
une pilote
une piscicultrice
une plâtrière
une plombière
une poète
une policière
une pompière
une porte-parole
une potière
une prédécesseure
une préfète
une première ministre
une préposée
une présentatrice
une principale
une procureure
une professeure
une programmeuse
une promotrice
une proposeuse
une prospectrice
une puéricultrice
une rapporteuse
une réalisatrice
une recenseuse
une réceptrice
une recruteuse
une rectifieuse
une rectrice
une rédactrice
une régisseuse
une réparatrice
une répartitrice
une répétitrice
une reporteuse
une réviseure
une sapeuse-pompière
une sauveteuse
une savante
une scrutatrice
une sculpteure
une sénatrice
une sergente
une serrurière
une soigneuse
une soldate
une solliciteuse
une soudeuse
une souffleuse
une sous-chef
une sous-ministre
une spectatrice
une stagiaire
une substitut
une successeure
une supérieure
une superviseure
une surintendante
une syndique
une tailleuse
une tanneuse
une tapissière
une technicienne
une téléphoniste
une témoin
une teneuse de livres
une tisserande
une titulaire
une tôlière
une topographe
une tourneuse
une traductrice
une traiteuse
une trappeuse
une travailleuse
une tricoteuse
une trieuse
une tutrice
une tuyauteuse
une typographe
une universitaire
une usagère
une utilisatrice
une vainqueur
une vérificatrice
une vice-présidente
une vice-reine
une vitrière
une voyagiste
une voyante
une xénophile
une zootechnicienne

Coquilles en traduction

MADE IN TURKEY – FABRIQUÉ EN DINDE

•

100%-silk ties — 100 % la soie attache

•

Fly to Asia by Air International. You'll be amazed!
Volez vers l'Asie par Air International. Vous n'en reviendrez pas !

•

Caesar cepit Galia in summum diligentia.
César prit la gale au sommet d'une diligence.

General instructions Congratulations. You have selected the most exciting electronic telephone. It's remarkably small size, light weight, and new features are made possible by the use of space age electronics.	**Instructions générales** Félicitation, vous chooser un très exitement telephone electronique. Le telephone il est tres petit et beautiful, petit masse, et nouvelle tres possible pour astranique electronique.
Tone ringer The telephone includes a pleasing tone signal produced by miniature circuits.	**Ringer** Le telephone ne ringer pas, il avoir musique et très plessir sonner.
Recall button If you wish to make several calls in succession, or if you make a mistake in dialing, it is not necessary to put down the phone to "hang up". Simply press the Recall button and hold it for a few seconds, then release to regain dial tone.	**Rappel bouton** Que vous avoir faire tard coup de telephone, ou vous avoir trompé, il ne necessiter pas pour placer le telephone avec "hang up". Simplement presser rappel bouton et continue presser pour petit seconde et relacher bouton.
To place your telephone This phone is specially designed to place on a flat surface or to hang up on the wall. You can use the base which is supplied to you as a basic component to hang you phone up.	**Pour placer votre telephone** Le telephone specialment dessin pour placer sur plat surface, ou pour pender à muraille. Vous pouvez emploi le base il forniture avec vous pour hang up le telephone.

Après trois essais comportant une erreur, Robert Jones annule son annonce :

FOR SALE: Robert Jones has one sewing machine for sale. Call 123-4567 after 7 p.m. and ask for Mrs. Kelly who lives with him cheap.

FOR SALE: Robert Jones has one sewing machine for sale. Cheap. Call 123-4567 and ask for Mrs. Kelly who lives with him after 7 p.m.

FOR SALE: Robert Jones has one sewing machine for sale. Cheap. Call 123-4567 after 7 p.m. and ask for Mrs. Kelly who loves with him.

NOTICE: I, Robert Jones, have NO sewing machine for sale. I SMASHED IT. Don't call 123-4567, as the telephone has been cut. I have NOT been carrying on with Mrs. Kelly. Until yesterday, she was my housekeeper, but she QUIT.

L'homme s'écria, en roulant les ***r*** : « Ah ! que c'est beau ! »

Ponctuation

Liste alphabétique

a commercial

Le *a* commercial et l'arobas sont représentés par le même signe : @. Le *a* commercial signifie le prix unitaire d'un article; il est donc inutile d'y ajouter le mot *chacune* quand on l'utilise. Les deux exemples suivants sont corrects :

deux chemises @ 30 $ — deux chemises à 30 $ chacune

Arobas @

L'arobas est utilisé dans Internet pour les adresses électroniques et se place après le nom de l'internaute. On prononce le *s* final. Il ne faut pas utiliser le terme *a commercial* dans une adresse électronique, car ce *a* n'a rien de commercial dans ce cas. Donc : *a commercial* s'il s'agit de prix unitaire, *arobas* dans une adresse Internet.

Apostrophe

Espacement de l'élision

Dans l'élision normale, l'apostrophe ne prend pas d'espace avant ni après. Les mots qui sont dans ce cas sont les suivants :

mot	**exemple**	**mot**	**exemple**	**mot**	**exemple**
ce	c'est	la	l'aube	que	qu'elle
de	d'une	le	l'os	se	s'ôte
je	j'ai	me	m'a	te	t'as
jusque	jusqu'ici	ne	n'a		

lorsque	seulement devant :	il, ils, elle, elles, on, un, une, en
puisque	seulement devant :	il, ils, elle, elles, on, un, une, en
quoique	seulement devant :	il, ils, elle, elles, on, un, une
quelque	seulement devant :	un, une
si	seulement devant :	il, ils
presque	seulement dans :	presqu'île

Dans une élision exceptionnelle, c'est-à-dire une élision en dehors de la liste donnée ci-dessus, l'apostrophe ne supprime pas les espaces entre les mots.

L'opéra de quat' sous

Apostrophe devant un nom propre en fin de ligne

Il faut faire l'élision devant un nom propre, même devant un titre d'œuvre. Mais l'apostrophe ne peut jamais se trouver en début ni en fin de ligne, même si la composition est centrée. Il faut donc éviter de faire l'élision (à droite).

Racine est l'auteur d'*Athalie.*

L'orchestre sera sous la direction de
ARTHUR BAGUETTE

Apostrophe inutile

L'apostrophe remplace souvent une ou plusieurs lettres manquantes. Il ne faut donc pas l'utiliser là où il ne manque pas de lettre, en langage familier.

Y a beaucoup de monde. — *et non pas :* Y'a beaucoup de monde.

L'inondation a causé une perte sèche très importante.

Astérisque

- L'astérisque placé après un mot signifie souvent « voir ce mot ».
- Dans les dictionnaires Larousse, il indique un **h** aspiré : *haricot.
- Il peut servir d'appel de note dans les travaux scientifiques.
- Il est un signe de multiplication dans certains logiciels.
- En linguistique, il signifie « agrammatical » (non correct) : *Va-t-en. *Parles-lui.
- L'astérisque peut aussi avoir d'autres significations spéciales. Dans ces cas, il faut mentionner en bonne place, au début de l'imprimé, ce qu'il signifie.

Barre oblique

Barre oblique dans les fractions

La barre oblique (/), sans espace avant ni après, est le symbole de la division dans les fractions. Elle signifie « divisé par » ou simplement « par ».

60 km/h	soixante kilomètres par heure	*ou*	soixante kilomètres à l'heure
15 $/kg	quinze dollars par kilogramme	*ou*	quinze dollars le kilogramme

Barre oblique dans les fractions de temps décimal

Après les secondes, on utilise les dixièmes ou les centièmes de seconde. On ne met pas de lettres supérieures (^{e}, ^{es}), bien qu'on prononce les *ièmes.*

Elle a terminé à 12/100 de seconde de la gagnante.
On prononce : Elle a terminé à douze centièmes de seconde de la gagnante.

Les fractions s'écrivent en toutes lettres quand elles ne sont pas précises.

La distance est d'environ trois quarts de kilomètre.

Barre oblique pour opposition et traduction

Avec espace autour d'elle si le texte de chaque côté de la barre oblique est long. Pas d'espace si le texte est court. L'oblique *inversée* est utilisée en informatique.

Proofreading / Correction d'épreuves	Ouvert/Fermé	c:\winword\typo
Em space / Cadratin	Marche/Arrêt	

Barre oblique signifiant « sur »

La barre oblique sert à indiquer les deux chiffres de la pression artérielle.

Ce patient a une pression artérielle de 140/90.

Barre oblique dans « et/ou »

Il faut éviter d'employer cette forme. La plupart du temps, le mot **ou** suffit.

Des livres d'intérêt psychologique ou sociologique.
Et non : Des livres d'intérêt psychologique et/ou sociologique.

Barre oblique pour les sauts de ligne

Pour indiquer l'endroit où l'on désire la fin d'une ligne et le début de l'autre.

Vous me connaissez mal, la même ardeur me brûle/Et le plaisir s'accroît quand l'effet se recule.

Casse après la ponctuation

Dans un texte courant, on mettra au premier mot après

le point final	*une capitale.*
la virgule	*un bas-de-casse.*
le point-virgule	*un bas-de-casse.*
le deux-points	*un bas-de-casse si c'est une énumération;*
	une capitale si c'est une citation, un titre d'œuvre ou une phrase.

le point d'interrogation, le point d'exclamation, les points de suspension
une capitale si la phrase est finie; sinon, un bas-de-casse.

Crochets

Emplois des crochets

Les crochets servent à isoler une partie qui est à l'intérieur de parenthèses.

L'auteur étudié (Lamartine [1790-1869]) a plu à tous.

Les crochets servent à marquer une interruption dans une citation. Les points sont dits *elliptiques* et le tout signifie « plus loin ». On écrit *sic* entre parenthèses droites.

Le *Fichier français de Berne* écrit : « Il faut reconnaître, hélas! que l'emploi inconsidéré de la majuscule compte parmi les manifestations de la grandiloquence qui boursoufle le style actuel. [...] À force de galvauder (*sic*) la majuscule, on finit par lui enlever toute valeur grammaticale. »

Deux-points

Casse après le deux-points.

Bas-de-casse au premier mot s'il s'agit d'une énumération. Capitale s'il s'agit d'une citation, d'un titre d'œuvre ou d'une phrase indépendante complète.

Ce livre traite des sujets suivants : les capitales, les coupures, les nombres, etc.
Un lunetier m'a dit : « Qui veut voyager loin ménage sa monture. »
Titre du roman : *Les fous de Bassan*.
Avis : Les vêtements doivent obligatoirement être accrochés aux portemanteaux.

Emplois du deux-points

Quand un mot ou un groupe de mots résume une énumération, on met un deux-points avant ce mot. D'autre part, le deux-points peut remplacer **car** ou **parce que.** Il faut éviter d'utiliser deux fois le deux-points dans la même phrase.

Il aimait Anna. Son regard, sa voix, sa conversation : tout en elle le fascinait.
Je ne sortirai pas, car il va pleuvoir. Je ne sortirai pas : il va pleuvoir.

Esperluette (&)

L'esperluette, ou perluète, ou *et* commercial se met dans une raison sociale entre deux patronymes ainsi que devant les mots suivants et leur pluriel : Frère, Sœur, Fils, Fille, Associé, Associée. Même règle pour Cie.

Menuiserie Dupont & Durand inc.	Société Jean Dupont & Associés
Librairie Jean Durand & Filles ltée	Plomberie Dubois & Cie (ou Cie)

En dehors de ces cas, on utilise le mot **et** : Ceintures et sacs de cuir inc.

Jeune dame bien en chair rencontrerait monsieur cher en biens.

Espacements de la ponctuation

En typographie de qualité, il faut utiliser l'espace fine. Cependant, certains logiciels de traitement de texte ne la possèdent pas. C'est la raison pour laquelle le tableau ci-dessous offre des choix marqués *****, selon que l'on dispose de l'espace fine ou non.

	Espace avant	**Espace après**
Apostrophe dans l'élision normale	rien	rien
Apostrophe dans l'élision exceptionnelle	rien	sécable
Appels de note et astérisque	fine *ou* rien*	sécable
Arithmétique + − × ÷ : / = ± ≠	sécable	sécable
Barre oblique	rien	rien
Crochet ouvrant [	sécable	rien
Crochet fermant]	rien	sécable
Deux-points	insécable	sécable
Deux-points dans les heures numériques	rien	rien
Guillemet ouvrant «	sécable	fine *ou* inséc.*
Guillemet fermant »	fine *ou* inséc.*	sécable
Guillemet anglais ouvrant “	sécable	rien
Guillemet anglais fermant ”	rien	sécable
Petit guillemet ouvrant "	sécable	rien
Petit guillemet fermant "	rien	sécable
Parenthèse ouvrante (	sécable	rien
Parenthèse fermante)	rien	sécable
Point d'exclamation et point d'interrogation	fine *ou* rien*	sécable
Point final d'une phrase et point abréviatif	rien	sécable
Point-virgule	fine *ou* rien*	sécable
Points de suspension, toujours collés entre eux	rien	sécable
Points elliptiques quand ils sont entre crochets	rien	rien
Pourcentage %	insécable	sécable
Préfixes d'unités : k, M (collés) : kF, M$, etc.	sécable	rien
Symbole $ et symbole F	insécable	sécable
Symbole h dans une heure complexe : 16 h 15	insécable	insécable
Symboles d'unités : cl, m, cm, km, kg, ko, Mo	insécable	sécable
Tiret long à l'intérieur d'un texte (—)	sécable	sécable
Trait d'union	rien	rien
Tranches de trois chiffres dans une quantité	fine *ou* inséc.*	fine *ou* inséc.*
Virgule	rien	sécable
Virgule décimale	rien	rien

L'enfant avait un trou à son pantalon, qui laissait entrevoir une famille pauvre.

Faces de la ponctuation

Ponctuation basse . , ...

Le point, la virgule et les points de suspension reposent seuls sur la ligne de base. La ponctuation basse reste toujours dans la même face que le mot qui la précède, qu'elle appartienne au mot ou au reste de la phrase.

> En typographie, on utilise *l'italique,* **le gras,** le romain, ***le gras italique,*** etc.
> Il faut un point abréviatif au mot latin *ibid...*

Les virgules appartiennent à la phrase et devraient être composées en romain, mais elles restent toujours dans la face du mot ou du signe qui les précède. La même règle s'applique pour le point et les points de suspension. Le point abréviatif se confond avec les points de suspension (il n'y a donc jamais quatre points de suite).

Ponctuation haute : ; ? !

On appelle ainsi les quatre signes de ponctuation qui ne reposent pas seuls sur la ligne de base : deux-points, point-virgule, point d'interrogation et point d'exclamation. La ponctuation haute appartient soit au mot qui la précède, soit au reste de la phrase. On la met donc dans la face de l'un ou de l'autre.

> La centième partie du dollar est le *cent*; celle du franc est le *centime.*
> Le titre du livre est le suivant : *Le théâtre aujourd'hui; son rôle dans la société.*

Dans le premier exemple, le point-virgule appartient au reste de la phrase et non au mot *cent.* Il reste donc en romain. Dans le second exemple, il appartient au titre du livre, qui doit se mettre en italique. Le point-virgule est donc lui aussi en italique.

Ponctuation double ( ) « » [ ] — —

Soit les parenthèses, les guillemets (chevrons), les crochets et les tirets longs. Ces signes doubles doivent rester tous deux dans la même face.

> Gabrielle Roy (avec son roman *Bonheur d'occasion*) a gagné le prix Femina.
> On écrit en italique le mot *idem* (*ibidem* également).

Premier exemple : la parenthèse fermante a pris la même face que l'ouvrante.
Deuxième exemple : la parenthèse ouvrante a pris la même face que la fermante.

Guillemets ou chevrons

Guillemets pour émettre un doute

S'il y a une citation incluse, guillemets anglais ou petits guillemets.

> L'arbitre n'a pas cru à la « blessure » du joueur.
> L'arbitre a dit : « Je n'ai pas cru à la "blessure" du joueur. »

Guillemet fermant et ponctuation

Si la partie entre guillemets débute par un bas-de-casse, la ponctuation finale est *à l'extérieur* du guillemet fermant. Si la partie entre guillemets débute par une capitale, la ponctuation finale est *à l'intérieur* du guillemet fermant.

> Vous me dites qu'il est dommage que « les roses aient des épines ».
> Je vous réponds : « Heureusement, les épines ont des roses. »

La différence entre un amant et un mari, c'est le jour et la nuit.

Guillemets en opposition avec l'italique

On emploie les guillemets (chevrons) quand on veut mettre une partie en opposition avec l'italique dans une même phrase.

L'expression *What time is it?* se traduit par « Quelle heure est-il ? »

Guillemets dans les citations

Guillemet ouvrant («) au début, puis guillemet ouvrant **à chaque alinéa** jusqu'à la ponctuation finale qui est suivie d'un guillemet fermant. S'il y a une **citation incluse** (citation à l'intérieur de la citation), guillemets anglais (" ") ou petits guillemets (" ").

«	« ....
....	....
«	« ...."incluse........
....	....
....	.... fin de l'incluse".
«	« ....
....	.... "Incluse ....
.... »	.... fin de l'incluse." »

Si l'incluse est à la fin de la citation, son guillemet fermant subsiste ainsi que le chevron. Le point final se place avant le guillemet si la phrase de l'incluse est complète (commençant avec une capitale), et à l'extérieur si la phrase n'est pas complète : "début de l'incluse... fin de l'incluse". »

Guillemets dans les dialogues

On commence un dialogue par un guillemet ouvrant. À chaque changement d'interlocuteur, on va à la ligne et on met un tiret long suivi d'une espace insécable. On termine le dialogue par un guillemet fermant **après** la ponctuation finale.

« ....
....
— ....
....
— ....
.... »

Guillemets dans les catalogues

Guillemet fermant pour la répétition. Prix non déterminé : **n.d.**

Canne à pêche	sans moulinet	25,50
» »	avec moulinet	n.d.

Guillemets dans les titres de subdivision

Ces titres sont en romain, avec une capitale, et entre guillemets.

Le titre « Mise en page » se trouve dans *Le Ramat de la typographie.*

Guillemets et limites

Les guillemets se limitent aux mots que l'on veut faire ressortir.

On l'appelle « la terreur du village ». On l'appelle « la terreur », dans le village.

La foudre a frappé le toit. Depuis notre mariage, c'est le second coup de foudre.

Parenthèses

Parenthèses et casse

Si la phrase à l'intérieur de la parenthèse est complète, on met une capitale initiale et la ponctuation finale à l'intérieur. Si elle n'est pas complète : bas-de-casse initial et ponctuation finale à l'extérieur.

Nous avons pris le train du matin. (J'avais réservé les places.)
Nous avons pris le train du matin (après avoir réservé les places).

Parenthèses entourant l'auteur

L'auteur est à la fin de la citation : point final à l'intérieur de la parenthèse.

« Le démon du midi arrive souvent à quatorze heures! » (Pierre Dac, *Pensées.*)

L'auteur est sur une ligne séparée : pas de ponctuation, ou bien un tiret long.

« Le pire qui puisse arriver à un dermatologue, c'est le manque de peau. »
— Pierre Dac

Point

Point final

Après un point final, on met une capitale au prochain mot. On ne met jamais deux espaces de suite après un point final.

Point précédant les points de conduite

On ne met pas de point ni de deux-points après le mot qui précède les points de conduite. On met une espace justifiante.

Liste des employés 245

Point et tiret long

Si l'on veut utiliser un tiret long dans une énumération, on met un point après le signe d'énumération et une espace insécable avant et après le tiret.

III. — Ponctuation A. — Signes 1. — Principes

Point dans un titre

On ne met pas de point final dans un titre ou un sous-titre à l'intérieur d'un journal ou d'une revue. On peut aussi utiliser les guillemets autour de la citation.

Tout le monde doit s'impliquer dans la prévention, estime le ministre de la Sécurité publique

« Tout le monde doit s'impliquer dans la prévention », estime le ministre de la Sécurité publique

Point dans une légende ou à la fin des exemples

On ne met un point aux légendes et aux exemples que si la phrase est complète.

La photo montre le château Frontenac.
Notre fils Paul est arrivé.

La place de la Concorde
l'Université du troisième âge

La première condition, pour un archéologue, c'est d'avoir une tête de pioche.

Point d'interrogation et point d'exclamation

Seulement si l'interrogation ou l'exclamation est directe (à gauche).

Quel temps fait-il?	Je vous demande quel temps il fait.
Quel beau temps!	Je m'émerveille de ce beau temps.

Point d'exclamation et interjection

Le point d'exclamation se met après l'interjection et se répète à la fin, si la partie qui suit le premier point d'exclamation est elle aussi exclamative.

Hé! Loïse! Ah! que la vie est belle!
mais on écrira : Non! je ne répondrai pas à cette question.

Quand l'interjection est répétée, le point d'exclamation se place après la dernière et on met une virgule entre les répétitions. Après « hélas », on peut utiliser soit un point d'exclamation sans virgule, soit une virgule si l'on veut atténuer l'exclamation.

Ah, ah! vous y êtes arrivé! Il faudra, hélas, punir cet enfant.

Significations des interjections

Voici, en général, ce qu'expriment certaines interjections :

Ah!	douleur	Ah! que vous me faites mal!
	joie	Ah! je suis content de vous voir!
Ha!	surprise passagère	Ha! vous voilà!
Oh!	admiration, étonnement	Oh! que la nature est belle!
Eh!	surprise	Eh! jamais je n'aurais cru ça!
Eh bien,	dans le sens de « alors »	Eh bien, qu'avez-vous à répondre?
Hé!	pour appeler	Hé! Pinard!
Ho!	pour appeler	Ho! venez ici!
Ô	interpellation	Ô rage! ô désespoir!

Point d'interrogation ou d'exclamation suivis d'une capitale

Seulement s'ils terminent la phrase.

Viendrez-vous au bal? Je me le demande.
Vous aviez dit : « Je viendrai! » et vous êtes venue.

Points de suspension

Points de suspension avec la virgule

On place la virgule après les points de suspension.

Tu t'amusais, fillette..., tu t'amusais même beaucoup.

Le mot *fillette* est une apostrophe rhétorique, donc entre deux virgules. L'auteur veut indiquer que la pause à la seconde virgule est plus longue.

Points de suspension avec le point d'interrogation

En général, les points de suspension se placent après.

Qu'est-ce que vous dites?... La belle affaire!...

Points de suspension pour marquer un effet

On utilise les points de suspension pour marquer une surprise, un doute ou une crainte. Dans ces cas, ils ne prennent pas de capitale après eux.

> J'ai fébrilement ouvert le paquet et j'ai trouvé... un mot.

Point-virgule

Point-virgule et mot suivant

On met un bas-de-casse au premier mot suivant un point-virgule.

> Nous sommes partis assez tôt; le soleil brillait.

Point-virgule dans les énumérations horizontales

On met un point-virgule à la fin de chaque partie, puis un point final.

> Il faudra considérer : *a*) le lieu; *b*) la date; *c*) l'heure.

Tirets

Il ne faut jamais appeler un trait d'union « tiret », et inversement.

trait d'union (-)
 se tape comme une autre lettre du clavier : grand-père, timbre-poste

tiret long *ou* tiret sur cadratin (—) Ansi 151
 utilisé dans un dialogue pour les changements d'interlocuteur
 utilisé parfois à la place des parenthèses
 utilisé parfois dans les signes d'énumération (A. —)

tiret court *ou* tiret sur demi-cadratin (–) Ansi 150
 pour joindre deux éléments comportant déjà un trait d'union
 pour comparer deux homophones : *dans – d'en*

Tirets longs

Pour isoler un membre de phrase, on a trois possibilités dans cet ordre croissant de force : *virgules, parenthèses, tirets longs.* On ne met pas de virgule avant la parenthèse ouvrante. Au besoin, on en met une après la parenthèse fermante.

> Si vous aimez les émotions (et qui ne les aime pas?), allez vite voir la course.

Les tirets longs se ponctuent de la même façon que les parenthèses, mais le second tiret disparaît s'il se trouve à la fin de la phrase.

> Si vous aimez les émotions — et qui ne les aime pas? —, allez vite voir la course.

Personnellement, j'hésite à employer des tirets pour remplacer des parenthèses à l'intérieur d'un texte. Voici les raisons :

a) les tirets étant précédés et suivis d'une espace sécable, le second tiret risque de se trouver au début d'une ligne;
b) comme un tiret ouvrant a la même forme qu'un tiret fermant, on ne peut pas distinguer l'un de l'autre quand ils sont très éloignés;
c) si l'on utilise des tirets pour noter les changements d'interlocuteur sans retour à la ligne, il sera difficile d'utiliser aussi des tirets à la place des parenthèses.

Trait d'union

Espacement du trait d'union

Le trait d'union s'écrit sans espace avant ni après, sauf quand il unit des toponymes qui comportent déjà eux-mêmes un trait d'union (*toponymes surcomposés*) ou qui s'écrivent en plusieurs mots. On peut aussi employer le tiret court collé.

Partie de hockey Trois-Rivières - Le Gardeur (insécables autour du trait d'union)
Dimanche aura lieu la partie Trois-Rivières–Le Gardeur (tiret court collé)
Saguenay–Lac-Saint-Jean (toponyme administratif surcomposé)

Trait d'union dans les horaires de programmes

Il y a deux façons d'écrire un horaire de programme. Dans la méthode de gauche, il faut aligner les traits d'union (non collés), ainsi que les dizaines et les unités. On ne doit pas utiliser un 0 (zéro) devant les unités. Dans la méthode de droite, on n'utilise pas le symbole **h** et on place un 0 (zéro) devant les unités. Je conseille la méthode de droite dont l'alignement est plus facile à réaliser.

7 h 30 - 9 h 00	Inscription	07:30 - 09:00	Inscription
9 h 15 - 10 h 30	Conférence	09:15 - 10:30	Conférence

Trait d'union avec les fonctions ou métiers

Quand les deux éléments sont d'égale valeur, donc quand l'un ne qualifie pas l'autre, on met un trait d'union. Le pluriel se met aux deux éléments.

des aides-cuisinières
des boulangers-pâtissiers
des chirurgiens-dentistes
des expertes-comptables
des horlogers-bijoutiers
des ingénieurs-conseils
des linguistes-informaticiennes
des présidents-directeurs généraux

Quand l'un des deux éléments qualifie l'autre, on ne met pas de trait d'union.
Le pluriel se met aux deux éléments.

des apprenties cuisinières
des chefs correcteurs
des directrices adjointes
des élèves maîtres
des gardes forestiers
des maîtres imprimeurs
des médecins assistants
des présidentes fondatrices

Trait d'union et capitale

Capitale aux deux éléments d'un mot composé quand il s'agit d'une règle d'emploi de la capitale, par exemple les noms de peuples.

les Anglo-Saxons
les Sud-Américains

Bas-de-casse au second élément quand celui-ci ne suit pas une règle d'emploi.

Secrétaire-trésorière : Lise Dupont

Trait d'union dans les prénoms

Trait d'union s'il s'agit d'un prénom composé. S'il s'agit de deux prénoms, on ne met pas de trait d'union. Espace insécable entre les deux prénoms abrégés.

Jean-Paul Riopelle   Jean Paul Lemieux   J. P. Lemieux

Trait d'union entre le prénom et le nom dans un spécifique

On met un trait d'union entre le prénom et le nom dans les entrées suivantes. (Le trait d'union est facultatif dans l'entrée « Sociétés » seulement.)

Bâtiments	l'aréna Maurice-Richard
Enseignement	le cégep André-Laurendeau
Menus de restaurant	le consommé Christophe-Colomb
Récompenses	le prix Émile-Nelligan
Sociétés	la galerie Michel-Bigué *ou* la galerie Michel Bigué
Sports	la coupe Jules-Rimet
Textes juridiques	la loi Frédéric-Falloux
Toponymie	le boulevard René-Lévesque

Trait d'union avec les verbes à l'impératif

L'impératif est joint par un trait d'union au pronom personnel (ou à **y, en**) qui le suit, même si ce pronom précède un infinitif.

Chante-moi un air.	Laissez-le partir.	Vas-y.	Parle-m'en
Parlez-leur en français.	Laissez-vous faire.	Va-t'en.	Parles-en.

On omet le trait d'union si le pronom se rattache au deuxième verbe.

Va le chercher.	Venez le voir.	Veuillez lui dire cela.

Si le second pronom se rattache à l'infinitif qui le suit, pas de trait d'union.

Allez-vous en prendre?	Laissez-moi vous dire merci.

Si deux pronoms suivent l'impératif, on met deux traits d'union.

Allez-vous-en.	Parlez-lui-en.	Donnez-nous-en deux.
Donnez-le-moi.	Faites-le-lui faire.	Mettez-vous-y.

D'abord le pronom complément d'objet direct, puis le complément d'objet indirect.

Donnez quoi? — le (c.o.d.)	Donnez à qui? — à moi (c.o.i.), donc :
Donnez-le-moi.	*et non pas : Donnez-moi-le.*

Trait d'union avec *-né*

Trait d'union et accord, sauf avec **nouveau** (mis pour *nouvellement*).

des chanteurs-nés	une artiste-née	des nouveau-nées

Traits d'union dans les noms composés et leur pluriel

singulier	*pluriel*
à-côté	à-côtés
abat-jour	abat-jour
aide-comptable	aides-comptables
aide-mémoire	aide-mémoire
allume-feu	allume-feu
amour-propre	amours-propres
amuse-gueule	amuse-gueules
année-lumière	années-lumière
appui-bras	appuis-bras
appui-tête	appuis-tête
après-coup	après-coups
après-midi	après-midi
arc-en-ciel	arcs-en-ciel
arrière-boutique	arrière-boutiques
arrière-garde	arrière-gardes
arrière-grand-mère	arrière-grands-mères
arrière-pensée	arrière-pensées
arrière-saison	arrière-saisons
assurance-chômage	assurances-chômage
assurance-crédit	assurances-crédits
assurance-maladie	assurances-maladie
assurance-vie	assurances-vie
attaché-case	attachés-cases
attrape-nigaud	attrape-nigauds
auto-école	auto-écoles
auto-stoppeur	auto-stoppeurs
avant-centre	avants-centres
avant-dernier	avant-derniers
avant-garde	avant-gardes
avant-goût	avant-goûts
avant-midi	avant-midi
avant-première	avant-premières
avion-cargo	avions-cargos
baby-foot	baby-foot
baby-sitter	baby-sitters
bain-marie	bains-marie
balai-brosse	balais-brosses
bande-annonce	bandes-annonces
bande-son	bandes-son
bas-côté	bas-côtés
bat-flanc	bat-flanc
bateau-lavoir	bateaux-lavoirs
bateau-mouche	bateaux-mouches
bébé-éprouvette	bébés-éprouvette
bec-fin	becs-fins
belle-de-jour	belles-de-jour
bernard-l'ermite	bernard-l'ermite
bien-fondé	bien-fondés
bien-pensant	bien-pensants
blanc-seing	blancs-seings
bloc-cuisine	blocs-cuisines
bloc-notes	blocs-notes

singulier	*pluriel*
blue-jean	blue-jeans
bouche-à-bouche	bouche-à-bouche
bouche-trou	bouche-trous
bouton-pression	boutons-pression
bracelet-montre	bracelets-montres
brise-glace	brise-glace
brise-lames	brise-lames
bulletin-réponse	bulletins-réponse
cache-nez	cache-nez
cache-sexe	cache-sexe
café-concert	cafés-concerts
café-théâtre	cafés-théâtres
canapé-lit	canapés-lits
carte-réponse	cartes-réponse
carton-feutre	cartons-feutres
carton-pâte	cartons-pâtes
casse-cou	casse-cou
casse-croûte	casse-croûte
casse-noisettes	casse-noisettes
casse-pieds	casse-pieds
casse-tête	casse-tête
centre-ville	centres-villes
cerf-volant	cerfs-volants
chassé-croisé	chassés-croisés
chasse-neige	chasse-neige
chauffe-eau	chauffe-eau
chauffe-pieds	chauffe-pieds
chausse-pied	chausse-pieds
check-list	check-lists
check-up	check-up
chef-d'œuvre	chefs-d'œuvre
chef-lieu	chefs-lieux
cheval-vapeur	chevaux-vapeur
chevau-léger	chevau-légers
chewing-gum	chewing-gums
chez-soi	chez-soi
chiche-kebab	chiches-kebabs
chou-fleur	choux-fleurs
ciné-parc	ciné-parcs
cité-dortoir	cités-dortoirs
Coca-Cola®	Coca-Cola
Cocotte-Minute®	Cocottes-Minute
coffre-fort	coffres-forts
compte-chèque	comptes-chèques
compte-rendu	comptes-rendus
compte-tours	compte-tours
contre-allée	contre-allées
contre-attaque	contre-attaques
contre-expertise	contre-expertises
contre-jour	contre-jours
contre-pied	contre-pieds
coq-à-l'âne	coq-à-l'âne

cordon-bleu	cordons-bleus
correcteur-réviseur	correcteurs-réviseurs
cou-de-pied	cous-de-pied
couche-culotte	couches-culottes
coupe-circuit	coupe-circuit
coupe-gorge	coupe-gorge
coupe-légumes	coupe-légumes
coupon-réponse	coupons-réponse
court-bouillon	courts-bouillons
court-circuit	courts-circuits
court-métrage	courts-métrages
couvre-chef	couvre-chefs
couvre-feu	couvre-feux
couvre-lit	couvre-lits
crève-cœur	crève-cœur
croc-en-jambe	crocs-en-jambe
croque-madame	croque-madame
croque-monsieur	croque-monsieur
cul-de-jatte	culs-de-jatte
cul-de-sac	culs-de-sac
cure-dents	cure-dents
cure-oreille	cure-oreilles
dame-jeanne	dames-jeannes
décret-loi	décrets-lois
déjà-vu	déjà-vu
demi-journée	demi-journées
demi-litre	demi-litres
dernier-né	derniers-nés
dessous-de-plat	dessous-de-plat
dessous-de-table	dessous-de-table
dessus-de-lit	dessus-de-lit
dessus-de-porte	dessus-de-porte
deux-pièces	deux-pièces
donation-partage	donations-partages
dos-d'âne	dos-d'âne
double-crème	doubles-crèmes
double-croche	doubles-croches
eau-de-vie	eaux-de-vie
en-avant	en-avant
en-but	en-but
en-tête	en-têtes
essuie-glace	essuie-glaces
essuie-mains	essuie-mains
expert-comptable	experts-comptables
fac-similé	fac-similés
face-à-face	face-à-face
faire-part	faire-part
faire-valoir	faire-valoir
fait-divers	faits-divers
fait-tout	fait-tout
fast-food	fast-foods
faux-filet	faux-filets
faux-fuyant	faux-fuyants
fourre-tout	fourre-tout
franc-jeu	francs-jeux
franc-parler	francs-parlers
gagne-pain	gagne-pain
gagne-petit	gagne-petit
garde-barrière	gardes-barrières
garde-boue	garde-boue
garde-chasse	gardes-chasses
garde-côtes	garde-côtes
garde-fou	garde-fous
garde-malade	gardes-malades
garde-manger	garde-manger
garde-meubles	garde-meubles
garde-robe	garde-robes
gratte-ciel	gratte-ciel
guet-apens	guets-apens
haut-commissaire	hauts-commissaires
haut-commissariat	hauts-commissariats
haut-de-chausse	hauts-de-chausses
haut-de-forme	hauts-de-forme
haut-parleur	haut-parleurs
haute-fidélité	hautes-fidélités
hit-parade	hit-parades
homme-grenouille	hommes-grenouilles
hors-d'œuvre	hors-d'œuvre
hors-la-loi	hors-la-loi
hors-texte	hors-texte
hôtel-Dieu	hôtels-Dieu
idée-force	idées-forces
ingénieur-conseil	ingénieurs-conseils
jupe-culotte	jupes-culottes
knock-out	knock-out
lance-missiles	lance-missiles
lave-auto	lave-autos
lave-vaisselle	lave-vaisselle
lèche-vitrines	lèche-vitrines
libre-échange	libres-échanges
libre-penseur	libres-penseurs
libre-service	libres-services
lieu-dit	lieux-dits
location-vente	locations-ventes
loi-cadre	lois-cadres
loi-programme	lois-programmes
long-courrier	long-courriers
long-métrage	longs-métrages
main-d'œuvre	mains-d'œuvre
maître-assistant	maîtres-assistants
maître-chien	maîtres-chiens
mandat-carte	mandats-cartes
marie-salope	maries-salopes
mort-né	mort-nés
mot-clé	mots-clés
mot-valise	mots-valises
moyen-courrier	moyen-courriers
moyen-métrage	moyens-métrages
nid-de-poule	nids-de-poule
non-dit	non-dit

J'ai été heurté de plein fouet par un poteau électrique.

non-fumeur	non-fumeurs
non-violent	non-violents
nouveau-née	nouveau-nées
nu-propriétaire	nus-propriétaires
nue-propriété	nues-propriétés
oiseau-mouche	oiseaux-mouches
on-dit	on-dit
ouvre-boîtes	ouvre-boîtes
pare-brise	pare-brise
pare-chocs	pare-chocs
pause-café	pauses-café
personne-ressource	personnes-ressources
pèse-alcool	pèse-alcool
pèse-bébé	pèse-bébés
pied-à-terre	pied-à-terre
pied-de-poule	pieds-de-poule
pied-noir	pieds-noirs
pince-monseigneur	pinces-monseigneur
pique-assiette	pique-assiettes
pochette-surprise	pochettes-surprises
point-virgule	points-virgules
porte-avions	porte-avions
porte-bonheur	porte-bonheur
porte-clés	porte-clés
porte-parole	porte-parole
porte-serviettes	porte-serviettes
post-scriptum	*post-scriptum*
pot-au-feu	pot-au-feu
pot-de-vin	pots-de-vin
pot-pourri	pots-pourris
premier-né	premiers-nés
presse-citron	presse-citron
presse-papiers	presse-papiers
prêt-à-porter	prêts-à-porter
pur-sang	pur-sang
queue-de-cheval	queues-de-cheval
queue-de-cochon	queues-de-cochon
quote-part	quotes-parts
raz-de-marée	raz-de-marée
reine-claude	reines-claudes
reine-marguerite	reines-marguerites
remue-ménage	remue-ménage
remue-méninges	remue-méninges
repose-tête	repose-tête
rez-de-chaussée	rez-de-chaussée
rince-bouche	rince-bouche
rince-doigts	rince-doigts
roman-feuilleton	romans-feuilletons
roman-fleuve	romans-fleuves
rond-point	ronds-points
sac-poubelle	sacs-poubelle
sage-femme	sages-femmes
saint-bernard	saint-bernard
saint-honoré	saint-honoré
sainte-nitouche	saintes-nitouches
sans-abri	sans-abri
sans-culotte	sans-culottes
sans-emploi	sans-emploi
science-fiction	sciences-fictions
sèche-cheveux	sèche-cheveux
sèche-linge	sèche-linge
serviette-éponge	serviettes-éponges
sous-tasse	sous-tasses
sous-verre	sous-verre
sous-vêtement	sous-vêtements
soutien-gorge	soutiens-gorge
station-service	stations-service
stylo-feutre	stylo-feutres
t-shirt	t-shirts
talk-show	talk-shows
talkie-walkie	talkies-walkies
tam-tam	tams-tams
tapis-brosse	tapis-brosses
tâte-vin	tâte-vin
tee-shirt	tee-shirts
terre-plein	terre-pleins
tête-à-queue	tête-à-queue
tête-à-tête	tête-à-tête
tête-de-Maure	têtes-de-Maure
tête-de-nègre	tête-de-nègre
tiers-monde	tiers-mondes
timbre-quittance	timbres-quittances
tire-au-flanc	tire-au-flanc
tire-bouchon	tire-bouchons
tiroir-caisse	tiroirs-caisses
touche-à-tout	touche-à-tout
tourne-disque	tourne-disques
tout-à-l'égout	tout-à-l'égout
tout-en-un	tout-en-un
tout-petit	tout-petits
tout-puissant	tout-puissants
trompe-l'œil	trompe-l'œil
trop-perçu	trop-perçus
trop-plein	trop-pleins
trouble-fête	trouble-fête
va-et-vient	va-et-vient
va-nu-pieds	va-nu-pieds
vade-mecum	*vade-mecum*
vice-président	vice-présidents
vide-ordures	vide-ordures
vide-poches	vide-poches
vidéo-clip	vidéo-clips
ville-champignon	villes-champignons
ville-dortoir	villes-dortoirs
voiture-restaurant	voitures-restaurants
vol-au-vent	vol-au-vent
volte-face	volte-face
wagon-restaurant	wagons-restaurants
water-closet	water-closets
week-end	week-ends

L'orchestre était placé sous la braguette d'André Dupont.

Trait d'union et les noms en apposition

a) avec trait d'union

bénéfice	déjeuner-bénéfice	déjeuners-bénéfice
cadeau	bon-cadeau	bons-cadeaux
»	chèque-cadeau	chèques-cadeaux
»	emballage-cadeau	emballages-cadeaux
»	idée-cadeau	idées-cadeaux
»	paquet-cadeau	paquets-cadeaux
causerie	dîner-causerie	dîners-causeries
choc	argument-choc	arguments-chocs
débat	petit-déjeuner-débat	petits-déjeuners-débats
spectacle	souper-spectacle	des soupers-spectacles
surprise	cadeau-surprise	cadeaux-surprises

b) sans trait d'union

aiguille	talon aiguille	talons aiguilles
bidon	élection bidon	élections bidon
butoir	date butoir	dates butoirs
cible	auditeur cible	auditeurs cibles
clé	mot clé *ou* mot-clé	mots clés *ou* mots-clés
couleur	photo couleur	photos couleurs
couverture	page couverture	pages couverture
éclair	guerre éclair	guerres éclair
étudiant	prêt étudiant	prêts étudiants
fantaisie	lettre fantaisie	lettres fantaisie
fantôme	ville fantôme	villes fantômes
foire	prix foire	prix foire
frontière	poste frontière	postes frontière
limite	vitesse limite	vitesses limites
maison	tarte maison	tartes maison
matin	dimanche matin	dimanches matin
mère	fille mère	filles mères
mère	maison mère	maisons mères
ministre	bureau ministre	bureaux ministres
minute	clé minute	clés minute
miroir	œuf miroir	œufs miroir
modèle	maison modèle	maisons modèles
photo	appareil photo	appareils photo
pilote	panneau réclame	panneaux réclames
record	temps record	temps records
soir	samedi soir	samedis soir
sœur	âme sœur	âmes sœurs
sport	veste sport	vestes sport
standard	pièce standard	pièces standards
synthèse	rapport synthèse	rapports synthèses
témoin	lampe témoin	lampes témoins
type	exemple type	exemples types
vedette	prix vedette	prix vedette

Virgule

apostrophe rhétorique

L'apostrophe rhétorique (l'être ou la chose personnifiée à qui l'on s'adresse) se met entre deux virgules, sauf si elle commence ou termine la phrase.

Je t'en prie, Ida, ferme la porte. Ida, ferme la porte. Je m'adresse à toi, Ida.

apposition

Un nom (ou un adjectif) est en apposition quand il est placé à côté d'un nom (propre ou commun) pour le préciser. L'apposition est entre deux virgules, sauf si elle termine ou commence la phrase. La virgule subsiste devant **et.**

Guy Mauve, poète, a récité des vers.
La séance a été levée par le docteur Max Hilaire, dentiste.
Décorateur, Alain Térieur a dessiné sa maison.
Jean Rougy, timide, ne s'est pas prononcé.
« Je ne fais pas de promesses », a répondu la ministre, prudente.
Assoiffée, Daisy Dratey a bu un grand verre d'eau.
Claire Delune, astronome, et Tony Truand, chanteur, étaient présents.

ainsi que – avec

Avec deux virgules : verbe au singulier. Pas de virgules : verbe au pluriel.

La politesse, ainsi que la sincérité, est une grande vertu.
La politesse ainsi que la sincérité sont deux grandes vertus.
Le monsieur, avec son chien noir, est arrivé en voiture.
Le monsieur avec son chien noir sont arrivés en voiture.

car – mais

On met généralement une virgule avant **car** et **mais.** Si les deux termes opposés par **mais** sont très rapprochés, on ne met pas de virgule (troisième ligne).

Les plages sont pleines, car tout le monde y va pour se rincer les pieds ou l'œil.
J'aimerais passer la soirée à la discothèque, mais je n'ai plus un sou.
Le temps est beau mais froid. Elle procède lentement mais sûrement.

c'est

On met une virgule avant **c'est** dans l'exemple suivant :

La jeunesse, c'est de refuser la place qu'on vous offre dans le métro.

de – avec

Virgule pour éviter des ambiguïtés.

J'ai adoré les cuisses de grenouille, de l'apprenti cuisinier Paul Cuistot.
C'est une comédie réalisée par Woody Allen, avec Mia Farrow.

Sans virgule, Paul Cuistot sauterait bien loin. Sans virgule, Woody Allen et Mia Farrow ont réalisé ensemble la comédie ; avec la virgule, Mia Farrow était l'actrice.

La mairie vendra la camionnette du maire dont le derrière s'ouvre facilement.

ellipse

Une ellipse est une suppression de mot qui évite une répétition (dans cet exemple, le mot *préfère*). On met une virgule à l'endroit de l'ellipse.

François préfère le football ; Georges, le basket.

entre le nom et le prénom

Dans une bibliographie ou dans une liste, virgule entre le nom et le prénom.

ROBERT, Guy. *Une histoire vraie...* Tchaïkovski, Petr Ilitch

entre le sujet et le verbe

On ne met pas de virgule seule entre le sujet et le verbe. Il peut y en avoir deux.

Celui qui a les dents longues ne doit pas avoir la vue courte.
Celui qui a les dents longues, en général, ne doit pas avoir la vue courte.
Et non pas : Celui qui a les dents longues, ne doit pas avoir la vue courte.

entre le verbe et le complément d'objet direct

On ne met pas de virgule entre le verbe et son complément d'objet direct.

Tu entends Marie? Tu entends, Marie?

Le mot *Marie,* dans l'exemple de gauche, est complément d'objet direct. Si l'on met une virgule, il devient une apostrophe rhétorique (personne à qui l'on s'adresse).

énumération de titres d'œuvres

Dans une énumération de titres d'œuvres, la virgule sépare chacun d'eux.

Je vous conseille de lire *Aimez-vous Brahms?, Faut l'faire!,* etc.

et – et ce

Énumération : la virgule entre les deux derniers termes est remplacée par **et.**

Il vaut mieux être beau, riche et jeune que laid, pauvre et vieux.

Virgule avant **et** pour rompre l'énumération ou s'il y a risque d'ambiguïté.

Enfin cessèrent la pluie et le vent, et le soleil revint.
Lise adore cuisiner, et faire la vaisselle l'ennuie.

Virgule avant et après **et ce.**

Nous allons changer les règlements, et ce, dès demain matin.

féminin des fonctions

Dans les dictionnaires et les listes, mais pas dans les textes courants.

docteur, e écrivain, e chirurgien, enne forgeron, onne banquier, ère

Lame de rasoir cherche lame sœur.

incise – incidente

L'incise (verbe indiquant qu'on rapporte des paroles) et l'incidente (intervention personnelle) sont entre deux virgules, mais la première disparaît si elle est précédée d'un point d'interrogation ou d'exclamation (incises à gauche, incidentes à droite).

Entrez, dit-elle, asseyez-vous.	Il faut, je pense, prendre cette voie.
Comment? s'étonna-t-il, vous êtes ici?	J'aimais, t'en souviens-tu? rire avec toi.
Bravo! s'écria-t-elle, je vous félicite.	

incise avec guillemets

Si l'incise est courte, elle est isolée par deux virgules. Si elle est longue, on ferme la citation avant elle et on la rouvre après.

> « Il va pleuvoir, dit l'éléphant, j'ai reçu une goutte sur le dos. »
>
> « Il va pleuvoir », dit l'éléphant en italien et en colère parce qu'il était polyglotte et qu'il avait la peau douce, « j'ai reçu une goutte sur le dos. »

index

Dans un index, la virgule signale une inversion.

> Ponctuation, emploi de la

inversion

On ne met pas de virgule quand il y a inversion du sujet.

Après l'automne, les grands froids arrivèrent.	(*sujet non inversé*)
Après l'automne arrivèrent les grands froids.	(*sujet inversé*)

ni – ou

On ne met pas de virgule avec deux **ni** rapprochés, mais on met des virgules quand il y en a trois ou plus. La même règle s'applique pour **ou.**

> Ce repas n'est ni bon ni mauvais. Il n'y a ni vin, ni saucisse, ni boudin.
> La météo : ou il pleut ou il neige. La météo : ou il pleut, ou il neige, ou il vente.

nom propre en apposition

Un nom propre est en apposition quand il peut se retrancher de la phrase et que celle-ci reste précise. Il est alors entre virgules.

Notre fille, Élise, est venue.	Notre fille Élise est venue.

Dans l'exemple à gauche, nous n'avons qu'une fille : elle s'appelle Élise (apposition). À droite, nous avons plusieurs filles, mais c'est celle qui s'appelle Élise qui est venue.

nom propre en apposition éloignée

Voici deux exemples avec une ou deux virgules.

Selon l'adjointe à la rectrice, Ève Dubé, il faut agir.	(*Ève Dubé est l'adjointe.*)
Selon l'adjointe à la rectrice Ève Dubé, il faut agir.	(*Ève Dubé est la rectrice.*)

Le contremaître fut désigné pour ploter les visiteuses dans l'usine.

que élidé

On met deux virgules ou on n'en met aucune dans le cas suivant :

> J'espère que, un jour, quelqu'un inventera la ficelle à lier les sauces.
> J'espère qu'un jour quelqu'un inventera la ficelle à lier les sauces.

qui – que – dont – où

Selon le sens que l'on veut donner à la phrase :
on écrit une proposition relative *explicative* entre deux virgules (1re ligne) ;
on écrit une proposition relative *restrictive* sans virgules (2e ligne).

> Les enfants, qui avaient faim, mangèrent.
> Les enfants qui avaient faim mangèrent.

Dans le premier exemple, tous les enfants avaient faim.
Dans le second exemple, seuls les enfants qui avaient faim mangèrent.

redondance expressive

Ces constructions sont des redondances expressives. Bien noter la virgule.

> J'en veux, du café !
> J'y vais, au restaurant.
> Ce gars-là, je l'ai vu au cinéma.
> Moi, j'aime le thé.

soit

On met une virgule dans les cas suivants :

Quand *soit* veut dire « d'accord »	Soit, j'accepte votre proposition.
Quand *soit* veut dire « c'est-à-dire »	C'est deux dollars, soit environ huit francs.
Quand *soit* veut dire « ou bien »	Je viendrai soit lundi, soit mardi.

subordonnée circonstancielle

Virgule après une subordonnée circonstancielle placée avant la principale.

> Quand on est parti de zéro pour arriver à rien, on n'a de merci à dire à personne.

subordonnée participiale

Virgule après une participiale (introduite par un participe présent ou passé). Le sujet de la participiale doit être le même que celui de la principale.

> Espérant une réponse favorable, je vous adresse une demande d'emploi.
> *Et non :* Reconnu coupable, le juge condamne l'inculpé à deux ans de prison.

Dans le premier exemple, la même personne *espère* et *adresse*. La seconde phrase est fautive, car elle laisse entendre que c'est le juge qui est coupable.

tête de phrase

Virgule après les locutions ci-après quand elles commencent la phrase.

ainsi	d'ailleurs	donc	en outre	par exemple
aussi	d'autre part	du reste	enfin	pourtant
cependant	d'une part	en effet	néanmoins	sans doute
certes	de plus	en fait	par conséquent	toutefois

Le coup de pied qu'il a reçu à la tête n'a pas été donné de main morte.

Virgule déplacée ou supprimée

Ces phrases changent de sens si les virgules sont déplacées ou supprimées.

« Le professeur, dit cet élève, est un ignorant. »
Le professeur dit : « Cet élève est un ignorant. »

Avez-vous du filet mignon?
Avez-vous du filet, mignon?

Vu que c'est un imbécile, comme vous je crois qu'il faudra sévir.
Vu que c'est un imbécile comme vous, je crois qu'il faudra sévir.

Comme je vous l'ai dit cet après-midi, je verrai votre père.
Comme je vous l'ai dit, cet après-midi je verrai votre père.

Il est interdit de jouer au ballon avec les pieds, sur la plage.
Il est interdit de jouer au ballon, avec les pieds sur la plage.

J'essaie de comprendre, ce qui, je l'espère, arrivera un jour ou l'autre.
J'essaie de comprendre ce qui, je l'espère, arrivera un jour ou l'autre.

Je vous prie d'excuser Mireille, qui a été malade, d'avoir manqué la classe.
Je vous prie d'excuser Mireille, qui a été malade d'avoir manqué la classe.

L'alcool, fort apprécié, de M. Bouchon enrichit les cafés de la région.
L'alcool, fort apprécié de M. Bouchon, enrichit les cafés de la région.

La dame dit aux invités : « Venez manger, mes amis. »
La dame dit aux invités : « Venez manger mes amis. »

Le bateau glissait sur le canal, muet.
Le bateau glissait sur le canal muet.

Le poète n'est pas mort, comme on l'a dit.
Le poète n'est pas mort comme on l'a dit.

Ma chère amie, la pluie n'a cessé de tomber.
Ma chère amie la pluie n'a cessé de tomber.

Veuillez noter commande de chats, envoyez-en deux, mille baisers.
Veuillez noter commande de chats, envoyez-en, deux mille baisers.
Veuillez noter commande de chats, envoyez-en deux mille, baisers.

Nous vendons des chemises de nuit pour dames, légères.
Nous vendons des chemises de nuit pour dames légères.

La municipalité tiendra ses engagements, en partie grâce à votre concours.
La municipalité tiendra ses engagements en partie, grâce à votre concours.

Qu'est-ce qu'on mange, papa?
Qu'est-ce qu'on mange : papa?

Si vous faites cela encore une fois, vous serez puni.
Si vous faites cela, encore une fois vous serez puni.

Un homme entra, sur la tête un chapeau de paille, aux pieds des souliers vernis, à la main un vrai bouquet de fleurs.
Un homme entra sur la tête, un chapeau de paille aux pieds, des souliers vernis à la main : un vrai bouquet de fleurs.

Un record : en une heure seulement, neuf apéritifs.
Un record : en une heure, seulement neuf apéritifs.

Les Québécoises, qui savent parler le chinois, sont peu nombreuses.
Les Québécoises qui savent parler le chinois sont peu nombreuses.

Plusieurs ponctuations de suite

Ponctuations à éviter *(à gauche, en gras) ; les exemples sont corrects.*

. »,	« Je suis content d'être ici », dit-il.	*Le point final de la citation s'en va.*
!). »,	« J'ai réussi (quel bonheur!) », dit-elle.	*Le point final de la citation s'en va.*
!,	Bonjour ! dit-il.	*Le point d'excl. annule la virgule,*
! :	J'oubliais les présentations : Jean...	*Le point d'exclam. avant* **:** *s'en va.*
! »,	« Bonjour ! » dit-elle.	*même s'il y a un guillemet.*
! » !	Vive celle qui a crié « Bravo ! »	*Choisir la ponctuation la plus utile.*
! » ?	Qui donc a crié « Hélas » ?	*Choisir la ponctuation la plus utile.*
?,	Pourquoi ? demanda-t-il.	*Le point d'inter. annule la virgule,*
? :	Vois-tu les mots suivants : *un, deux* ?	*Le point d'inter. avant* **:** *s'en va.*
? »,	« Pourquoi ? » demanda-t-elle.	*même s'il y a un guillemet.*
? » !	Arrêtez donc de crier « Pourquoi ? »	*Choisir la ponctuation la plus utile.*
? » ?	Qui a demandé : « Quel temps fait-il ? »	*Choisir la ponctuation la plus utile.*

Ponctuations permises *(à gauche, en gras) ; les exemples sont corrects.*

!).	J'ai réussi (quel bonheur!).	*La parenthèse ne supprime rien.*
...).	J'ai réussi (quel bonheur...).	*La parenthèse ne supprime rien.*
... »,	« Je suis content d'être ici... », dit-il.	*Les points de suspension restent.*
?).	J'ai réussi (qui l'eût cru?).	*La parenthèse ne supprime rien.*
?)!	J'ai réussi (qui l'eût cru?) !	*La parenthèse ne supprime rien.*
? ».	Il a intercalé de nombreux « quoi ? ».	*« quoi » est en bas-de-casse.*

En résumé, voici quelques principes typographiques :

- Les tirets longs se ponctuent comme les parenthèses, mais le second tiret disparaît s'il se trouve à la fin de la phrase.
- On ne peut jamais avoir deux points d'exclamation ou d'interrogation de suite, même s'ils sont séparés par un guillemet fermant.
- On ne peut jamais avoir trois points d'exclamation ou d'interrogation de suite.
- La ponctuation à l'intérieur des parenthèses subsiste toujours.
- On ne doit pas mettre deux espaces de suite après une ponctuation finale.
- On ne peut jamais avoir deux points ni quatre points de suite.
- Afin d'éviter un cumul de ponctuations, il vaut mieux rédiger la phrase autrement.

Typographie anglaise

Abrégé de grammaire anglaise

Nom (noun)

pluriel régulier	on ajoute -s	book/books, hat/hats
-x, -o	on ajoute -es	box/boxes, potato/potatoes,
-sh, -ch, -ss	on ajoute -es	dish/dishes, watch/watches, glass/glasses
-fe	change -fe en -ves	knife/knives, life/lives
-y	précédé par consonne	lady/ladies, fly/flies
-y	précédé par voyelle	boy/boys, valley/valleys
noms propres	on ajoute -s	Henry/Henrys, Simpson/Simpsons
irréguliers	voir dictionnaire	man/men, child/children, foot/feet
genre des	êtres animés : m. ou f.	man/woman, actor/actress, lion/lioness
genre des	choses : neutre	car, ball, house

Article (article)

the	invariable	the boy, the girl, the boys, the girls
the devant	nom pluriel	pas d'article : girls are nice
the devant	nom abstrait	pas d'article : courage is a quality
the devant	nom de couleur	pas d'article : red is a a beautiful color
the devant	nom de matière	pas d'article : bread is good for you
the devant	nom de langue	pas d'article : he speaks French

Adjectif (adjective)

invariable	se place devant	a good boy, two good boys
comparatif	une syllabe : -er	small/smaller, smart/smarter
comparatif	plus de 2 syllabes	more beautiful, more different
superlatif	une syllabe : -est	small/smallest, smart/smartest
superlatif	plus de 2 syllabes	most beautiful, most different
possessif	genre du possesseur	a boy with his hat, a girl with her hat

Adverbe (adverb)

en général	on ajoute -ly à l'adj.	poor/poorly, nice/nicely
adj. en -y	on rempl. -y par -ily	happy/happily, angry/angrily

Verbe (verb)

ind. présent	-s à la 3e pers. sing.	I beg, you beg, he begs, we beg...
passé simple	-ed partout	I walked, you walked, he walked...
part. passé	-ed, invariable	they are surprised
part. présent	-ing, invariable	bringing, beating

Quelques verbes irréguliers

Infinitif	*Infinitive*	*Past*	*Past participle*	*Present participle*
être	to be	was	been	being
commencer	to begin	began	begun	beginning
apporter	to bring	brought	brought	bringing
venir	to come	came	come	coming
faire	to do	did	done	doing
obtenir	to get	got	got	getting
donner	to give	gave	given	giving
avoir	to have	had	had	having
laisser	to leave	left	left	leaving
permettre	to let	let	let	letting
faire	to make	made	made	making
voir	to see	saw	seen	seeing
prendre	to take	took	taken	taking

Liste alphabétique

Abréviations

Les abréviations ne tiennent pas compte de la dernière lettre du mot entier. Elles prennent toutes un point abréviatif. La plupart des abréviations sont invariables.

and others	et al.
and so on	etc.
avenue	Ave.
boulevard	Blvd.
brothers	Bros.
captain	Capt.
chapter, chapters	ch.
commander	Cmdr.
company	Co.
doctor	Dr.
doctors	Drs.
east	E.
for example	e.g.
incorporated	Inc.
lieutenant	Lieut.
limited	Ltd.
madame	Mrs.
mademoiselle	Miss
messieurs	Messrs.
mister	Mr.
north	N.
number (quantity)	Nb.
number (rank)	No.
numbers (ranks	Nos.
page, pages	p.
place	Pl.
reverend	Rev.
road	Rd.
section	s.
sections	ss.
south	S.
street	St.
that is	i.e.
west	W.
year	yr.
years	yrs.

Sigles et acronymes en anglais

Comme en français, les sigles se prononcent lettre par lettre, et les acronymes se prononcent comme un nom. Tous deux s'écrivent en capitales, sans espaces, sans traits d'union et sans points abréviatifs. Quand ils sont cités au long, ils prennent une capitale à chaque mot, sauf les *articles, prépositions, pronoms et conjonctions*.

Sigles (Initialisms)

CNIB Canadian National Institute for the Blind
YWCA Young Women's Christian Association

Acronymes (Acronyms)

NATO North Atlantic Treaty Organization
COMECON Council for Mutual Economic Assistance

Mois et jours en anglais

Quand ils se trouvent dans un texte courant, les mois et les jours prennent une capitale, ainsi que leurs abréviations.

January	Jan.	July	July	Sunday	Sun.
February	Feb.	August	Aug.	Monday	Mon.
March	Mar.	September	Sept.	Tuesday	Tues.
April	Apr.	October	Oct.	Wednesday	Wed.
May	May	November	Nov.	Thursday	Thurs.
June	June	December	Dec.	Friday	Fri.
				Saturday	Sat.

Provinces canadiennes en anglais

	Texte	*Postal*
Alberta	Alta.	AB
British Columbia	B.C.	BC
Manitoba	Man.	MB
New Brunswick	N.B.	NB
Newfoundland	Nfld.	NF
Northwest Territories	N.W.T.	NT
Nova Scotia	N.S.	NS
Ontario	Ont.	ON
Prince Edward I.	P.E.I.	PE
Quebec	Que.	PQ
Saskatchewan	Sask.	SK
Yukon Territory	Y.T.	YT

États américains

	Texte	*Postal*
Alabama	Ala.	AL
Alaska	Alaska	AK
Arizona	Ariz.	AZ
Arkansas	Ark.	AR
California	Calif.	CA
Canal Zone	C.Z.	CZ
Colorado	Colo.	CO
Connecticut	Conn.	CT
Delaware	Del.	DE
District of Columbia	D.C.	DC
Florida	Fla.	FL
Georgia	Ga.	GA
Guam	Guam	GU
Hawai	Hawai	HI
Idaho	Idaho	ID
Illinois	Ill.	IL
Indiana	Ind.	IN
Iowa	Iowa	IA
Kansas	Kans.	KS
Kentucky	Ky.	KY
Louisiana	La.	LA
Maine	Maine	ME
Maryland	Md.	MD
Massachusetts	Mass.	MA
Michigan	Mich.	MI
Minnesota	Minn.	MN
Mississippi	Miss.	MS
Missouri	Mo.	MO
Montana	Mont.	MT
Nebraska	Nebr.	NE
Nevada	Nev.	NV
New Hampshire	N.H.	NH
New Jersey	N.J.	NJ
New Mexico	N. Mex.	NM
New York	N.Y.	NY
North Carolina	N.C.	NC
North Dakota	N. Dak.	ND
Ohio	Ohio	OH
Oklahoma	Okla.	OK
Oregon	Oreg.	OR
Pennsylvania	Pa.	PA
Puerto Rico	P.R.	PR
Rhode Island	R.I.	RI
South Carolina	S.C.	SC
South Dakota	S. Dak.	SD
Tennessee	Tenn.	TN
Texas	Tex.	TX
Utah	Utah	UT
Vermont	Vt.	VT
Virgin Islands	V.I.	VI
Virginia	Va.	VA
Washington	Wash.	WA
West Virginia	W. Va.	WV
Wisconsin	Wis.	WI
Wyoming	Wyo.	WY

Système international d'unités (SI) en anglais

International System of Units (SI). Les symboles de **base** sont les mêmes qu'en français. Mais, en anglais, il est permis d'utiliser le point décimal au lieu de la virgule.

Système impérial en anglais

Au Canada, les abréviations s'écrivent avec un point abréviatif et sont invariables.

cubic foot	cu. ft.
cubic inch	cu. in.
cubic yard	cu. yd.
foot	ft.
inch	in.
ounce	oz.
pint	pt.
pound	lb.
square foot	sq. ft.
square inch	sq. in.
square yard	sq. yd.
yard	yd.

Adresse en anglais

Pas de virgule après le numéro civique. Le générique (Blvd.) prend une capitale et se place après le spécifique. La province est isolée par des virgules.

Mr. Robert Jones
123 Smith Blvd.
Toronto, Ont., Canada X2L 3P5

Saint ou *Sainte* en anglais

Abrégé, le mot *Saint* prend un point abréviatif et n'a jamais de trait d'union.

the St. Patrick Church the St. Lawrence River the Ste. Catherine Street

Dates en anglais

Les jours et les mois prennent une capitale. Les éléments sont séparés par une virgule. On ne met pas de **st, nd, rd, th** sauf quand ils sont précédés de l'article.

Monday, April 3, 2000 the 3rd of April, 2000

Capitales

Adjectif dérivé d'un nom propre	the French culture
Bâtiments et lieux publics	the White House, the Statue of Liberty
Écoles	the McGill University
Langues	she speaks French
Organismes	the Ministry of Education
Partis politiques	the Liberal Party, the Parti Quebecois
Religions	he studies Catholicism
Sociétés	the Bell Telephone Company
Textes juridiques	the Treaty of Versailles
Titres suivis d'un nom propre	Prime Minister Jones
Pluriel des noms de famille	the Kennedys, the Smiths
Se terminant par *s, ch, sh*	the Joneses, the Lynches, the Nashes

Coupures

On évitera de diviser :

Après la première lettre d'un mot	i / tinerary	e / ternity
Entre deux voyelles (sauf étymol.)	appe / arance	(re-appear)
Avant ou après une apostrophe	fathers / ' / day	we / ' / ll accept
Ailleurs qu'au trait d'union	down-pay / ment	new / ly-wed
Avant les deux dernières lettres	walk / ed	strick / en
Il est permis de diviser avant *-ing*	land-ing, walk-ing	

Ne pas diviser : again, enough, even, every, often, only, people, some, woman.

Italique

Insistance sur un certain mot	He *must* be present at the meeting.
Journal	We read *The Gazette* and *La Presse.*
Mot étranger	This dress is very *chic.*
Mot latin	*sic, et seq., idem.*
Nom de bateau, d'avion, véhicule	They travelled on the *Normandy.*
Titre d'œuvre	Shakespeare wrote *Hamlet.*

Nombres

En lettres jusqu'à neuf.	He scored three goals yesterday.
En chiffres à partir de 10.	He scored 60 goals during the season.
Le point décimal est permis.	This country has 2.3 millions inhabitants.
La virgule pour les milliers est permise.	This town has 2,300 inhabitants.
$ collé avant le nombre est permis.	The house is for sale at $225,000.

Ponctuation

Espacement (spacing)

Jamais d'espace entre le signe de ponctuation et le mot qui le touche, sauf pour les points de suspension (voir plus bas).

Apostrophe (apostrophe)

Le possesseur est au singulier	the professor's hat
Le pluriel se termine en **s**	the professors' hats
Le pluriel ne se termine pas en **s**	the women's dresses
Noms propres se terminant en **s**	John Lewis's car

Deux-points (colon)

Appel dans une lettre	Dear Sir:

Guillemets (quotation marks)

Virgule au lieu du deux-points.	He said, "I am happy."
Ponctuation finale toujours à l'intérieur.	He said that "he was happy."
Virgule avant le guillemet fermant.	"I am ready to answer," said the man.
Guillemets simples pour incluse.	He said, "I am 'very' happy."
Si l'incluse est à la fin.	He said, "I am 'very happy.'"

Tiret long (dash)

Pas d'espace avant ni après.	We must—always—be honest.

Points de suspension (ellipsis dots)

Espace insécable entre eux.	I would like to go, but . . .

Trait d'union (hyphen)

Adjectif composé placé avant le nom.	A well-dressed woman.
Placé après, pas de trait d'union.	A woman well dressed.
Pour éviter les confusions.	re-cover (cover again), recover (regain)

Virgule (comma)

Fin d'une énumération, devant *and.*	She likes dancing, reading, and playing.
Avant et après *etc.*	A sale of beds, chairs, etc., took place.
Après le nom dans une bibliographie.	Smith, John. *The Book of Seasons.*
Après une interjection légère.	Oh, I am glad to see you.
Pour séparer les tranches de 3 chiffres.	The price is $2,300,000.
Avant la province dans une adresse.	Montreal, Quebec.
À la place du deux-points.	He said, "Give me the bread."

Parenthèses (parentheses)
Point (period)
Point d'exclamation (exclamation point)
Point d'interrogation (question mark)
Point-virgule (semicolon)

Ces cinq derniers signes suivent les mêmes règles d'emploi qu'en français.

Annexes

Époques et périodes

Ères de l'histoire de la Terre

il y a 4 milliards d'années		**Précambrien** vestiges rares d'êtres vivants
de -540 à -245 Ma	300 Ma	**Primaire** (Ma = million d'années) vertébrés, poissons, batraciens
de -245 à -65 Ma	200 Ma	**Secondaire** reptiles, mammifères, oiseaux
de -65 à -1,5 Ma	64 Ma	**Tertiaire** l'homme et la femme
de -1,5 Ma	1 Ma	**Quaternaire** flores et faunes actuelles

Époques historiques

jusqu'à -3100		**Préhistoire** de l'apparition de l'homme à celle de l'écriture
de -3100 à 476	3600 ans	**Antiquité** de l'écriture à la chute de l'Empire romain
de 476 à 1453	1000 ans	**Moyen Âge** de la chute de l'Empire à la prise de Constantinople
de 1453 à 2000	500 ans	**Temps modernes** de la prise de Constantinople jusqu'à nos jours

Périodes de l'évolution de l'humanité

900 000 ans avant J.-C.	**Âge de la pierre taillée** l'homme se sert de pierres pour chasser
400 000 ans avant J.-C.	**Âge du feu** il découvre le feu en frottant deux pierres dures
2 000 ans avant J.-C.	**Âge du bronze** il chauffe le cuivre et l'étain, et il obtient du bronze
800 ans avant J.-C.	**Âge du fer** le fer est plus solide que le bronze pour les armes

Histoire de l'écriture

de -3300 à -3150	150 ans	**L'écriture cunéiforme** en Mésopotamie : des signes sur des pierres
de -3150 à -1100	2000 ans	**Les hiéroglyphes** « gravures sacrées » inventées par les Égyptiens
de -1100 à -800	300 ans	**L'alphabet phénicien** les Phéniciens inventent le premier alphabet
de -800 à 2000	2800 ans	**L'alphabet grec** en -800, puis **romain** en -100

Périodes d'art architectural

de 457 à 751	300 ans	**Art mérovingien** de Childéric jusqu'à Pépin le Bref exemple : la tombe du roi franc Childéric à Tournai
de 751 à 987	200 ans	**Art carolingien** de Pépin le Bref jusqu'à Hugues Capet exemple : la chapelle palatine d'Aix-la-Chapelle
de 987 à 1163	200 ans	**Art roman** de Hugues Capet jusqu'à l'église Notre-Dame exemple : l'église abbatiale de Cluny
de 1163 à 1380	200 ans	**Art gothique** de l'église Notre-Dame jusqu'à Charles V exemple : l'église Notre-Dame de Paris
de 1380 à 1560	200 ans	**Renaissance** de Charles V jusqu'à Charles IX exemple : la basilique de Saint-Pierre du Vatican
de 1560 à 1643	100 ans	**Baroque** de Charles IX jusqu'à Louis XIV exemple : le baldaquin de Saint-Pierre
de 1643 à 1715	100 ans	**Classicisme** de Louis XIV jusqu'à Louis XV exemple : le château de Versailles
de 1715 à 1824	100 ans	**Néoclassicisme** (style Empire) de Louis XV jusqu'à Charles X exemple : le Panthéon, l'Arc de triomphe
de 1824 à 2000	200 ans	**Art éclectique** de Charles X à nos jours exemple : l'Opéra de Paris (œuvre de Garnier)

Langues françaises parlées

Jusqu'à -58		**Dialecte gaulois** jusqu'à l'invasion de la Gaule par les Romains
de -58 à 843	900 ans	**Latin vulgaire** de la conquête romaine jusqu'au traité de Verdun
de 843 à 1328	500 ans	**Roman** du traité de Verdun jusqu'à Philippe VI
de 1328 à 1589	300 ans	**Moyen français** de Philippe VI jusqu'à Henri IV
de 1589 à 1789	200 ans	**Langue classique** de Henri IV jusqu'à la révolution de 1789
de 1789 à 2000	200 ans	**Français moderne** de la révolution de 1789 jusqu'à nos jours

Histoire du Canada et du Québec

1534	Jacques Cartier prend possession du Canada au nom de François Ier.
1608	Samuel de Champlain fonde la ville de Québec.
1627	Richelieu crée la Compagnie des Cent Associés, pour coloniser le pays.
1642	Paul de Chomedey de Maisonneuve fonde Ville-Marie, la future Montréal.
1642	Jeanne Mance installe à Ville-Marie le premier hôpital du Canada.
1653	Marguerite Bourgeoys, sœur française, crée la première école de Montréal.
1665	Jean Talon donne un élan à la Nouvelle-France. Les Français sont 7 000.
1713	Traité d'Utrecht : dans ce traité, les Français perdent la baie d'Hudson, l'Acadie et l'essentiel de Terre-Neuve.
1759	Bataille des Plaines d'Abraham. Le général anglais Wolfe défait le général français Montcalm, mais tous deux meurent au cours de ce combat.
1760	Les Anglais prennent Montréal.
1763	Traité de Paris : la France cède le Canada à la Grande-Bretagne, qui crée la province de Québec.
1774	Acte de Québec : il délimite la province de Québec, admet les catholiques aux fonctions publiques et rétablit les anciennes lois françaises.
1784	Le Nouveau-Brunswick est créé.
1791	Division du Québec en deux : le Haut-Canada (aujourd'hui l'Ontario), et le Bas-Canada (aujourd'hui le Québec).
1812	Lors de la guerre entre les États-Unis et la Grande-Bretagne, le Haut-Canada et le Bas-Canada font bloc du côté de la Grande-Bretagne. L'opposition est conduite par Louis Joseph Papineau au Bas-Canada, et par William Mackenzie au Haut-Canada, qui exigent un régime parlementaire.
1837	Le refus de Londres provoque une rébellion dans les deux colonies.
1840	La révolte écrasée, le gouvernement britannique réunit les deux Canada en une même province, le Canada-Uni, sous un même parlement, et il impose l'anglais comme langue unique.
1848	Le français est restauré au rang de langue officielle.
1867	L'Acte de l'Amérique du Nord britannique crée la Confédération du Canada, qui regroupe quatre provinces : l'Ontario (ancien Haut-Canada), le Québec (ancien Bas-Canada), la Nouvelle-Écosse et le Nouveau-Brunswick.
1870	Le Manitoba entre dans la Confédération, après la révolte des Métis qui est conduite par Louis Riel.
1871	La Colombie-Britannique entre dans la Confédération.
1873	L'Île-du-Prince-Édouard entre dans la Confédération.
1905	La Saskatchewan et l'Alberta entrent dans la Confédération.
1914	Le Canada déclare la guerre à l'Allemagne (Première Guerre mondiale).
1931	Statut de Westminster : la Conférence impériale reconnaît l'indépendance du Canada au sein du Commonwealth.
1940	Le Canada déclare la guerre à l'Allemagne (Seconde Guerre mondiale).
1949	Terre-Neuve entre dans la Confédération.
1948	Les libéraux dominent la vie politique avec les premiers ministres Louis Saint-Laurent, Lester Pearson et Pierre Elliott Trudeau.
1976	Succédant aux libéraux, le Parti québécois, parti indépendantiste conduit par René Lévesque, remporte les élections.
1977	La loi 101 instaure le français comme la langue officielle.

1980	Référendum sur l'indépendance du Québec. Le *non* l'emporte par 60 %.
1982	Trudeau obtient le rapatriement de la constitution canadienne. Le Québec refuse d'adhérer à cette loi constitutionnelle.
1984	Le conservateur Brian Mulroney accède au pouvoir. Il est réélu en 1988.
1990	L'échec du projet d'accord constitutionnel, dit « du lac Meech », destiné à satisfaire les demandes minimales du Québec, ouvre une crise politique.
1992	Un nouveau projet de réforme constitutionnelle, dit « de Charlottetown », est rejeté par référendum.
1993	Après la démission de Brian Mulroney, Kim Campbell lui succède. Aux élections générales, ce parti connaît une grave défaite. Arrivé en deuxième position, le Bloc québécois, parti indépendantiste, constitue l'opposition. Jean Chrétien, chef des libéraux, devient premier ministre du Canada.
1994	L'Accord de libre-échange (ALENA), négocié en 1992 avec les États-Unis et le Mexique, entre en vigueur.
1995	Référendum sur la souveraineté du Québec. Les partisans du maintien de la province dans l'ensemble canadien l'emportent de justesse.
1996	Jacques Parizeau est remplacé à la tête du Parti québécois et du gouvernement du Québec par Lucien Bouchard.
1997	Le Parti libéral de Jean Chrétien remporte la majorité absolue.

Premiers ministres du Canada

1867-1873	John Macdonald
1873-1878	Alexander Mackenzie
1878-1891	John Macdonald
1891-1892	John Abbott
1892-1894	John Thompson
1894-1896	Mackenzie Bowell
1896-1896	Charles Tupper
1896-1911	Wilfrid Laurier
1911-1920	Sir Robert Borden
1920-1921	Arthur Meighen
1921-1930	William Mackenzie-King
1930-1935	Richard Bennett
1935-1948	William Mackenzie-King
1948-1957	Louis Saint-Laurent
1957-1963	John Diefenbaker
1963-1968	Lester Pearson
1968-1979	Pierre Elliott Trudeau
1979-1980	Joe Clark
1980-1984	Pierre Elliott Trudeau
1984-1984	John Turner
1984-1993	Brian Mulroney
1993-	Jean Chrétien

Premiers ministres du Québec

1867-1873	Pierre-Olivier Chauveau
1873-1874	Gédéon Ouimet
1874-1878	Charles-Eugène Boucher
1878-1879	Henri-Gustave Joly
1879-1882	Joseph-Adolphe Chapleau
1882-1884	Joseph-Alfred Mousseau
1884-1887	John Jones Ross
1887-1887	Louis-Olivier Taillon
1887-1891	Honoré Mercier
1891-1892	Charles-Eugène Boucher
1892-1896	Louis-Olivier Taillon
1896-1897	Edmund Flynn
1897-1900	Félix-Gabriel Marchand
1900-1905	Simon-Napoléon Parent
1905-1920	Lomer Gouin
1920-1936	Louis-Alexandre Taschereau
1936-1939	Maurice Duplessis
1939-1944	Adélard Godbout
1944-1959	Maurice Duplessis
1959-1960	Paul Sauvé
1960-1960	Antonio Barrette
1960-1966	Jean Lesage
1966-1968	Daniel Johnson père
1968-1970	Jean-Jacques Bertrand
1970-1976	Robert Bourassa
1976-1985	René Lévesque
1985-1985	Pierre-Marc Johnson
1985-1994	Robert Bourassa
1994-1994	Daniel Johnson
1994-1996	Jacques Parizeau
1996-	Lucien Bouchard

Histoire de France

	CAROLINGIENS	
751-768	Pépin le Bref	à 35 ans, il épouse Berthe au grand pied, 23 ans
768-814	Charlemagne	à 30 ans, il épouse Hildegarde de Vintzgau, 15 ans
814-840	Louis Ier le Pieux	à 41 ans, il épouse Judith de Bavière, 24 ans
843-877	Charles II le Chauve	à 24 ans, il épouse Ermentrude d'Orléans, 22 ans
877-879	Louis II le Bègue	à 22 ans, il épouse Adélaïde de Frioul, 15 ans
879-882	Louis III	à 19 ans, il meurt célibataire
882-884	Carloman	à 20 ans, il meurt célibataire
884-887	Charles III le Gros	à 23 ans, il épouse Richarde de Souabe, 17 ans
888-898	Eudes	à 24 ans, il épouse Théodrate de Troyes, 16 ans
898-923	Charles III le Simple	à 40 ans, il épouse Edwige d'Angleterre, 16 ans
922-923	Robert Ier	à 28 ans, il épouse Béatrice de Vermandois, 23 ans
923-936	Raoul	à 27 ans, il épouse Emma de France, 27 ans
936-954	Louis IV d'Outremer	à 28 ans, il épouse Gerberge de Germanie, 24 ans
954-986	Lothaire	à 24 ans, il épouse Emma d'Italie, 17 ans
986-987	Louis V le Fainéant	à 14 ans, il épouse Adélaïde d'Anjou, 34 ans

	CAPÉTIENS	
987-996	Hugues Ier Capet	à 31 ans, il épouse Adélaïde d'Aquitaine, 25 ans
996-1031	Robert II le Pieux	à 32 ans, il épouse Constance d'Arles, 19 ans
1031-1060	Henri Ier	à 44 ans, il épouse Anne de Kiev, 27 ans
1060-1108	Philippe Ier	à 19 ans, il épouse Berthe de Hollande, 16 ans
1108-1137	Louis VI le Gros	à 34 ans, il épouse Adélaïde de Savoie, 15 ans
1137-1180	Louis VII le Jeune	à 40 ans, il épouse Adèle de Champagne, 20 ans
1180-1223	Philippe II Auguste	à 15 ans, il épouse Isabelle de Hainaut, 10 ans
1223-1226	Louis VIII le Lion	à 13 ans, il épouse Blanche de Castille, 12 ans
1226-1270	Louis IX (Saint Louis)	à 20 ans, il épouse Marguerite de Provence, 13 ans
1270-1285	Philippe III le Hardi	à 17 ans, il épouse Isabelle d'Aragon, 19 ans
1285-1314	Philippe IV le Bel	à 16 ans, il épouse Jeanne de Navarre, 11 ans
1314-1316	Louis X le Hutin	à 26 ans, il épouse Clémence de Hongrie, 22 ans
1316-1322	Philippe V le Long	à 14 ans, il épouse Jeanne de Bourgogne, 16 ans
1322-1328	Charles IV le Bel	à 31 ans, il épouse Jeanne d'Évreux, 18 ans

	VALOIS	
1328-1350	Philippe VI de Valois	à 20 ans, il épouse Jeanne de Bougogne, 20 ans
1350-1364	Jean II le Bon	à 31 ans, il épouse Jeanne de Boulogne, 30 ans
1364-1380	Charles V	à 12 ans, il épouse Jeanne de Bourbon, 12 ans
1380-1422	Charles VI	à 17 ans, il épouse Isabeau de Bavière, 14 ans
1422-1461	Charles VII	à 19 ans, il épouse Marie d'Anjou, 18 ans
1461-1483	Louis XI	à 28 ans, il épouse Charlotte de Savoie, 6 ans
1483-1498	Charles VIII	à 21 ans, il épouse Anne de Bretagne, 15 ans
1498-1515	Louis XII	à 52 ans, il épouse Marie d'Angleterre, 18 ans
1515-1547	François Ier	à 20 ans, il épouse Claude de France, 15 ans
1547-1559	Henri II	à 14 ans, il épouse Catherine de Médicis, 14 ans
1559-1560	François II	à 14 ans, il épouse Marie Stuart, 16 ans
1560-1574	Charles IX	à 20 ans, il épouse Élisabeth d'Autriche, 16 ans
1574-1589	Henri III	à 24 ans, il épouse Louise de Lorraine, 22 ans

	BOURBONS	
1589-1610	Henri IV	à 47 ans, il épouse Marie de Médicis, 27 ans
1610-1643	Louis XIII le Juste	à 14 ans, il épouse Anne d'Autriche, 14 ans
1643-1715	Louis XIV le Roi Soleil	à 22 ans, il épouse M.-Thérèse d'Autriche, 22 ans
1715-1774	Louis XV le Bienaimé	à 15 ans, il épouse Marie Leszczynska, 15 ans
1774-1791	Louis XVI	à 36 ans, il épouse Marie-Antoinette, 27 ans

Le roi prit les reines du pouvoir.

	PREMIÈRE RÉPUBLIQUE	
1792-1795	Convention	Assemblée qui succéda à la Législative.
1795-1799	Directoire	Conseil de 5 membres chargé du pouvoir exécutif.
1799-1804	Consulat	Régime issu du coup d'État, 18 brumaire an VIII.
	PREMIER EMPIRE	
1804-1814	Napoléon Ier	Époux de Joséphine de Beauharnais.
1815	Les Cent-Jours	Napoléon Ier est au pouvoir pour 100 jours.
	RESTAURATION	
1814-1824	Louis XVIII	Époux de Marie-Joséphine de Savoie.
1824-1830	Charles X	Époux de Marie-Thérèse de Savoie.
	MONARCHIE DE JUILLET	
1830-1848	Louis-Philippe Ier	Époux de Marie-Amélie de Bourbon-Sicile.
	DEUXIÈME RÉPUBLIQUE	
1848-1852	Louis N. Bonaparte	Empereur sous le nom de Napoléon III en 1852.
	SECOND EMPIRE	
1852-1870	Napoléon III	Époux d'Eugénie de Montijo.
	TROISIÈME RÉPUBLIQUE	
1871-1873	Adolphe Thiers	Réorganise la France vaincue à la guerre de 1870.
1873-1879	Mac-Mahon	Établit un régime d'ordre moral.
1879-1887	Jules Grévy	École primaire gratuite, obligatoire jusqu'à 13 ans.
1887-1894	Sadi Carnot	Assassiné à Lyon en 1894 par Casério.
1894-1895	Jean Casimir-Perier	Démissionne devant l'opposition de gauche.
1895-1899	Félix Faure	Meurt subitement lors d'un rendez-vous galant.
1899-1906	Émile Loubet	Exposition de Paris en 1900. Affaire Dreyfus.
1906-1913	Armand Fallières	Séparation de l'Église et de l'État en 1906.
1913-1920	Raymond Poincaré	Déclare la guerre à l'Allemagne le 28 juillet 1914.
1920-1920	Paul Deschanel	Santé perturbée après être tombé d'un train.
1920-1924	Alexandre Millerand	Démissionne devant le Cartel des gauches.
1924-1931	Gaston Doumergue	Gouvernement d'« Union nationale ».
1931-1932	Paul Doumer	Meurt assassiné à Paris par le Russe Gorgulov.
1932-1940	Albert Lebrun	Accords : semaine de 40 heures, congés payés.
	ÉTAT FRANÇAIS	
1940-1944	Philippe Pétain	Vainqueur de Verdun, 1916. Collaboration en 40.
	GOUVERNEMENT PROVISOIRE	
1944-1946	Charles de Gaulle	Se désigne chef du gouvernement provisoire.
1946-1947	Gouin, Bidault, Blum	Gouin, 5 mois. Bidault, 5 mois. Blum, 2 mois.
	QUATRIÈME RÉPUBLIQUE	
1947-1954	Vincent Auriol	Il y a eu 14 gouvernements durant son septennat.
1954-1959	René Coty	Demande le retour du général de Gaulle.
	CINQUIÈME RÉPUBLIQUE	
1959-1969	Charles de Gaulle	Met fin à la guerre d'Algérie.
1969-1974	Georges Pompidou	Passionné d'art moderne.
1974-1981	V. Giscard d'Estaing	Fondateur de l'UDF en 1978.
1981-1995	François Mitterrand	Premier secrétaire du Parti socialiste.
1995-	Jacques Chirac	Président du RPR et maire de Paris.

Littérature de langue française

	NEUVIÈME SIÈCLE	
881	Abbaye de Saint-Amand	*Cantilène de sainte Eulalie*
	DIXIÈME SIÈCLE	
950	Composée à Autun	*Vie de saint Léger*
	ONZIÈME SIÈCLE	
1040	Auteur inconnu	*Vie de saint Alexis*
	DOUZIÈME SIÈCLE	
1100	Turoldus	*La chanson de Roland*
	TREIZIÈME SIÈCLE	
1230	Guillaume de Lorris	*Le roman de la rose*
	QUATORZIÈME SIÈCLE	
1364-1430	Christine de Pisan	*Épître au dieu d'amours*
	QUINZIÈME SIÈCLE	
1431-1463	François Villon	*Ballade des pendus*
	SEIZIÈME SIÈCLE	
1494-1553	François Rabelais	*Pantagruel*
1496-1544	Clément Marot	*Adolescence Clémentine*
1522-1560	Joachim Du Bellay	*Heureux qui, comme Ulysse...*
1524-1585	Pierre de Ronsard	*Mignonne, allons voir si la rose...*
1533-1592	Michel de Montaigne	*Essais*
	DIX-SEPTIÈME SIÈCLE	
1555-1628	François de Malherbe	*Odes, poésies*
1596-1650	René Descartes	*Discours de la méthode*
1606-1684	Pierre Corneille	*Le Cid*
1613-1680	François de La Rochefoucauld	*Maximes*
1621-1695	Jean de La Fontaine	*Les fables*
1622-1673	Molière	*Le misanthrope*
1623-1662	Blaise Pascal	*Les pensées*
1626-1696	Madame de Sévigné	*Lettres*
1627-1704	Jacques-Bénigne Bossuet	*Sermons*
1634-1693	Madame de Lafayette	*La princesse de Clèves*
1636-1711	Nicolas Boileau	*Art poétique*
1639-1699	Jean Racine	*Andromaque*
1645-1696	Jean de La Bruyère	*Les caractères*
	DIX-HUITIÈME SIÈCLE	
1688-1763	Pierre de Marivaux	*Le jeu de l'amour et du hasard*
1689-1755	Charles de Montesquieu	*L'esprit des lois*
1694-1778	Voltaire	*Candide*
1712-1778	Jean-Jacques Rousseau	*L'Émile*
1713-1784	Denis Diderot	*Le neveu de Rameau*
1732-1799	Beaumarchais	*Le barbier de Séville*

La main de cette personne était froide comme celle d'un serpent.

	DIX-NEUVIÈME SIÈCLE	
1766-1817	Madame de Staël	*Delphine*
1867-1830	Benjamin Constant	*Journal intime*
1768-1848	René de Chateaubriand	*Le génie du christianisme*
1783-1842	Stendhal	*La chartreuse de Parme*
1790-1869	Alphonse de Lamartine	*Méditations poétiques*
1797-1863	Alfred de Vigny	*Les destinées*
1799-1850	Honoré de Balzac	*Eugénie Grandet*
1802-1885	Victor Hugo	*Les misérables*
1802-1870	Alexandre Dumas	*Les trois mousquetaires*
1804-1876	George Sand	*La mare au diable*
1808-1855	Gérard de Nerval	*Aurélia*
1810-1857	Alfred de Musset	*On ne badine pas avec l'amour*
1811-1872	Théophile Gautier	*Le capitaine Fracasse*
1821-1867	Charles Baudelaire	*Les fleurs du mal*
1821-1880	Gustave Flaubert	*Madame Bovary*
1824-1895	Alexandre Dumas fils	*La dame aux camélias*
1840-1902	Émile Zola	*La bête humaine*
1844-1896	Paul Verlaine	*Fêtes galantes*
1844-1924	Anatole France	*Les dieux ont soif*
1850-1893	Guy de Maupassant	*Bel-Ami*
1854-1891	Arthur Rimbaud	*Une saison en enfer*
	VINGTIÈME SIÈCLE	
1866-1944	Romain Rolland	*Jean-Christophe*
1868-1918	Edmond Rostand	*Cyrano de Bergerac*
1868-1955	Paul Claudel	*Le soulier de satin*
1869-1951	André Gide	*Les nourritures terrestres*
1871-1922	Marcel Proust	*À la recherche du temps perdu*
1871-1945	Paul Valéry	*La soirée avec M. Teste*
1873-1954	Gabrielle Colette	*Le blé en herbe*
1879-1941	Émile Nelligan	*Le vaisseau d'or*
1880-1913	Louis Hémon	*Maria Chapdelaine*
1880-1918	Guillaume Apollinaire	*Le poète assassiné*
1882-1844	Jean Giraudoux	*La folle de Chaillot*
1885-1972	Jules Romains	*Les hommes de bonne volonté*
1885-1870	François Mauriac	*Thérèse Desqueyroux*
1889-1963	Jean Cocteau	*La belle et la bête*
1893-1968	Germaine Guèvremont	*Le survenant*
1900-1944	Antoine de Saint-Exupéry	*Le petit prince*
1903-1987	Marguerite Yourcenar	*Mémoires d'Hadrien*
1905-1980	Jean-Paul Sartre	*Les mains sales*
1908-1986	Simone de Beauvoir	*Le deuxième sexe*
1909-1983	Gabrielle Roy	*Bonheur d'occasion*
1913-1960	Albert Camus	*L'étranger*
1916-2000	Anne Hébert	*Kamouraska*
1929	Antonine Maillet	*Pélagie la Charrette*
1930	Marcel Dubé	*Le retour des oies blanches*
1935	Françoise Sagan	*Bonjour tristesse*
1939	Marie-Claire Blais	*Sommeil d'hiver*
1941	Yves Beauchemin	*L'enfirouapé*
1942	Michel Tremblay	*Les belles-sœurs*

Pays du monde

f. (fém.) – m. (masc.) – F. (pays francophone, selon l'*Année francophone internationale*).
Adjectifs avec une minuscule; gentilés avec une majuscule : l'art afghan, les Afghans.

	Pays	**Adjectif**	**Population**	**Capitale**
	Afghanistan, m.	afghan, e	21 500 000	Kaboul
	Afrique du Sud, f.	sud-africain, e	42 400 000	Pretoria
	Albanie, f.	albanais, e	3 500 000	Tirana
	Algérie, f.	algérien, enne	28 600 000	Alger
	Allemagne, f.	allemand, e	81 700 000	Berlin
	Andorre, f.	andorran, e	62 500	Andorre-la-Vieille
	Angola, m.	angolais, e	11 500 000	Luanda
	Antigua-et-Barbuda, f.	antiguais, e	85 000	Saint-John's
	Arabie saoudite, f.	saoudien, enne	18 400 000	Riyad
	Argentine, f.	argentin, e	35 000 000	Buenos Aires
	Arménie, f.	arménien, enne	3 600 000	Erevan
	Australie, f.	australien, enne	18 300 000	Canberra
	Autriche, f.	autrichien, enne	8 000 000	Vienne
	Azerbaïdjan, m.	azerbaïdjanais, e	7 200 000	Bakou
	Bahamas, f.	bahamien, enne	280 000	Nassau
	Bahreïn, m.	bahreïnite	580 000	Manãma
	Bangladesh, m.	bangladais, e	123 100 000	Dacca
	Barbade, f.	barbadien, enne	263 000	Bridgetown
F.	Belgique, f.	belge	10 100 000	Bruxelles
	Belize, m.	bélizien, enne	220 000	Belmopan
F.	Bénin, m.	béninois, e	5 600 000	Porto-Novo
	Bhoutan, m.	bhoutanais, e	1 670 000	Thimbu
	Biélorussie, f.	biélorusse	10 100 000	Minsk
	Birmanie, f.	birman, e	47 500 000	Rangoon
	Bolivie, f.	bolivien, enne	7 600 000	La Paz
	Bosnie-Herzégovine, f.	bosniaque	3 500 000	Sarajevo
	Botswana, m.	botswanais, e	1 530 000	Gaborone
	Brésil, m.	brésilien, enne	164 400 000	Brasilia
	Brunei, m.	brunéien, enne	290 000	Bandar Seri Beg.
F.	Bulgarie, f.	bulgare	8 700 000	Sofia
F.	Burkina, m.	burkinais, e	10 600 000	Ouagadougou
F.	Burundi, m.	burundais, e	6 600 000	Bujumbura
F.	Cambodge, m.	cambodgien, enne	10 530 000	Phnom Penh
F.	Cameroun, m.	camerounais, e	13 600 000	Yaoundé
F.	Canada, m.	canadien, enne	29 800 000	Ottawa
F.	Cap-Vert, m.	capverdien, enne	400 000	Praia
F.	Centrafrique, f.	centrafricain, e	3 100 000	Bangui
	Chili, m.	chilien, enne	14 500 000	Santiago
	Chine, f.	chinois, e	1 234 300 000	Pékin
	Chypre, f.	chypriote	750 000	Nicosie
	Colombie, f.	colombien, enne	35 700 000	Bogotá
F.	Comores, f.	comorien, enne	680 000	Moroni
F.	Congo, m.	congolais, e	2 700 000	Brazzaville
F.	Congo (Rép. dém.), m.	congolais, e	45 280 000	Kinshasa
	Corée du Nord, f.	nord-coréen, enne	24 300 000	Pyongyang
	Corée du Sud, f.	sud-coréen, enne	45 400 000	Séoul
	Costa Rica, m.	costaricain, e	3 500 000	San José
F.	Côte d'Ivoire, f.	ivoirien, enne	14 700 000	Yamoussoukro

Le médecin a dit à mon mari qu'il avait trop duré.

f. (fém.) – m. (masc.) – F. (pays francophone, selon l'*Année francophone internationale*).
Adjectifs avec une minuscule; gentilés avec une majuscule : l'art afghan, les Afghans.

	Pays	**Adjectif**	**Population**	**Capitale**
	Croatie, f.	croate	4 500 000	Zagreb
	Cuba, f.	cubain, e	11 000 000	La Havane
	Danemark, m.	danois, e	5 200 000	Copenhague
F.	Djibouti, m.	djiboutien, enne	590 000	Djibouti
	Dominicaine (Rép.), f.	dominicain, e	8 000 000	Saint-Domingue
F.	Dominique, f.	dominiquais, e	71 000	Roseau
F.	Égypte, f.	égyptien, enne	64 200 000	Le Caire
	Émirats arabes unis, m.	émirien, enne	1 950 000	Abu Dhabi
	Équateur, m.	équatorien, enne	11 700 000	Quito
	Érythrée, f.	érythréen, enne	3 600 000	Asmara
	Espagne, f.	espagnol, e	39 700 000	Madrid
	Estonie, f.	estonien, enne	1 520 000	Tallinn
	États-Unis, m.	américain, e	265 800 000	Washington
	Éthiopie, f.	éthiopien, enne	56 700 000	Addis-Abeba
	Fidji, f.	fidjien, enne	800 000	Suva
	Finlande, f.	finlandais, e	5 130 000	Helsinki
F.	France, f.	français, e	59 000 000	Paris
F.	Gabon, m.	gabonais, e	1 360 000	Libreville
	Gambie, f.	gambien, enne	1 150 000	Banjul
	Géorgie, f.	géorgien, enne	5 500 000	Tbilissi
	Ghana, m.	ghanéen, enne	18 000 000	Accra
	Grande-Bretagne, f.	britannique	58 400 000	Londres
	Grèce, f.	grec, grecque	10 500 000	Athènes
	Grenade, f.	grenadien, enne	92 000	Saint George's
	Guatemala, m.	guatémaltèque	10 900 000	Guatemala
F.	Guinée, f.	guinéen, enne	6 500 000	Conakry
F.	Guinée-Bissau, f.	bissau-guinéen, enne	1 100 000	Bissau
F.	Guinée-Équatoriale, f.	équato-guinéen, enne	410 000	Malabo
	Guyana, m.	guyanien, enne	850 000	Georgetown
F.	Haïti, m.	haïtien, enne	7 300 000	Port-au-Prince
	Honduras, m.	hondurien, enne	5 800 000	Tegucigalpa
	Hongrie, f.	hongrois, e	10 070 000	Budapest
	Inde, f.	indien, enne	953 000 000	New Delhi
	Indonésie, f.	indonésien, enne	200 600 000	Jakarta
	Iran, m.	iranien, enne	68 700 000	Téhéran
	Iraq ou Irak, m.	irakien, enne	21 000 000	Bagdad
	Irlande, f.	irlandais, e	3 600 000	Dublin
	Islande, f.	islandais, e	270 000	Reykjavik
	Israël, m.	israélien, enne	5 760 000	Jérusalem
	Italie, f.	italien, enne	57 200 000	Rome
	Jamaïque, f.	jamaïquain, e	2 500 000	Kingston
	Japon, m.	japonais, e	125 400 000	Tokyo
	Jordanie, f.	jordanien, enne	4 200 000	Amman
	Kazakhstan, m.	kazakh, e	17 200 000	Astana
	Kenya, m.	kényan, e	29 150 000	Nairobi
	Kirghizistan, m.	kirghiz, e	4 820 000	Bichkek
	Kiribati, f.	kiribatien, enne	80 000	Tarawa
	Koweït, m.	koweïtien, enne	1 530 000	Koweït
F.	Laos, m.	laotien, enne	5 020 000	Vientiane
	Lesotho, m.	lesothan, e	2 100 000	Maseru
	Lettonie, f.	letton, onne	2 540 000	Riga

Le témoin est venu témoigner qu'il n'avait rien vu ni rien entendu.

f. (fém.) – m. (masc.) – F. (pays francophone, selon l'*Année francophone internationale*).
Adjectifs avec une minuscule; gentilés avec une majuscule : l'art afghan, les Afghans.

	Pays	**Adjectif**	**Population**	**Capitale**
F.	Liban, m.	libanais, e	3 100 000	Beyrouth
	Liberia, m.	libérien, enne	3 140 000	Monrovia
	Libye, f.	libyen, enne	5 590 000	Tripoli
	Liechtenstein, m.	liechtensteinois, e	31 000	Vaduz
	Lituanie, f.	lituanien, enne	3 700 000	Vilnius
F.	Luxembourg, m.	luxembourgeois, e	410 000	Luxembourg
	Macédoine, f.	macédonien, enne	2 180 000	Skopje
F.	Madagascar, f.	malgache	15 240 000	Antananarivo
	Malaisie, f.	malaisien, enne	20 580 000	Kuala Lumpur
	Malawi, m.	malawite	11 370 000	Lilongwe
	Maldives, f.	maldivien, enne	263 000	Malé
F.	Mali, m.	malien, enne	11 130 000	Bamako
	Malte, f.	maltais, e	368 000	La Valette
F.	Maroc, m.	marocain, e	27 560 000	Rabat
	Marshall (Îles), f.	marshallais, e	46 000	Majuro
F.	Maurice, f.	mauricien, enne	1 130 000	Port Louis
F.	Mauritanie, f.	mauritanien, enne	2 330 000	Nouakchott
	Mexique, m.	mexicain, e	95 470 000	Mexico
	Micronésie, f.	micronésien, enne	110 000	Palikir
F.	Moldavie, f.	moldave	4 450 000	Chisinau
F.	Monaco, m.	monégasque	32 000	Monaco
	Mongolie, f.	mongol, e	2 460 000	Oulan-Bator
	Mozambique, m.	mozambicain, e	16 540 000	Maputo
	Namibie, f.	namibien, enne	1 580 000	Windhoek
	Nauru, f.	nauruan, e	11 000	Yaren
	Népal, m.	népalais, e	22 600 000	Katmandou
	Nicaragua, m.	nicaraguayen, enne	4 580 000	Managua
F.	Niger, m.	nigérien, enne	9 465 000	Niamey
	Nigeria, m.	nigérian, e	95 100 000	Abuja
	Norvège, f.	norvégien, enne	4 360 000	Oslo
	Nouvelle-Zélande, f.	néo-zélandais, e	3 620 000	Wellington
	Oman, m.	omanais, e	2 250 000	Mascate
	Ouganda, m.	ougandais, e	21 300 000	Kampala
	Ouzbékistan, m.	ouzbek, ouzbèke	23 340 000	Tachkent
	Pakistan, m.	pakistanais, e	131 500 000	Islamabad
	Panama, m.	panaméen, enne	2 680 000	Panama
	Papouasie-N.-Guinée, f.	papouan, e	4 400 000	Port Moresby
	Paraguay, m.	paraguayen, enne	5 100 000	Asunción
	Pays-Bas, m.	néerlandais, e	15 600 000	Amsterdam
	Pérou, m.	péruvien, enne	24 200 000	Lima
	Philippines, f.	philippin, e	68 980 000	Manille
	Pologne, f.	polonais, e	38 600 000	Varsovie
	Portugal, m.	portugais, e	9 800 000	Lisbonne
	Qatar, m.	qatarien, enne	560 000	al-Dawha
F.	Roumanie, f.	roumain, e	22 770 000	Bucarest
	Russie, f.	russe	147 200 000	Moscou
F.	Rwanda, m.	rwandais, e	8 160 000	Kigali
	Saint-Kitts-et-Nevis, m.	kittitien, enne	50 000	Basseterre
	Saint-Marin, m.	saint-marinais, e	25 000	Saint-Marin
	Saint-Vincent, m.	saint-vincentais, e	120 000	Kingstown
F.	Sainte-Lucie, f.	saint-lucien, enne	150 000	Castries

Sur le bûcher, Jeanne la Pucelle est morte en sainte.

f. (fém.) – m. (masc.) – F. (pays francophone, selon l'*Année francophone internationale*).
Adjectifs avec une minuscule; gentilés avec une majuscule : l'art afghan, les Afghans.

	Pays	**Adjectif**	**Population**	**Capitale**
	Salomon (Îles), f.	salomonais, e	390 000	Honiara
	Salvador, m.	salvadorien, enne	5 900 000	San Salvador
	Samoa, m.	samoan, e	175 000	Apia
F.	São Tomé, f.	santoméen, enne	130 000	São Tomé
F.	Sénégal, m.	sénégalais, e	8 530 000	Dakar
F.	Seychelles, f.	seychellois, e	74 000	Victoria
	Sierra Leone, f.	sierra-léonais, e	4 620 000	Freetown
	Singapour, f.	singapourien, enne	2 870 000	Singapour
	Slovaquie, f.	slovaque	5 300 000	Bratislava
	Slovénie, f.	slovène	1 914 000	Ljubljana
	Somalie, f.	somalien, enne	9 500 000	Mogadiscio
	Soudan, m.	soudanais, e	27 400 000	Khartoum
	Sri Lanka, m.	srilankais, e	18 580 000	Colombo
	Suède, f.	suédois, e	8 820 000	Stockholm
F.	Suisse, f.	suisse	7 270 000	Berne
	Surinam, m.	surinamien, enne	430 000	Paramaribo
	Swaziland, m.	swazi, e	880 000	Mbabane
	Syrie, f.	syrien, enne	15 170 000	Damas
	Tadjikistan, m.	tadjik, e	6 270 000	Douchanbe
	Taïwan, f.	taïwanais, e	20 900 000	Taipei
	Tanzanie, f.	tanzanien, enne	30 540 000	Dodoma
F.	Tchad, m.	tchadien, enne	6 540 000	N'Djamena
	Tchèque (Rép.), f.	tchèque	10 300 000	Prague
	Thaïlande, f.	thaïlandais, e	59 410 000	Bangkok
F.	Togo, m.	togolais, e	4 400 000	Lomé
	Tonga, f.	tonguien, enne	103 000	Nukualofa
	Trinité-et-Tobago, f.	trinidadien, enne	1 320 000	Port of Spain
F.	Tunisie, f.	tunisien, enne	9 060 000	Tunis
	Turkménistan, m.	turkmène	4 200 000	Achgabat
	Turquie, f.	turc, turque	63 120 000	Ankara
	Tuvalu, m.	tuvaluan, e	10 000	Funafuti
	Ukraine, f.	ukrainien, enne	51 300 000	Kiev
	Uruguay, m.	uruguayen, enne	3 200 000	Montevideo
F.	Vanuatu, m.	vanuatuan, e	174 000	Port-Vila
	Vatican, m.	du Vatican, vaticane	700	Saint-Siège
	Venezuela, m.	vénézuélien, enne	22 300 000	Caracas
F.	Vietnam, m.	vietnamien, enne	76 160 000	Hanoi
	Yémen, m.	yéménite	15 070 000	Sanaa
	Yougoslavie, f.	yougoslave	10 870 000	Belgrade
	Zambie, f.	zambien, enne	9 720 000	Lusaka
	Zimbabwe, m.	zimbabwéen, enne	11 520 000	Harare

Coquilles

Coquilles dans les assurances

Au cours de la discussion, la dame m'a attrapé par le devant du pantalon. Comme vous voyez, elle cherchait la petite bête.

Monsieur le directeur, notre chimpanzé est triste. Nous pensons qu'il lui faudrait un camarade. Que devons-nous faire en attendant votre retour ?

Quand l'huissier a parlé de me saisir, je lui ai interdit de me toucher, et c'est en me défendant que mon mari l'a bousculé. À ce moment-là, il a disparu sous le plancher, car il était complètement pourri.

Le choc a été terrible. L'homme est sorti de sa voiture pour constater les dégâts. Je ne vous citerai pas ses propres mots, car ce n'étaient pas des mots propres.

En réponse à votre lettre, je dois vous dire que je suis déjà assuré à une compagnie d'assurance. Je n'ai donc pas besoin de l'assurance de vos sentiments distingués.

En choisissant des skis dans un magasin de sport, j'ai cogné un autre client et je lui ai cassé ses lunettes. Suis-je couvert par mon assurance sports d'hiver ?

Ayant prononcé quelques invectives à l'encontre de cette conductrice, celle-ci m'a semblé froissée, mais moins pourtant que la tôle de ma voiture.

J'ai mon toit qui fuit quand il pleut. J'ai fait venir l'expert de l'assurance pour constater les dégâts. Mais quand l'expert est là, il ne pleut pas et le toit ne fuit pas, et quand il pleut, le toit fuit et l'expert n'est pas là.

J'ai reçu une branche sur la tête alors que je faisais une petite sieste pendant la pause. Pensez-vous qu'il s'agit d'un accident du travail ?

Je ne suis pas rentré plus tôt dans votre caisse parce qu'avant je cotisais à une assurance privée de vie.

Je vous demande un geste, car toute ma famille est assurée chez vous : moi- même, mes enfants, ma sœur, mon chien, mon camion et ma belle-mère.

J'habite la campagne et l'accouchement de ma femme m'a occasionné de nombreux frais, car il a fallu un chasse-neige pour ouvrir le passage.

Nous sommes étonnés de ne pas avoir reçu votre paiement ce mois-ci.
— Ne soyez pas étonnés : je ne vous ai rien envoyé.

Quant à notre deuxième enfant, ma femme l'a eu avec un ouvrier de l'usine de dynamite. Même que cela avait fait assez de bruit à l'époque.

Si je comprends bien, le plafond de garantie de mon assurance m'interdit d'être remboursé pour celui de ma cuisine.

Si le type qui a provoqué l'accident vous donne ensuite des coups de poing, est-ce que le constat à l'amiable reste toujours valable ?

Je roulais à ma droite quand l'automobiliste qui roulait en direction contraire, en plein à sa gauche, m'a frappé. Maintenant, il profite du fait que j'étais ivre pour me donner tous les torts. Monsieur le juge, honnêtement je vous le demande : ne vaut-il pas mieux être soûl à droite que sobre à gauche ?

En se relevant, le cycliste n'a formulé aucune déclaration intéressante au sujet de la collision. Il se contentait de répéter « aïe, aïe, aïe, aïe, aïe, aïe » sur tous les tons.

Le vieillard craignait de se casser un bras, une jambe ou un autre membre.

Coquilles à l'école

Comme mon petit est très sensible, je crois qu'une bonne punition à son voisin l'impressionnerait assez pour que lui-même se tienne tranquille.

Dans la pièce de théâtre *Le Cid*, l'infante ne faisant pas avancer l'action, de nombreux metteurs en scène n'hésitent pas à la sauter.

En écoutant le tonnerre après l'éclair, on peut dire si on a été frappé par la foudre : si on n'entend pas le tonnerre, c'est qu'on a été frappé par la foudre.

Toto conjugue : je marche, tu marches, il marche... Plus vite, dit la maîtresse.
— ...nous courons, vous courez, ils tombent.

La maîtresse a demandé une rédaction sur le thème « La volupté ». Le petit Victor a mal compris ce mot. Voici sa rédaction :
Mon petit frère a deux ans ; hier, il a volupté, mais il a fait dans sa culotte.

Le cheval est un quadrupède qui se classe généralement dans la catégorie des animaux à quatre pattes.

Le nerf optique est celui qui amène les idées lumineuses au cerveau. Quand on est myope, on va chez l'optimiste. Il faut se rincer l'œil de temps en temps.

Quand je dis : « Je suis enceinte », c'est quel temps du verbe? — Le présent de l'indicatif. — Non, c'est l'imparfait du préservatif.

Une biographie, c'est l'histoire d'une personne. Une autobiographie, c'est l'histoire d'une automobile.

Si, en tenant votre boussole, vous touchez aux filles dénudés par terre, le courant traversera votre corps et fera bouger votre petite aiguille.

Coquilles dans la correspondance

Avez-vous été victime d'un accident du travail? Non. — L'accident a-t-il été causé par un tiers? Oui. — Diagnostic : grossesse.

J'avoue que mon fils est responsable de cet accident, mais il faut aussi noter que cette personne s'est conduite de façon fort cavalière : elle est même montée sur ses grands chevaux.

En réponse à votre demande, je vous affirme que je n'ai jamais vécu en concubinage puisque le père n'était que de passage.

Excusez-moi de ne pas pouvoir vous envoyer mon chèque ce mois-ci, car ma femme a eu un bébé et j'ai eu une angine.

Je suis atteint de strabisme convergent et je cherche compagne atteinte de strabisme divergent pour pouvoir ensemble regarder les choses en face.

La balle de revolver a frappé la pièce de un dollar qu'il avait dans sa poche.
Il s'est alors réjoui d'avoir de l'argent bien placé.

Le vol a été le mobile du meurtre. Heureusement que, la veille, la victime avait déposé son argent à la banque. De sorte qu'elle n'a perdu que la vie.

Monsieur le dentiste, en réponse à votre lettre, je dois vous dire que les dents du devant vont très bien, mais les dents du derrière me font mal.

Étant sur le point d'accoucher, ma femme a dû quitter l'enceinte de la gendarmerie sans avoir pu décliner son identité.

La dame était plein fard. Forcément, ça m'a ébloui et j'ai perdu le contrôle.

Table des matières

	page
ABC DE TYPOGRAPHIE	7
Abrégé historique	8
Liste alphabétique	10
Ansi	10
Alignements de paragraphes	14
Approche ou crénage	15
Cadratin et demi-cadratin	15
Cadre	15
Cédérom	15
Champ	15
Chasse ou échelle	15
Corps ou taille	15
Correction d'épreuves	16
Correction d'épreuves : signes	18
Énumérations verticales	22
Espace sécable	23
Espace insécable	23
Espace fine	23
Face ou graisse	23
Famille de caractères	23
Hiérarchie des titres	24
Insertion automatique	24
Interligne et ligne de base	24
Internet	25
Justification	25
Ligne de rappel	25
Livre	26
Macro ou script	28
Mémoire vive, mémoire morte	28
Mesures typographiques	28
Mise en forme de caractères	28
Mise en forme de paragraphes	28
Mise en page	29
Notes et appels de note	32
Octet	33
Œil	33
Pagination	33
Paragraphe	33
Police ou fonte	33
Prépresse	34
Renfoncement ou retrait	36
Saisie	37
Styles	38
Tri	38
ABRÉVIATIONS	39
Généralités	40
Emplois	40
Casse des abréviations	40
Espacements	40
Formation	40
Pluriel et féminin des abréviations	41
Points abréviatifs	41
Ponctuation des abréviations	41
Troncations	41
Liste alphabétique	42
Bible et livres bibliques	44
Chimie	45
Date écrite en lettres	46
Date écrite en chiffres	46
Heure pour un moment précis	47
Heure pour une durée	47
Heure exprimée avec des mots	47
Heure décimale	47
Compagnie	48
Docteur	48
enr. – inc. – ltée	48
et cetera	48
Fuseaux horaires	48
Jours	49
Mois	49
Maître	49
Monsieur, madame : abréviations	49
Monsieur, madame	50
Montants d'argent	52
Nuages	53
Numéro	53
Professeur	53
Provinces canadiennes	53
Sigles et acronymes	54
Système international d'unités	56
Symboles du système international	58
Symboles des monnaies	60
Symboles des pays	61
Symboles du système impérial	62
CAPITALES	63
Définitions	65
Bas-de-casse	65
Capitale	65
Casse	65
Dénomination	65
Générique	65
Spécifique	65
Spécifique nouveau	65
Généralités	66
Absence de règles absolues	66
Adjectif placé avant	66
Capitales accentuées	66
Enseignes et couvertures de livres	66
Noms propres	66
Ponctuations finales	66
Titres et paragraphes en capitales	67
Raison sociale	67

Pour l'écriture des noms de bateaux, l'usage est flottant.

Dénomination elliptique 67
Dénominations au pluriel............. 67
Dénomination qui n'en est pas une 67
Liste alphabétique........................... 68
Allégories 68
Animaux.................................. 68
Antonomases 68
Astres 69
Bâtiments et lieux publics............ 69
Citations.................................. 70
Décorations 70
Dénominations passées à l'histoire. 70
Dieu 71
Doctrines et collectivités 71
Église...................................... 71
Enseignement 72
Enseignes 73
Époques 73
État 73
Fêtes et pratiques 74
Fleur du mois 74
Fonctions et titres divers 74
Grades des armées 75
Guerres................................... 75
Habitants, races et peuples.......... 75
Histoire 76
Journaux et revues..................... 76
Lettre d'affaires 77
Lettre d'affaires : adresse............ 79
Logiciels 80
Maladies.................................. 80
Manifestations 80
Menus de restaurant................... 81
Organismes 82
Particules *de, du, des* 83
Particules *le, la* 83
Partis politiques 83
Planètes 83
Points cardinaux 84
Recettes de cuisine 85
Récompenses 85
Saint ou Sainte.......................... 86
Services administratifs................ 87
Services internes 87
Signes du zodiaque 87
Sociétés 88
Sports..................................... 88
Styles artistiques 89
Systèmes 89
Textes juridiques 89
Toponymie............................... 90
Toponymie : règles 91
Toponymie : odonymes 92
Toponymie : stations de métro...... 93
Toponymes à retenir 94
Télévision et radio...................... 95
Vents 95
Petites capitales.............................. 96
Articles de lois 96
Bibliographies 96
Capitale initiale......................... 96
Chiffres romains 96
Comptabilité 97
Lettrines.................................. 97
Logiciels 97
Notes de bas de page 97
Pages liminaires......................... 97
Pièces de théâtre 97
Renvois aux chapitres.................. 97
Siècles 97
COUPURES 99
Définitions 100
Coupures................................. 100
Division 100
Séparation 100
Trait d'union 100
Trait d'union insécable 100
Divisions de mots 101
Abréviations............................. 101
Apostrophe 101
Consonnes doubles 101
Deux consonnes 101
Deux consonnes interdites........... 101
Deux consonnes permises 101
Deux traits d'union..................... 102
Deux voyelles........................... 102
Division étymologique 102
Division syllabique 102
Lettres *x* et *y* 102
Malsonnante 102
Mathématiques......................... 102
Mots composés......................... 102
Mots divisés de suite 102
Nombres en chiffres 103
Noms propres........................... 103
Première lettre 103
Sigles et acronymes 103
Syllabe finale 103
Veuve et orphelin....................... 103
Séparations de mots........................ 104
Dates...................................... 104
Énumérations 104
Noms propres........................... 104
Symboles 104
Composition avec sécables 104
Composition avec insécables......... 104
ITALIQUE.................................... 105
Liste alphabétique........................... 106
Après certains verbes 106
Bibliographies 106

Créations commerciales 107
Devises, maximes et proverbes..... 107
Dictionnaires 107
Guillemets et italique.................. 107
Indications aux lecteurs 107
Langues étrangères..................... 107
Latin : mots francisés 108
Latin : mots non francisés 108
Lettres de l'alphabet................... 110
Livres sacrés 110
Lois 110
Notes de musique 110
Pages liminaires d'un livre 110
Pour détacher un mot 110
Prières 110
Produits et spécialités 111
Titres de séminaires, cours........... 111
Titres d'œuvres 112
Véhicules.................................. 114
Villas 114
NOMBRES 115
Généralités 116
Travaux juridiques 116
Travaux littéraires....................... 116
Travaux scientifiques 116
Travaux ordinaires 116
Liste alphabétique 117
Accord du numéral cardinal 117
Accord du numéral ordinal 117
Accord de « cent » 117
Accord de « quatre-vingt » 117
Âges 118
Cartes à jouer 118
Classes d'école 118
Début d'une phrase 118
Degré 118
Degrés d'alcool 118
Degrés de température 118
Densités 119
Horaires 119
Longitude, latitude, angles plans ... 119
Numéros d'armées 119
Numéros d'ordre 119
Poésies 119
Pourcentages 120
Proverbes 120
Quantités.................................. 120
Statistiques............................... 120
Un, une (déterminant numéral)..... 120
Votes 120
ORTHOGRAPHE 121
Abc de grammaire.......................... 123
Nom 123
Déterminant............................... 124
Pronom 125
Adjectif 126
Adverbe 126
Conjonction 126
Interjection 126
Préposition 126
Participe 127
Propositions 128
Fonctions du nom 129
Verbe 130
Accord du verbe 131
Avec le sujet 131
Le sujet est un infinitif 131
Pronoms personnels différents 131
Pronom relatif « qui »................. 131
Adverbe de quantité 131
Accord de l'adjectif.......................... 132
Qualificatif 132
Deux noms singuliers 132
Deux noms de genre différent....... 132
Un seul des noms 132
Deux adjectifs pour un nom.......... 132
Deux noms unis par « de »........... 132
Adjectif comme adverbe 132
Couleur simple 133
Couleur formée d'un nom............ 133
Couleur suivie d'un nom.............. 133
Couleur suivie d'un adjectif.......... 133
Deux couleurs mélangées............ 133
Deux couleurs additionnées 133
Deux couleurs pour un seul nom ... 133
Accord du participe passé................. 134
Règles générales........................ 134
Participes passés invariables......... 136
Participes passés variables 138
Conjugaisons 139
Liste alphabétique des difficultés 144
Accents à retenir........................ 144
Accents 145
attendu - excepté - ôté - vu 145
aucun 145
aussi tôt - aussitôt...................... 145
avoir l'air 146
c cédille 146
ça - çà 146
c'est - ce sont 146
c'était - s'était........................... 146
chef 146
ci-annexé - ci-inclus - ci-joint....... 146
combien en 146
comme..................................... 146
compris - non compris................. 147
dans - d'en 147
de 147
de même que 147
demi 147

des plus 147
dont – d'on 148
é – er 148
échappé belle 148
en – en n' 148
étant donné 148
et surtout 148
fin 148
fleurs 148
garde- 148
Genres à retenir 149
genre non marqué 150
genre différent 150
grand 150
là – ci 150
la – l'a 150
la plupart 150
le plus ... que – le moins ... que 150
le plus – le moins – le mieux 150
le premier qui – le seul qui 151
leur – leurs 151
l'un et l'autre 151
l'un ou l'autre 151
même 151
moins de deux 151
ni – n'y 151
ni... ni – ni l'un ni l'autre 151
nom collectif 152
nom de quantité 152
non – n'ont 152
non seulement..., mais 152
nous d'humilité 152
Orthographes à retenir 153
on 154
on – on n' 154
ou 154
ou – où 154
par ce que – parce que 154
pas – sans 154
passé (préposition) 154
peu importe 154
peut – peu 155
peut-être – peut être 155
plus d'un 155
plutôt – plus tôt 155
plutôt que 155
possible 155
pour cent 155
pourquoi – pour quoi 155
près – prêt 155
Préfixes divers 156
quelque – quel que 158
quelquefois – quelques fois 158
qui 158
quoique – quoi que 158
si (concordance des temps) 158
son – leur 158
t euphonique 158
tel 159
tout 159
un de ceux qui – un des ... qui 159
villes 159
vive 159
vous de politesse 159
Féminisation 160
Féminisation des textes 160
Féminisation des fonctions 162
PONCTUATION 165
Liste alphabétique 166
a commercial 166
Arobas @ 166
Apostrophe 166
Astérisque 167
Barre oblique 167
Casse après la ponctuation 168
Crochets 168
Deux-points 168
Esperluette (&) 168
Espacements de la ponctuation 169
Faces de la ponctuation 170
Guillemets ou chevrons 170
Parenthèses 172
Point 172
Point d'interrogation et d'exclam. .. 173
Points de suspension 173
Point-virgule 174
Tirets 174
Trait d'union 175
Virgule 181
Virgule déplacée ou supprimée 185
Plusieurs ponctuations de suite 186
TYPOGRAPHIE ANGLAISE 187
Abrégé de grammaire anglaise 188
Liste alphabétique 189
Abréviations 189
Capitales 191
Coupures 191
Italique 191
Nombres 192
Ponctuation 192
ANNEXES 193
Époques et périodes 194
Histoire du Canada et du Québec 196
Histoire de France 198
Littérature de langue française 200
Pays du monde 202
Coquilles 206

Polisseuse pour voiture à vendre. Cause de la vente : raye les voitures.

Index

Un index n'est pas fait pour donner sur-le-champ l'orthographe d'un mot. Par exemple, le mot **pacte** s'écrit parfois avec un bas-de-casse (*le pacte de Varsovie*), parfois avec une capitale (*le Pacte atlantique*). Les entrées d'index sont donc toutes données en bas-de-casse.

	page
a commercial – arobas @	166
abc de grammaire	123
abc de typographie	7
abrégé historique	8
abréviations	39
abréviations dans ce livre	122
abréviations des livres bibliques	44
abréviations en anglais	189
abréviations, coupures des	101
abréviations, liste alphabétique	42
académie, casse	72
accents	145
accents à retenir	144
accents sur les capitales	66
accord de l'adjectif	132
accord des adjectifs de couleur	133
accord du numéral	117
accord du participe passé	134
accord du titre d'œuvre	113
accord du verbe	131
accord, texte juridique	89
accusation, cour	153
acronymes devenus noms communs	55
acronymes et sigles	54
acronymes, coupure des	103
acte de théâtre	96
adjectif	126
adjectif avant le nom	66
adjectif employé comme adverbe	132
adjectif qualificatif	126
adjectif verbal	127
administration, organisme	82
adresse en anglais	191
adresse postale, abréviations dans	79
adverbe	126
adverbe de quantité sujet	131
aéroport	69
affaire passée à l'histoire	70
âge de la pierre taillée	194
âge du bronze	73
agence, organisme	82
agence, société	88
âges, nombres dans les	118
aide juridique	87
aide sociale	87
aide, texte juridique	89
aide-	175
ainsi que – avec	181
aldines, lettres	106
alignements de paragraphes	14
alignements des nombres	31
alignements des tabulations	30
allégories, casse	68
alliance, organisme	82
allophones	71
altesse	74
ambassade	87
amérindiens	75

	page
amour, allégorie	68
ampère, symbole	58
anglais, grammaire en	188
angle de trame	34
angles plans	119
anglo-saxons	75
anglophones	71
animaux, races d'	68
année, numéro d'ordre	119
années folles	73
annexes	193
annonces encadrées	30
ansi	10
ansi, signification des signes	11
ansi, table	12
antémémoire	34
anti-	156
antonomases, casse et origine	68
apocopes	41
apostrophe	166
apostrophe rhétorique	129
apostrophe, coupure avant	101
apostrophe, espacement	169
appartement dans une adresse	79
appel dans une lettre d'affaires	77
appels de note	32
apposition, nom en	129
apprentie cuisinière	175
approche ou crénage	15
après jésus-christ	42
archi-	156
aréna, lieu public	69
armées, numéros des	119
arobas @ – a commercial	166
arrêt d'autobus	90
arrêté	89
arrière-	156
article de loi en chiffres	119
article de loi, petites capitales	96
article de loi, texte juridique	89
article défini, indéfini, partitif	124
asie mineure	94
aspect visuel des pages	30
assédic	54
assemblée, organisme	82
association, organisme	82
association, société	88
associés, avec esperluette	168
assurance-	87
assurances, société	88
astérisque, appel de note	32
astérisque, emplois	167
astres, casse	69
attendu, préposition	145
atto-	57
attribut, nom	129
attributs dans la mise en forme	28
au féminin	162

À vendre : femme laitière bien équipée. Très rentable si l'on s'en occupe.

au- 156
auberge 88
aucun 145
aussi tôt – aussitôt 145
auteur, virgule avant de 181
auto- 156
avant jésus-christ, abréviation 42
avant- 156
avant-propos 110
avenue, toponyme administratif 90
avions, face des noms d' 114
avoir l'air 145

B

baccalauréat 72
baie james, la 94
baie, toponyme naturel 90
banque, organisme 82
banque, société 88
baroque 89
barre d'espacement en saisie 37
barre oblique 167
barreau 87
bas-de-casse ou minuscule 65
basilique 69
bassin parisien 94
bataille de guerre 75
bateaux, face des noms de 114
bâtiments, casse 69
bâtons, caractères 23
bayer aux corneilles 153
belle époque 73
bénéfice, trait d'union 180
béret rouge 153
bi- 156
bible et livres bibliques 44
bibliographies 106
bibliographies, petites capitales 96
bibliothèque, organisme 82
bibliothèque, société 88
bidon, accord 180
biennale, manifestation 80
billet de loterie 119
bio- 156
blanc de grand fond 27
blanc de petit fond 27
blanc de pied, blanc de tête 27
blanc entre les paragraphes 31
blanc, espace 23
blancs, les 75
blancs, répartition des 30
bleus ou tierce 34
boeing 111
bordure ou filet 15
bouddhisme 71
boulevard, toponyme administratif 90
bourdon 34
bourgogne, face, casse et accord 111
bourse, organisme 82
boutique 88
brigades internationales 153
bureau dans une adresse 79
bureau de vote 87
bureau, organisme 82

C

c cédille 146
ça – çà 146
cadeau, trait d'union 180
cadratin 15
cadre 15
café, commerce 88
cafétéria 107
cahiers d'un livre 26
caisse, organisme 82
camembert, face, casse et accord 111
canada dans une adresse 79
canton, toponyme administratif 90
cap de la madeleine 94
cap vert 94
cap, toponyme naturel 90
capitales 63
capitales accentuées 66
capitales accentuées, exemples 98
capitales en anglais 191
capitales ou majuscules 65
capitales, liste alphabétique 68
cardinal, fonction religieuse 74
carnaval, manifestation 80
cartes à jouer, nombres dans les 118
case postale 79
casque bleu 153
casse après la ponctuation 168
casse des abréviations 40
casse, définition 65
catalogues, guillemets dans les 171
cathédrale 69
catholicisme 71
cd-r 15
cd-rom, cédérom 15
cédex 54
cégep 72
cégep, acronyme 54
cent (monnaie), symbole 58
cent, écriture du chiffre 117
centaine 152
centi- 57
centigramme, symbole 58
centilitre, symbole 58
centime, symbole 58
centimètre, symbole 58
centrage vertical 31
centre, enseignement 72
centre, organisme 82
centre, point cardinal 84
centre, société 88
certificat en 72
césure 100
c'est – ce sont 146
c'est moi qui 158
c'est, virgule avant 181
c'était – s'était 146
chambre de commerce 87
chambre, dans une adresse 79
chambre, organisme 82
champ, en informatique 15
championnat 88
chancelier, 74
chanson, titre d'œuvre d'une 112
chapeau, en prépresse 34
chapelle 69
chapitre, chiffres romains capitales 96
chapitre, pagination 33
chapitre, renvoi 97
charte 89
chasse d'un caractère 15

château, bâtiment ... 69
chats, races de ... 68
chef, en chef ... 146
chemin, toponyme administratif ... 90
cheminées, aspect visuel ... 30
chemises noires ... 153
chercheur, dans internet ... 25
chevaux, races de ... 68
chevrolet ... 111
chevrons ou guillemets ... 170
chianti ... 107
chiens, races de ... 68
chiffres arabes ou romains ... 96
chimie, symboles de ... 45
christ, casse ... 71
ci – là ... 150
ci-annexé – ci-inclus – ci-joint ... 146
cible, accord ... 180
cicéro, mesure typographique ... 28
cime, toponyme naturel ... 90
cimetière ... 69
cinéma ... 88
cinquantaine ... 152
circonscription ... 87
circulaire en chiffres ... 119
circulaire, petites capitales ... 96
citation avec les guillemets ... 171
citation en italique ... 70
classes d'école, de train ... 118
classicisme ... 71
clavier et accents en saisie ... 37
clé, accord ... 180
club, société ... 88
co- ... 156
coca-cola, face, casse et accord ... 111
code ou symbole ... 49
code postal dans une adresse ... 79
code, organisme ... 82
code, texte juridique ... 89
code-barres ... 34
col blanc ... 153
col, toponyme naturel ... 90
collectif, accord avec un nom ... 152
collectivités et doctrines ... 71
collège ... 72
colloque, manifestation ... 80
colonne de journal ou de magazine ... 30
colonnes renfoncées ... 31
combien en ... 146
comédie, titre d'œuvre d'une ... 112
comité, organisme ... 82
comme ... 146
commission scolaire ... 72
commission, organisme ... 82
communauté, organisme ... 82
compagnie, abréviation ... 48
compagnie, société ... 88
complément circonstanciel ... 129
complément d'objet direct (c.o.d.) ... 129
complément d'objet indirect (c.o.i.) ... 129
complément du nom ... 129
complexe, toponyme administratif ... 90
compris, non compris, y compris ... 147
comptabilité, petites capitales ... 97
comte ... 74
concile, manifestation ... 80
conférence passée à l'histoire ... 70
conférence, manifestation ... 80
congrégation passée à l'histoire ... 70
congrès, manifestation ... 80
conjonction de coordination ... 126
conjonction de subordination ... 126
conjugaisons ... 139
conseil municipal ... 87
conseil, organisme ... 82
conseil, trait d'union avant ... 175
conservatoire ... 72
consul ... 74
consulat ... 87
contraste d'image ... 34
contre- ... 156
convention passée à l'histoire ... 70
copie ou manuscrit d'un auteur ... 37
coquilles avec les capitales ... 98
coquilles en traduction ... 164
corps ou taille en typographie ... 15
corps, choix dans la mise en page ... 29
correction d'épreuves ... 16
correction, signes de ... 18
correction, texte à corriger ... 20
correction, texte corrigé ... 21
corrigeur ou corrigeuse ... 16
côte d'azur ... 94
côte d'ivoire ... 94
côte nord ... 94
côte, toponyme naturel ... 90
côte-d'or ... 94
couleur simple, adjectif de ... 133
couleur, accord ... 180
coupe, sports ... 88
coupure malsonnante ... 102
coupures ... 99
coupures en anglais ... 191
cour municipale ... 87
cour, organisme ... 82
couronne, à la cour ... 153
courriel ... 78
courriel, espace insécable dans un ... 23
courrier électronique ... 78
cours, enseignement ... 72
cours, toponyme administratif ... 90
couverture de livre, casse ... 66
couverture de livre, terminologie ... 27
couverture, accord ... 180
création commerciale ou technique ... 107
crénage ou approche ... 15
crochets, emplois des ... 168
crochets, espacement ... 169
crochets, face ... 170
croisade ... 75
cubisme ... 71
curatelle publique ... 87
curateur public ... 74
curé ... 74
curseur ... 37

D

dans – d'en ... 147
date écrite en chiffres ... 46
date écrite en lettres ... 46
date en anglais ... 191
dates, séparation des ... 104
de même que ... 147
de, accord ... 147
de, du, des, dans un nom propre ... 83

déca- 57
déci- 57
décibel, symbole 58
décorations, casse 70
découvert 34
décret, petites capitales 96
décret, texte juridique 89
défaite de guerre 75
défense, procès 153
dégradé 34
degré celsius, symbole 58
degré d'alcool 118
degré dans point cardinal 84
degré de température 118
degré, signe de 118
déjeuner, trait d'union 180
deleatur 35
demi 147
demi-cadratin 15
demi-ton 35
démocrates 83
dénomination 65
dénomination au pluriel 67
dénomination elliptique 67
dénomination passée à l'histoire 70
dénomination qui n'en est pas une 67
densités, nombres dans les 119
département, service interne 87
député 74
des plus 147
des, de, du, dans un nom propre 83
désactivation des champs 31
dessin au trait 35
destinataire dans une adresse 79
détacher un mot, italique pour 110
déterminant 124
déterminant démonstratif 124
déterminant indéfini 124
déterminant interrogatif 124
déterminant numéral cardinal 124
déterminant numéral ordinal 124
déterminant possessif 124
détourage 35
deux-montagnes 91
deux-points, emploi et casse après 168
deux-points, espacement 169
devises, maximes et proverbes 107
dialogues, guillemets dans les 171
dictionnaires, italique dans les 107
diesel, face, casse et accord 111
dieu, casse 71
diplômes et grades universitaires 72
dire, italique après 106
directeur, fonction 74
direction 87
directoire, style 89
district, toponyme administratif 90
division ou césure 100
division, service interne 87
division, sports 88
divisions de mots 101
dizaine 152
docteur, abréviation et casse 48
docteur, fonction 74
doctrines et collectivités 71
dollar américain, symbole iso 60
dollar canadien, symbole iso 60
dollar, montants d'argent 52
dollar, symbole graphique 58
domaine, dans internet 25
dont - d'on 148
doublon 35
douzaine 152
doyen 74
drapeau, alignement en 14
droite, la 83
droits de l'homme 89
du, de, des, dans un nom propre 83
duc, titre nobiliaire 74
duché, histoire 76

E

é - er, participe passé ou infinitif 148
échappé belle 148
échelle d'un caractère 15
éclair, accord 180
école passée à l'histoire 70
école, enseignement 72
écrire, italique après 106
édifice, toponyme administratif 90
éditions, sociétés 88
église, bâtiment 69
église, casse 71
élision exceptionnelle 166
élision normale 166
ellipse 182
elliptique, dénomination 67
empagement 27
empattements 23
empire, histoire 76
empire, style 89
emplois des abréviations 40
en - en n' 148
en chef, chef 146
en- 156
en-têtes 27
enregistrée, enr. 48
enseigne dans un texte courant 73
enseigne et panneau 66
enseignement 72
énumérations verticales 22
énumérations, séparation des 104
épicène, nom 123
épine 27
épithète, adjectif qualificatif 132
époques 73
époques et périodes 194
ère tertiaire 73
ères de l'histoire de la terre 194
espace fine 23
espace insécable 23
espace insécable dans un courriel 23
espace sécable, ou justifiante 23
espacements de la ponctuation 169
espacements des abréviations 40
esperluette 168
esquimaux 75
est, ouest, point cardinal 84
et al 109
et cetera, etc 48
et commercial 168
et surtout 148
et/ou 167
établissements 88
étage dans une adresse 79

étant donné 148
état, casse du mot 73
état, nation 76
états américains en anglais 190
euro, symbole iso 60
évêque 74
ex- 156
exa- 57
excepté, préposition 145
exergue 35
existentialisme 71
extra- 156
extrême droite 83
extrême-nord 84
extrême-orient 94

F

face ou graisse 23
faculté 72
famille de caractères 23
famille de caractères, choix 29
fantaisie, accord 180
fantôme, accord 180
fascisme 71
faux- 156
favori ou signet 25
fax, téléphone et télécopieur 78
fédération, sports 88
féminin des fonctions 162
féminisation des textes 160
femto- 57
fer à gauche 106
ferr 55
festival, manifestation 80
fêtes et pratiques 74
feuille de styles 38
filet 30
filet ou bordure 15
filles mères 180
film, titre d'œuvre d'un 112
fils, filles avec esperluette 168
fin, adverbe 148
fins de lignes en saisie 37
fleur du mois 74
fleurs, en 148
fleuve, toponyme naturel 90
flexe 145
floralies, manifestation 80
foire, manifestation 80
folios 27
folios de chapitres 33
fonction du destinataire 77
fonctions au féminin 162
fonctions du nom 129
fonctions et titres divers 74
fond perdu 35
fonds, organisme 82
fontaine 69
fonte 33
forêt-noire 94
formation des abréviations 40
formats des papiers d'impression 26
formes du verbe 130
formes tronquées en féminisation 160
fournisseur d'accès 25
fractions, barre oblique dans les 167
franc français, symbole iso 60
franc, symbole 58
francophones 71
francophonie, organisme 82
frappe au kilomètre 37
frère 74
frères, sœurs avec esperluette 168
frigidaire, face, casse et accord 111
fromage, face, casse et accord 111
front commun 153
frontière, accord 180
fureteur 25
fuseaux horaires, abréviations 48

G

galerie, bâtiment 69
galerie, société 88
garde- 148
gare 69
gauche, la 83
généralités sur les abréviations 40
généralités sur les capitales 66
généralités sur les nombres 116
générique, définition 65
génériques de toponymes 91
genre différent 150
genre du nom 123
genre non marqué 150
genres à retenir 149
giga- 57
gigadollar, symbole 58
gigadollars 52
gigaoctet, symbole 58
gloses 27
golfe persique 67
golfe, toponyme naturel 90
gothique, style 89
gouttière 35
gouvernement 87
gouverneur 74
grades de la marine et de l'armée 75
grades et diplômes universitaires 72
grammaire anglaise 188
gramme, symbole 58
grand, accord 150
gras 23
groupe, organisme 82
groupes du verbe 130
guerre du golfe 67
guerres 75
guillemets 170
— catalogues 171
— citations 171
— dialogues 171
— doute 170
— espacement 169
— et autres ponctuations 186
— et italique 107
— et ponctuation finale 170
— face 170
— limites 171
— opposition avec l'italique 171
— ou chevrons 170
— titres de subdivision 171

H

habillage 35
habitants, races et peuples 75
hampe descendante ou queue 24
haute-ville 94
hauteur de page 27

hecto- ... 57
hélas, non exclamatif ... 173
hémisphère sud ... 94
heure décimale ... 47
heure exprimée avec des mots ... 47
heure pour un moment précis ... 47
heure pour une durée ... 47
heure, symbole ... 58
hippodrome ... 69
hispaniques ... 94
histoire ... 76
histoire de france ... 198
histoire de l'écriture ... 194
histoire du canada et du québec ... 196
hôpital ... 88
horaires de programmes ... 175
horaires de transports ... 119
hôtel de ville ... 87
hôtel, société ... 88
hyper- ... 156
hypo- ... 156

I

ibidem ... 109
idem ... 109
île de montréal ... 94
île, toponyme naturel ... 90
île-perrot ... 94
îles de la madeleine, les ... 94
image vectorielle ... 35
immeuble, toponyme administratif ... 90
impasse, toponyme administratif ... 90
impératif, trait d'union ... 176
imposition ... 35
impressionnisme ... 71
imprimerie nationale ... 51
imprimerie, société ... 88
in-octavo ... 106
incise, guillemets ... 183
incorporée, inc. ... 48
indication à l'auteur ... 16
indication au lecteur, en italique ... 107
initiales dans une lettre d'affaires ... 78
inquisition, époque ... 73
insécables, composition avec ... 104
insectes, races d' ... 68
insertion automatique ... 24
insertion de texte dans une saisie ... 37
inspection, organisme ... 82
institut, enseignement ... 72
institut, organisme ... 82
inter- ... 156
interjection ... 126
interjections, signification des ... 173
interligne et ligne de base ... 24
interligne solide ... 24
internet ... 25
intra- ... 156
intransitif ... 129
introduction d'un livre ... 110
inuits ... 75
invasion ... 75
islam ... 71
israéliens ... 75
israélites ... 71
italiens, mots ... 107
italique ... 105
italique en anglais ... 191

J

jardin ... 69
jaunes, les ... 75
jeux sportifs ... 88
jour, symbole ... 58
journaux, revues, magazines ... 76
jours, abréviations et codes ... 49
judaïsme ... 71
juif, peuple ... 75
justification ... 25

K

kilo- ... 57
kilodollars ... 52
kilogramme, symbole ... 58
kilohertz, symbole ... 59
kilomètre, symbole ... 59
kilooctet, symbole ... 59
kilowatt, symbole ... 59

L

là - ci ... 150
la - l'a ... 150
la plupart ... 150
la prairie, municipalité ... 94
la, le, dans un nom propre ... 83
lac, toponyme naturel ... 90
langue, casse ... 75
langues étrangères, italique dans les ... 107
langues françaises parlées ... 195
lasalle, municipalité ... 94
latin francisé ... 108
latin non francisé ... 108
le gardeur ... 94
le mieux ... 150
le moins ... 150
le moins ... que ... 150
le plus ... 150
le plus ... que ... 150
le premier qui - le seul qui ... 151
le seul qui - le premier qui ... 151
le, la, dans un nom propre ... 83
le, la, dans un titre d'œuvre ... 112
légendes, point dans les ... 172
lemoyne, municipalité ... 94
lettre a) avec parenthèse ... 22
lettre d'affaires ... 77
lettres de l'alphabet en italique ... 110
lettres supérieures, casse ... 41
lettrine ... 97
leur - leurs ... 151
lézardes, aspect visuel ... 30
libéraux ... 83
librairie ... 88
licence en ... 72
lien hypertexte ... 25
lieux publics, casse ... 69
ligatures ... 37
ligne creuse, ligne pleine ... 35
ligne de base ... 24
ligne de rappel ... 25
ligne, fortification ... 75
ligue, organisme ... 82
ligue, sports ... 88
liminaires, définition ... 110
liminaires, folios ... 97
limite, accord ... 180
limitée, ltée ... 48
litre, symbole ... 59

Un camion transportant des fûts de vin dérape et fait plusieurs tonneaux.

littérature de langue française 200
livre 26
livre blanc 153
livre, poids 43
livres sacrés en italique 110
logiciels en petites capitales 97
logiciels, programmes 80
loi passée à l'histoire 70
loi, casse 89
loi, numéro en chiffres 119
lois en italique 110
longitude, latitude, angles plans 119
louis XV, style 89
l'un et l'autre 151
l'un ou l'autre 151

M

macro 28
madame, monsieur, abréviations 49
madame, monsieur, emplois 50
mademoiselle 49
magasin 88
magazines, journaux, revues 76
maigre 23
maire 74
mairie 87
maison de la culture 87
maison, accord 180
maison, histoire 76
maison, société 88
maison-blanche 94
maisons, face des noms de 114
maître imprimeur, pluriel 175
maître, abréviation et casse 49
maîtrise en 72
majorité, en politique 83
majuscules ou capitales 65
maladies, casse 80
manifestations, casse 80
maquette de l'imprimé 29
marché, organisme 82
marge perdue 35
marines 153
martini, face, casse et accord 111
masculin ou féminin? 149
matin, accord 180
maximes, devises et proverbes 107
mecque 94
médecin assistant, pluriel 175
méga- 57
mégadollar, préfixe du symbole 57
mégadollars 52
mégahertz, symbole 59
mégaoctet, symbole 59
même, accord de 151
mémoire vive, mémoire morte 28
menus de restaurant 81
mer morte 94
mer, toponyme naturel 90
mère supérieure 74
mère, accord 180
messieurs 49
mesures typographiques 28
métiers 175
mi- 156
micro- 156
micro- préfixe décimal 57
midi, point cardinal 84
mille, longueur 43
milli- 57
milligramme, symbole 59
millilitre, symbole 59
millimètre, symbole 59
millions de dollars 52
mines antipersonnel 153
mini- 156
ministère 87
ministre, accord 180
ministre, fonction 74
minuscule ou bas-de-casse 65
minute d'angle, symbole 59
minute de point cardinal 84
minute de temps, symbole 59
minute, accord 180
miroir, accord 180
mise en forme de caractères 28
mise en forme de paragraphes 28
mise en page 29
modèle, accord 180
modes du verbe 130
moins de deux 151
moirage 35
mois et jours en anglais 189
mois, abréviations et codes 49
monnaies, liste des symboles 60
mono- 156
monsieur, madame, abréviations 49
monsieur, madame, emplois 50
mont royal, casse et trait d'union 65
mont tremblant 65
mont, toponyme naturel 90
mont-saint-michel 94
montagne, toponyme naturel 90
montants d'argent 52
— écriture 52
— en tableau 52
— nombre entier 52
— place des symboles 52
— préfixes 52
monument 69
mort, allégorie 68
mortaise 35
moteur de recherche 25
moteur diesel, face, casse et accord 111
mouvement, organisme 82
moyen âge 73
moyen-orient 94
multi- 156
multiples décimaux 56
municipalité, toponyme administratif 90
mur, bâtiment 69
musée 88
musulmans 71

N

nano- 57
nations unies 55
navigateur 25
néo- 75
ni – n'y 151
ni l'un ni l'autre 151
ni... ni 151
nip 55
noirs, les 75
nom 123
nom commun ou nom propre 123

nom composé, casse 175
nom concret ou abstrait 123
nom déposé 111
nom géographique 90
nom individuel ou collectif 123
nom propre en apposition 183
nom propre, casse 66
nom simple ou composé 123
nombre du nom 123
nombres 115
nombres à partir de dix 116
nombres au début d'une phrase 118
nombres de un à neuf inclus 116
nombres en anglais 192
nomenclature grammaticale 122
noms composés et leur pluriel 177
noms propres, séparation des 104
noms propres, uniformité des 17
non – n'ont 152
non marqué 123
non seulement..., mais 152
non- 157
nord, sud, point cardinal 84
notes de musique en italique 110
notes en petites capitales 97
notes en saisie 37
notes et appels de note 32
notre-dame 71
nous d'humilité 152
nouveau monde 94
nouveau-mexique 94
nouvelle-orléans (la) 94
nuages, abréviation et casse 53
numérisation 36
numéro, abréviation et emploi du mot. 53
numéros d'ordre, de rang 119

O

oblique inversée 167
observatoire 69
occident 84
occidentaux 94
occupation, époque 73
océan, toponyme naturel 90
octet 33
octet, symbole 59
odonymes, noms de rues, d'avenues... 92
office, organisme 82
œil du caractère 33
œil, choix dans la mise en page 29
oiseaux, races d' 68
omni- 157
on – on n' 154
on, accord avec 154
once, mesure 43
opinel, face, casse et accord 111
opposition, en politique 83
oratoire 69
ordonnance, petites capitales 96
ordonnance, texte juridique 89
ordre passé à l'histoire 70
ordre, société 88
organisation, organisme 82
organismes 82
orient 84
orphelin et veuve 103
orthographe 121
orthographes à retenir 153
oscar, césar, goncourt, nobel, etc. 85
ôté, préposition 145
ou – où 154
ou, accord avec 154

P

pacte, casse 89
page impaire ou belle page 27
page paire ou fausse page 27
page, espacement du folio 119
page, terminologie 27
pages de garde 36
pages liminaires 110
pagination 33
paix 75
palais de justice 87
palais des congrès 87
palais des sports 87
pan- 157
panneau 66
pantone 36
pape, fonction 74
papiers d'impression 26
par ce que – parce que 154
par- 157
para- 157
paragraphe tout en capitales 67
paragraphe, abréviation de 43
paragraphe, définition en typographie . 33
paragraphes, espacement entre les 31
parc 69
pare- 157
parenthèses 172
— casse 172
— entourant l'auteur 172
— espacement 169
— et autres ponctuations 186
— virgule 174
parlement 87
paroisse, toponyme administratif 90
participe passé 127
participe passé, accord du 134
participe passé, terminaison du 127
participe présent 127
participes passés invariables 136
participes passés variables 138
particule nobiliaire 83
partis politiques 83
pas – sans 154
passé, préposition 154
pavé, alignement en 14
pays de galles 94
pays du monde 202
peinture, titre d'œuvre d'une 112
péquistes 83
père 74
période des fêtes 74
périodes d'art architectural 195
perluète 168
personnes du verbe 130
péta- 57
petites capitales 96
petites capitales avec capitale initiale .. 96
petits guillemets 11
petits guillemets, emploi 171
peu importe 154
peuples, habitants et races 75
peut – peu 155

peut-être - peut être 155
pharmacie 88
photo, accord 180
photos dans la mise en page 30
pi 120
pica et point en système décimal 28
pica typographique 28
pico- 57
pied, mesure 43
pilote, accord 180
pizzéria 107
place, ensemble immobilier 90
place, toponyme administratif 90
place-bonaventure 90
place-ville-marie 90
plan, texte juridique 89
plateau-mont-royal 94
pluriel et féminin des abréviations 41
plus d'un 155
plusieurs capitales 80
plusieurs ponctuations de suite 186
plutôt - plus tôt 155
plutôt que 155
poésie, titre d'œuvre d'une 112
poésies, nombres dans les 119
point 172
— avec tiret long 172
— dans les exemples 172
— dans les légendes 172
— dans un titre 172
— espacement 169
— face 170
— final 172
point d'exclamation 173
— casse après 173
— espacement 169
— et autres ponctuations 186
— face et casse après 170
— virgule ou point après 173
point d'exclamation et interjection 173
point d'insertion 37
point d'interrogation 173
— casse après 173
— espacement 169
— et autres ponctuations 186
— face et casse après 170
— virgule ou point après 173
point typographique 28
point-virgule 174
— dans les énumérations horizontales. 174
— espacement 169
— et mot suivant 174
points abréviatifs 41
points cardinaux 84
points de conduite 172
points de suspension 173
— avec point d'interrogation 173
— casse après 174
— espacement 169
— et virgule 173
— pour marquer un effet 174
poissons, races de 68
police de caractères 33
police, choix dans la mise en page 29
poly- 157
ponctuation 165
— basse 170
— des abréviations 41
— double 170
— en anglais 192
— en saisie 37
— espacements 169
— finale, casse après 66
— haute 170
— plusieurs de suite 186
pont 69
pont-l'évêque 111
porte dans une adresse 79
porte, bâtiment 69
possible 155
post- 157
post-scriptum 109
postface 110
pouce, mesure 43
pour cent 155
pourcentages, nombres dans les 120
pourquoi - pour quoi 155
pré- 157
préface 110
préfixes des symboles 57
préfixes divers 156
premier ministre 74
premier, abréviation 43
première guerre mondiale 75
premiers ministres du canada 197
premiers ministres du québec 197
prénom et trait d'union 175
préposition 126
prépresse 34
près - prêt 155
président 74
président-directeur général 43
présidente fondatrice 175
prières en italique 110
prime dans point cardinal 84
prince 74
prison 69
prix et récompenses 85
prix sportif 88
pro- 157
procès du verbe 130
proche-orient 94
procureur 74
produits et spécialités, face des 111
professeur, abréviation et casse 53
professeur, fonction 74
programmes, logiciels 80
pronom 125
pronom démonstratif 125
pronom indéfini 125
pronom interrogatif 125
pronom personnel 125
pronom possessif 125
pronom relatif 125
pronoms personnels différents, sujets . 131
propositions 128
— incise ou incidente 128
— indépendante 128
— principale 128
— subordonnée circonstancielle 128
— subordonnée participiale 128
— subordonnée relative explicative 128
— subordonnée relative restrictive 128
protecteur du citoyen, casse 74

Samedi prochain à l'école : grand tournoi d'échecs scolaire.

proverbes, devises et maximes 107
proverbes, nombres dans les 120
province dans une adresse 79
provinces canadiennes en anglais 190
provinces canadiennes, abréviations ... 53
provincial 94
pseudo-... 157

Q

qc, abréviation dans une adresse........ 79
quadrichromie 36
quai, toponyme administratif 90
qualités des papiers d'impression 26
quantités, espace dans les nombres de 120
quasi- 157
quatre-vingt.................................. 117
québécois, casse............................ 75
quelque – quel que 158
quelquefois – quelques fois............... 158
querelle passée à l'histoire 70
queue de la lettre minuscule............. 24
qui, précédé d'un pronom personnel ... 158
qui, pronom relatif sujet 131
qui, virgule avant............................ 184
quoique – quoi que 158

R

races, habitants et peuples 75
radio et télévision 95
raison sociale, casse........................ 67
ram 28
ramadan, pratique religieuse 74
rang ou numéro d'ordre 119
re-, ré-... 157
réalisme 71
recettes de cuisine 85
récompenses et prix 85
record, accord 180
recouvrement................................. 36
redondance expressive 184
reer 55
régie, organisme............................. 82
régime politique 76
régime politique, chiffres romains....... 96
régiment 119
régisseur, régisseuse....................... 163
règlement, petites capitales............... 96
règlement, texte juridique 89
religion, termes religieux.................. 71
renaissance, style 89
renfoncement ou retrait 36
renvoi au chapitre 97
repagination.................................. 33
repérage 36
reptiles, races de 68
république 76
restaurant..................................... 88
retrait ou renfoncement 36
retraite, guerre............................... 75
révérend père 77
révolution, histoire.......................... 76
revues, journaux, magazines 76
rive, toponyme naturel 90
riviera 94
rivière, toponyme naturel.................. 90
rocheuses 94
rococo.. 89
roi 74
rom 28
romain 23
roman, style 89
roman, titre d'œuvre d'un 112
romantisme 71
rond-point, toponyme administratif..... 90
royaume, histoire............................ 76
rue dans une adresse 79
rue, toponyme administratif 90
ruée vers l'or................................. 73
rues, aspect visuel 30

S

saint en anglais 191
saint ou sainte, liste de noms avec 86
saisie 37
salami 107
salle d'attente 67
salon rouge................................... 153
salon, manifestation 80
salutation dans une lettre d'affaires 78
sans- 157
sansérif 23
saut de ligne 31
saut de page 33
sauts de ligne, barre oblique.............. 167
scanner 36
scène de pièce de théâtre................. 96
script, macro................................. 28
sculpture, titre d'œuvre d'une 112
sécables, composition avec................ 104
seconde d'angle, symbole 59
seconde de point cardinal.................. 84
seconde de temps, symbole............... 59
secondes décimales......................... 46
secrétaire général 74
secrétariat, organisme 82
section, service interne 87
sélection des couleurs...................... 36
semi- 157
séminaires 111
sénat, organisme 82
sénateur 74
sens propre ou figuré du nom 123
séparations de mots 104
sérif 23
serment passé à l'histoire.................. 70
serment, texte juridique.................... 89
service, société............................... 88
services administratifs 87
services internes............................. 87
si (concordance) 158
sic, entre parenthèses 168
siècle des lumières.......................... 73
siècle en petites capitales.................. 97
siècle, abréviation 43
sierra 94
sigles et acronymes.......................... 54
sigles et acronymes en anglais 189
sigles, coupure des 103
signes de correction 18
signes du zodiaque.......................... 87
s'il vous plaît.................................. 43
simili 35
société passée à l'histoire.................. 70
société, abréviation 43
sociétés.. 88
soir, accord 180
sommaire simple, alignement en 14

sommes d'argent 52
sommet, organisme 82
son – leur 158
souligné 36
soulignement 16
souper, trait d'union 180
sœur, accord 180
sous- 157
sous-titre sur une seule ligne 30
sous-titres, alignement 30
souverain, chiffres romains capitales... 96
spécifique nouveau 65
spécifique, définition 65
spécifiques de toponymes 91
spectacle, trait d'union 180
sport, accord 180
sports 88
square, toponyme administratif 90
stade 69
standard, accord 180
stations de métro 93
statistiques, nombres dans les 120
statue 69
statuts, petites capitales 96
styles 38
styles artistiques 89
subdivisions d'un livre 26
subjonctif présent 143
sud-est 84
suite dans une adresse 79
sujet est un infinitif, le 131
sujet, comment trouver le 129
super- 157
supra- 157
sur- 157
surcomposé, toponyme 175
sûreté, organisme 82
surexposition 34
symboles de chimie 45
symboles des monnaies 60
symboles des pays 61
symboles du système impérial 62
symboles du système international 58
symboles, séparation des 104
syndicat, organisme 82
synthèse, accord 180
système impérial en anglais 190
système impérial en français 62
système international d'unités 56
système international en anglais 190
systèmes, casse 89

T

t euphonique 158
taille ou corps 15
talons aiguilles, accord 180
talus 15
tapis rouge 153
tel – tel que – tel quel 159
télé- 157
téléphone, fax et télécopieur 78
téléroman, titre d'œuvre d'un 112
télévision et radio 95
témoin, accord 180
température 118
temps décimal, barre oblique 167
temps des fêtes 74
temps du verbe 130
temps modernes 73
téra- 57
terre de feu 94
texte dans la mise en page 29
textes juridiques 89
théâtre, petites capitales 97
théâtre, société 88
théâtre, titre d'œuvre d'une pièce de .. 112
tierce 34
tiers-monde 94
tiret court ou tiret sur demi-cadratin ... 174
tiret long dans une énumération 172
tiret long ou tiret sur cadratin 174
tiret long, espacement 169
tiret long, ponctuation 174
titres 24
— courants 27
— d'œuvre 112
— d'œuvre, accord du 113
— de civilité 49
— de concours 111
— de cours 111
— de programmes 111
— de séminaires 111
— de subdivision 171
— hiérarchie 24
— honorifiques 77
— ponctuation 172
— positions dans la mise en page 29
— religieux 77
— tout en capitales 67
tonne, symbole 59
toponyme administratif surcomposé.... 175
toponymes à retenir 94
toponymes administratifs, liste 90
toponymes naturels, liste 90
toponymes, abréviations 91
toponymie 90
toponymie, règles 91
tour sportif 88
tour, bâtiment 69
tournoi 88
tout 159
trains, face des noms de 114
trait d'union 175
— conditionnel 100
— dans un spécifique 176
— entre deux noms 180
— entre prénom et nom 176
— espacement 175
— fonctions et métiers 175
— impératif 176
— insécable 100
— né 176
— noms de peuples 175
— prénoms 175
— sécable 100
— toponymes 91
traité, casse 89
trame 36
transitif direct 129
transitif indirect 129
transitivité du verbe 130
travaux juridiques, nombres 116
travaux littéraires, nombres 116
travaux ordinaires, nombres 116
travaux scientifiques, nombres 116

tréma 145
tri, classement 38
tri- 157
tribunal, organisme 82
tris, exemples de 31
troncations 41
tronquées, formes 160
type, accord 180
typographie anglaise 187

U

ultra- 157
un de ceux qui 159
un des ... qui 159
un et une, élision des mots 120
union, organisme 82
unités de mesure 58
université 72

V

vedette dans une lettre d'affaires 77
vedette, accord 180
véhicules, face des noms de 114
venezuela 94
vénitiennes, lettres 106
vents 95
verbe, accord du 131
verbes modèles de conjugaison 139
verbes pronominaux, liste 138
vérificateur général 74
vérité, allégorie 68
verts, les 153
veuve et orphelin 103
vice- 157
victoire de guerre 75
villas, face des noms de 114
ville dans une adresse 79
ville éternelle 94
ville lumière 94
ville, avec une capitale 87
ville, toponyme administratif 90
villes, genre des 159
vin, face, casse et accord 111
vingtaine 152
virgule 181
— adresse 79
— apostrophe rhétorique 181
— apposition 181
— ainsi que 181
— avec 181
— car 181
— casse après la virgule 168
— c'est 181
— de 181
— décimale, espacement 169
— ellipse 182
— entre le nom et le prénom 182
— entre le sujet et le verbe 182
— entre le verbe et le c.o.d. 182
— énumération d'œuvres 182
— espacement 169
— et 182
— et autres ponctuations 186
— et ce 182
— face 170
— féminin des fonctions 182
— hélas 173
— incidente 183
— incise 183
— incise avec guillemets 183
— index 183
— inversion du sujet 183
— mais 181
— menus 81
— ni 183
— nom propre apposé 183
— nom propre éloigné 183
— ou 183
— parenthèses 174
— point d'exclamation 183
— point d'interrogation 183
— que élidé 184
— qui, que, dont, où 184
— redondance expressive 184
— relative explicative 184
— relative restrictive 184
— soit 184
— subordonnée circonstancielle 184
— subordonnée participiale 184
— tête de phrase 184
— virgule déplacée ou supprimée 185
vive 159
voix du verbe 130
votes, nombres dans les 120
vous de politesse 159
vu, préposition 145

Tableaux

Abréviations courantes 42
Accents à retenir 144
Bible 44
Chimie 45
Espacements de la ponctuation 169
États américains 190
Féminisation des fonctions 162
Genres à retenir 149
Noms composés et leur pluriel 177
Noms en apposition 180
Orthographes à retenir 153
Participes passés invariables 136
Participes passés variables 138
Pays du monde 202
Plusieurs ponctuations de suite 186
Préfixes divers 156
Provinces canadiennes 53
Signes de correction d'épreuve 18
Significations des signes 11
Symboles des monnaies 60
Symboles des pays 61
Symboles du système impérial 62
Symboles du système international 58
Table Ansi 12
Toponymes à retenir 94
Toponymie : odonymes 92

Achevé d'imprimer par l'imprimerie Agmv-Marquis à Montmagny (Québec) en juin 2000.